KB196659

5년 후
당신의 일자리가 사라진다

2025년 나는 무엇을 하며 살고 있을까

5년 후 당신의 일자리가 사라진다

강규일 지음

책들의정원

차례

2장 | 기술은 새로운 일자리를 부른다

3장 | 상상력이 일하게 하라

4장 | 인간 대신 로봇이 출근한다면

프롤로그

변화는 위기이자 기회다

상상이 현실로 이뤄지는 세상

첨단기술은 인류의 라이프스타일에 혁신을 가져오고 산업 분야의 효율성을 극대화한다. 궁극적으로 유토피아를 지향하는 첨단 테크놀로지는 이 시대의 경제 발전과 산업혁명에 맞닿아 있어 우리가 상상하는 것 이상의 변화를 가져올 수 있다. 전 세계 경제 성장과 산업의 발전이 이룩한 디지털 시대 속에서 우리가 해결해야 할 과제는 무엇일까?

SF 영화 속에서 보던 놀라운 상상력과 픽션이 이제는 점차 현실이 되고 있는 시대를 맞이했다. 음성으로 컴퓨터와 대화를 하거나 핸들을 잡지 않아도 목적지까지 데려다주는 자동차, 산업현장에서 인간을 대신해주는 로봇의 탄생은 진보한 기술의 결과물이자 미래에 다가가기 위한 발걸음이다. 밝은 의미에서 보면 마치 삶의 질이 향상될 것으로 전망해볼 수 있지만 이면에는 위협적인 이슈들이 분명히 존재하고 있다.

통신망이 발달하면서 인터넷의 속도는 급격하게 빨라졌고 금융과 미디어, 커머스, 모바일 등에 매우 큰 영향을 끼쳤다. 그리고 인공지능과 로봇 기술이 놀라울 정도로 발전하면서 은행을 방문하는 경우들이 점차 사라지고 있다. 대형 쇼핑몰의 안내 데스크에도 사람들 대신 대형 스크린이 존재하는 케이스가 더욱 흔해진 시대다. 이러한 변화의 의미는 무엇인가? 본래 사람이 존재하던 자리에 인공지능과 로봇이 대체하게 되는 세상이라면 사람의 일자리는 사라지게 마련이다.

증기기관과 자동차 등 기계화가 도입된 이후 산업 환경의 인력 구조는 매우 크게 변화했다. 마차를 끌던 마부들이 자동차로 인해 사라지게 되고 공장에서 일하던 수많은 사람들이 기계와 전기를 통한 대량 생산으로 크게 감소한 것을 생각하면 '산업혁명과 경제 발전'은 '노동 시장 변화 및 일자리 위협'과 동일선상에 있다는 것을 인지할 수 있을 것이다.

세계경제포럼이 지적하는 '미래 고용 동향'

과학기술정보통신부mist.go.kr에서도 4차 산업혁명이 본격적으로 성장하게 되면서 지능화 혁신에 따른 새로운 일자리 창출에 대한 기대와 함께 인공지능으로 인한 일자리 감소 위협도 공존하고 있다고 언급한 바 있다. 첨단 기술로 인해 새로운 산업이 발달하고 각광받게 되면 반드시 쇠퇴하는 비즈니스도 존재하는 법인데 가령 자율주행 자동차가 본격 도입되면 택시 사업은 물론 택시 기사들의 인력 구조에도 변화가 찾아올 수밖에 없다는 것이다. 은행에서 근무하는 수많은 사람들도 창구에서 사람과 대화를 나누며 업무를 처리했지만 인터넷 은행이 생기고 온라인을 통해 은행 거래의 대부분이 가능해지면서 역시 대대적인 변화를 맞이한 곳 중 하나라고 할 수 있겠다.

4차 산업혁명의 키워드를 제시한 세계경제포럼World Economic Forum은 〈일자리의 미래 2016The Future of Jobs 2016〉이라는 제목의 보고서를 정기적으로 공개하고 있는데 이 중 고용 동향Employment Trends 파트를 읽다보면 마치《성경》의 〈요한계시록〉을 보는듯한 느낌마저 든다. 이 보고서는 전 세계 주요 국가 중 15개국의 350개 대기업에 존재하는 약 18억 명의 근로자들을 대상으로 작성되었는데, 이는 전 세계 노동 인구 가운데 65퍼센트에 해당하는 인구수다. 이 중 사무직, 제조업, 건설업 등 우리가 주요하다고 생각했던 분야의 일자리가 무려 710만 개나 사라진다고 한다. 4차 산업혁명과 첨단 테크놀로지의 영향이 누군가에게는 직접적인 타격을 주는 셈이다. 인간의 일자리, 과연 이렇게 사라지고 말 것인가?

비관하지도, 낙관하지도 말고 판단해야 한다

첨단 기술의 발전으로 인해 일부 직업들이 사라진다는 것은 여러 보고서에서 언급되는 전망이긴 하지만 이로 인해 두려워하거나 비관적으로 판단할 필요는 없다고 강조한다. 사라지는 직업이 있다면 새로운 산업으로 인해 인력 양성과 고용 창출이 생겨날 가능성도 있기 때문이다. 차세대 인재 양성이 첨단 테크놀로지의 변화를 그대로 따라갈 순 없다. 쉽게 말하면 기술과 트렌드는 빠르게 변하는 현실 속에서 전문가 양성과 교육은 지연될 수밖에 없는 것이다. 기업들은 첨단 테크놀로지에 실시간으로 대응할 줄 알아야 하고 현재 인력의 재교육을 실시하는 등 꾸준하게 지원해야 하며 정부 차원에서는 창의적인 환경을 조성하고 능동적인 대처를 할 수 있어야 한다.

역사적으로 증기기관, 자동차, 전기, 인터넷이 산업혁명을 이룩했고 첨단 기술을 위한 연구와 개발을 지속하면서 경제 활동의 범위도 점차 확장되었다는 측면으로 보면 앞으로 있을 산업의 변화 역시 무궁무진한 잠재력을 지닌 것이며 고용 창출의 기회로 삼는 계기가 될 수도 있겠다. 미래의 일자리와 직업군이 요구하는 인간의 새로운 역할을 모색해야 하고 그 역할을 올바르게 수행할 수 있도록 사회적인 제도와 체계, 환경이 구축되어야 하겠다.

세계경제포럼의 새로운 보고서<일자리의 미래 2018(The Future of Jobs 2018)>

와 포브스의 기사를 종합해보면 첨단 소재나 생명공학, ICT 등의 새로운 기술 분야에서 고용 창출의 기회가 마련될 수 있다고 한다. 테크놀로지 분야라고 해서 반드시 이공계열에만 기회가 있는 것은 아니다. 포브스 기사에서는 데이터 분석가나 소셜 미디어 전문가, 고객 서비스나 마케팅 등 인적 기술을 필요로 하는 수요에 대해서도 언급했다. 새로운 기술이 생기면 이를 접목하고 응용할 수 있도록 기획과 전략을 필요로 하는데 인공지능이나 로봇 산업의 로드맵을 마련하면 이를 구체화할 수 있는 인력도 필요한 셈이다. 삶의 질이 높아지고 워라밸work and life balance, 일과 삶의 균형이나 탄력근무제가 안착하면 여행이나 관광 산업, 레저 분야도 각광을 받을 수 있게 될 것이다.

먼 미래에 인류는 또 다른 산업혁명을 겪게 될 것이다. 현존하는 첨단 테크놀로지에도 또 다른 변화가 생기게 될 것이지만 그것이 우리 삶은 물론 정치, 사회, 경제에 어떠한 변화를 몰고 오게 될지 아무도 알 수 없다. 곧 5G 시대가 도래할 것이고 VR이나 자율주행 자동차, 클라우드, 빅데이터 등이 연관 산업으로 떠오를 것이다. 여기에 5G를 넘어 6G와 7G에 대한 통신 네트워크 연구가 활발하게 진행되고 있다. 자율주행 자동차의 경우에도 완벽한 자율주행의 기준으로 삼는 '레벨 5'에 가까워지고 있는 추세다. 하지만 이 모든 산업이 어떠한 방향으로 지속을 이룰 수 있을지 문득 궁금해진다.

첨단 기술은 양날의 검이 될 수 있다. 기회로 삼아 능력을 발휘할 것인가, 대비하지 않고 위기를 맞게 될 것인가. 개인은 물론이고 기업과 국가 모두 미래의 새로운 물결을 맞이하려면 지금부터 준비하고 대비해야 한다. 그것이 우리 세대가 해결해야 할 과제이며 숙명이다.

2019년 7월

강규일

1장

당신의 다음 직장은 '이곳'이 될지도 모릅니다

01

구글과 애플은 영원한 승자일까?

일자리 전망 삼성전자, 네이버… 대기업도 안심할 수 없다

글로벌 기업 시가총액 순위에서 항상 최상위권을 달리고 있는 기업이 있다. 구글과 애플이다. 그러나 이들이 처음부터 강력한 힘을 가졌던 것은 아니다. 이들은 모두 시행착오를 겪으며 지금의 브랜드가 되었다. 차곡차곡 쌓아올린 그들의 경험은 곧 글로벌 기업으로 성장할 수 있는 발판이자 기반이 되었다.

물론 구글과 애플에만 국한된 이야기는 아니다. 기업의 세계에서는 언제나 거센 지각변동이 일어나지만, 뿌리 깊은 기업은 쉽게 무너지지 않는다. 구글은 글로벌 검색 엔진으로 이름을 떨쳤지만 이것이 전부가 아니며 자율주행 자동차, 인공지능 알파고, 프로젝트 룬Project Loon, 농촌과 산골 마을에서도 원활하게 인터넷을 사용할 수 있도록 통신망이 연결된 열기구를 띄우는 프로젝트 등으로 사업 다각화를 펼치고 있다. 애플, 테슬라, 아마존, 페이스북, 바이두, 알리바바도 모두 하나의 서비스와 플랫폼으로 시작했지만 4차 산업혁명 시대를 맞이하게 되면서 스트리밍 서비스와 자율주행 프로젝트애플, 민간 우주선 개발아마존, 인공지능 프로그램페이스북 등 매우 다양한 분야에 진출하고 있다.

국내기업인 삼성전자는 반도체와 가전으로 전 세계를 사로잡았는데 가상현실이나 인공지능은 물론 블록체인 프로젝트를 통해 미래에 있을 변화에 대응하고 있는 편이다. 네이버나 카카오와 같은 IT 기업 역시 사업 확장에 있어 꽤 눈에 띈다. 기본적으로 두 회사 모두 블록체인 플랫폼인 네이버 링크체인Link Chain과 카카오 클레이튼Klaytn을, 인공지능 모듈인 네이버 클로바Clova와 카카오i를 세상에 내놓았다.

더구나 네이버의 경우는 자율주행 자동차나 로봇 분야에 있어서도 글로벌한 경쟁력을 지녔다. 카카오는 '모든 사람들의 편리한 이동수단'을 위해 택시나 대리운전 등을 모아놓은 카카오T 서비스를 카카오 모빌리티Kakao Mobility라는 회사에서 운영하고 있다. 카카오 모빌리티는 2017년 5월 설립된 카카오의 계열사다. 현재에 머무르지 않는 것 그리고 미래에 있을 변화에 대비하고 대응한다는 것은 매우 중요한 일이다.

그렇다고 이들 회사가 지속적으로 굳건할 수 있을지 장담할 수는 없다. 누군가는 퍼스트 무버first mover로 신호탄을 쏘아 올리지만, 패스트 팔로워fast follower라는 이름을 가진 경쟁사들은 이를 바짝 쫓게 마련이다. 사실 퍼스트 무버와 패스트 팔로워의 개념은 이제 큰 의미가 없다. 단지 미래를 준비하는 과정이고 인류의 또 다른 개척일 뿐이다. 오늘의 트렌드가 내일이면 바뀌듯 트렌드에 따라가지 못하는 기업과 브랜드는 결국 잊히게 마련이다.

미래 키워드 '갤럭시 폴드'에 사용된 접히는 디스플레이

폴더블foldable 디스플레이는 말 그대로 '접히는' 디스플레이를 의미한다. 스마트폰에 탑재할 경우 평소에는 접어서 휴대할 수 있고 펼치게 되면 기존 스마트폰보다 스크린이 확대되기 때문에 마치 태블릿처럼 활용이 가능하다. 접고 펼칠 수 있는 기능을 수도 없이 반복해야 하므로 내구성이 강한 재료를 써야 한다. 폴리이미드 필름polyimide film이라고 해서 고온과 저온에 강하며 굴곡성이 뛰어난 고기능성 산업용 소재가 스마트폰의 강화 유리 대신 활용되는 경우도 있다. 삼성전자는 안으로 접히는 인폴딩, 화웨이는 바깥으로 접히는 아웃폴딩 방식을 쓰고 있다.

영원할 줄 알았던 '코카콜라'를 이긴 IT 공룡들

얼마 전 재미있는 동영상 하나를 본 적이 있다. 2000년부터 2018년까지 18년간 일어났던 글로벌 기업들의 브랜드 가치를 추이 변화 그래프로 만든 후 영상으로 담아낸 것인데 꽤 흥미로웠다. 2000년에는 코카콜라가 700억 달러 규모로 가장 높았고 마이크로소프트와 IBM, 제너럴일렉트릭GE 등이 뒤를 이었다. 2008년까지 큰 변화 없이 지속하다가 IBM이 마이크로소프트 위로 올라왔고 구글Google이 처음 순위권에 진입했다.

이 영상에 따르면 구글의 브랜드 가치는 약 200억 달러 수준이었다. 구글의 성장세는 어마어마했다. 앞서 있는 기업들을 순식간에 내려앉히고 상위권에 올라섰다. 그리고 2010년 애플이 순위권에 진입했다. 당시 약 280억 달러 수준. 2011년 들어 구글과 애플은 전 세계 'TOP 5' 위치에 올랐고 우리나라의 삼성전자가 260억 달러 수준으로 처음 진입했다.

2012년이 되면서 코카콜라가 처음으로 1위 자리를 내주었는데 가장 높은 자리를 차지한 기업은 다름 아닌 애플이었다. 그리고 시간이 지나면서 구글과 애플의 브랜드 가치는 점차 늘어나는 반면 다른 기업들의 브랜드 가치는 점차 하락하는 모양새가 되었다. 구글 역시 브랜드 가치가 주춤했다가 다시 성장하는 케이스였다. 그만큼 구글과 애플이 가진 기업 가치가 우리가 단순하게 생각 하는 수준 이상으로 어마어마하다는 반증이다.

우리 또한 구글과 애플 성장세를 다양한 언론의 수많은 정보를 통해 인지하고 있었을 것이다. 2015년에는 아마존이, 2017년에는 페이스북이 각각 진입해 역시 놀라운 상승세를 보였다. 2018년까지 대장정을 마무리하는 그 시점에 글로벌 브랜드 가치에 포함된 기업은 애플, 구글, 아마존, 마이크로소프트, 코카콜라, 삼성, 도요타, 벤츠, 페이스북 그리고 맥도날드 순이었다. 참고로 영국의 브랜드 평가기업 '브랜드 파이낸스Brand Finance'가 공개한 2019년도 글로벌 기업 순위 1위는 아마존이었다.

이러한 점만 봐도 10년이라는 시간은 길면서도 짧다. 흥망성쇠가 공존하는 시간대이며 10년 전을 생각하면 상전벽해라는 놀라운 변화를 두 눈으로 확인할 수 있는 시간이다. 독보적일 줄 알았던 코카콜라의 왕좌는 시간이 지남에 따라 점차 아래로 내려앉았다. 그럼에도 불구하고 단 한번도 10위권 밖으로 벗어나지 않고 전 세계를 대표하는 기업이 되었으니 업계에서는 영원한 승자라고 해도 과언이 아닐 것이다.

우리가 이 그래프에서 눈여겨볼만한 기업은 다름 아닌 IT 기업이다. 구글이나 아마존, 페이스북이 세계적 제조업체들과 어깨를 나란히 할 수 있었던 것은 글로벌 트렌드에 빠르게 대응하는 그들만의 독보적인 서비스였고 그와 더불어 새로운 먹거리를 찾는 지속적인 연구가 그들을 공룡으로 만든 셈이다. 어떻게 구글은 거대한 공룡이 되었을까? 그리고 아마존은 어떻게 급성장 할 수 있었을까? 그들은 과연 영원한 승자일까?

구글, 4차 산업혁명의 선봉장

구글과 애플은 사실 성격이 다른 기업으로 출발했다. 단도직입적으로 구글은 글로벌 검색 엔진으로 시작한 다국적 IT 기업이고 애플은 매킨토시Mcintosh와 같은 컴퓨터를 제작한 제조사였다. 애플이 설립된 1976년 그 후 22년이 지나 구글의 씨앗에서 싹이 트기 시작했다. 그 씨앗은 거대한 나무가 되었고 숲을 이루고 있다. 검색 엔진 기업이 유튜브Youtube를 소유하면서 몸집을 부풀렸고 자율주행 자동차와 인공지능과 같은 미래 지향적 프로젝트를 활발하게 진행하면서 글로벌 기업들과 격차를 벌이고 있다. 사실 구글의 경쟁 상대로 페이스북이나 트위터를 이야기하는 사람들도 있지만 구글의 체급은 그 이상이다. 익히 알려진 것처럼 구글과 경쟁이 가능한 기업은 애플, 아마존, 마이크로소프트라는 말도 있다. 애플의 경우는 매킨토시에 이어 아이팟으로 MP3 디바이스 시장을 석권한 절대강자다. 디자인 측면으로도 이를 능가할 수 있는 기업은 많지 않았다. 그 후 애플은 아이폰iPhone이라는 디바이스를 손에 쥐게 된다.

구글은 안드로이드를, 애플은 iOS라는 운영 체계를 활용하고 있고 블랙베리 OS나 마이크로소프트의 윈도우 폰 등이 있기는 하지만 이 세상에 단 두 가지의 운영 체계가 존재한다고 해도 과언이 아닌 시대가 되었다. 구글과 애플은 모바일 시대에 접어들면서 매우 크게 변화한 기업들이고 모바일 트렌드를 이끄는 선봉장과 같다. 또한 구글의 사업 확장은 매우 광범위한 편인데 애플 역시 자신의 능력을 마음껏 펼칠 수 있는 프로젝트에 힘을 기울이고 있다. 태생은 다르지만 시간이 지남에 따라 기업들의 색깔이 변하고는 한다. 구글과 애플이 바로 그런 존재. 세상에는 수많은 회사와 브랜드가 존재하고 있고 저마다 미래를 대비하고 있다. 지금 세상을 대표하는 두 가지 브랜드인 구글과 애플에 대해 언급해보고자 한다.

우선 구글을 살펴보자. 러시아계 미국인인 세르게이 브린Sergey Brin은 메릴랜드 대학교에서 컴퓨터를 전공했고 스탠포드 대학교Standford University에서 석사과정을 밟고 있던 중 래리 페이지Larry Page라는 1973년생 동갑내기 미국인을 만났다. 래리 페이지 역시 미시건대학교에서 컴퓨터를 전공한 후 스탠포드 대학교로 넘어왔다. 두 사람의 만남으로 구글의 역사는 1998년부터 기록을 쓰기 시작했다. 구글은 한때 적자 상태에 있긴 했지만 몸집은 점점 커졌다.

두 사람의 의기투합으로 이뤄진 구글이라는 회사에 오랜 경험을 가진 노련한 기업가 에릭 슈미트Eric Schmidt가 동반자로 합류하면서 구글의 성장세는 더욱 가속화되었다. 지구상에서 쓰이고 있는 전 세계인들의 검색엔진으로 감히 그 누구도 넘볼 수 없는 점유율을 확보했고 여기에 동영상 플랫폼의 최강자 유튜브Youtube까지 손에 쥐었다.

구글은 알파벳Alphabet이라는 모회사를 설립해 구글을 산하에 두었다. 자율주행 자동차 등 새로운 분야를 연구, 개발하는 '구글XGoogle X', 인공지능 분야를 선도하고 있는 '구글 딥마인드Google Deepmind', 광통신 분야를 연구하는 '구글 파이버Google Fiber' 등을 대표적인 계열사로 꼽을 수 있다. 이렇게 보면 구글은 검색 서비스만 존재하는 단순한 기업이 아니라는 것이다. 차곡차곡 그리고 아주 탄탄하게 미래의 먹거리를 준비하고 있는 기업이니 훗날에도 전 세계를 뒤흔드는 브랜드가 될 것 같다.

에릭 슈미트에게 구글은 인생의 전환점 같은 기업일지도 모르겠다. 오랜 시간동안 같은 분야 다른 기업에서 경험을 쌓다가 구글의 동반자가 된 것은 자신보다 18살이나 어린 사람들이 이 시대에 맞는 트렌디함은 물론 기발하고 유연한 발상이 놀라운 변화를 가져올 수 있을지 모른다는 기대감이었을 터. 사실 에릭 슈미트는 2006년부터 애플의 이사회에 속해 있었다. 하지만 구글과 애플을 오가면서 양쪽 모두에 몸을 담았던 그로 인해 양사가 과연 공정하게 경쟁하고 있는 것인지, 담합은 없었는지에 대한 의심의 시선도 한 몸에 받아야 했다.

겉으로 보기에는 구글과 애플이 우호적으로 협업을 진행해왔고 실질적으로 경쟁하는 업체도, 경쟁하는 분야도 크게 다르기는 했지만 구글의 안드로이드폰, 애플의 iOS 운영체제가 세상 밖으로 나오고 양사의 애플리케이션이 입점 또는 퇴출되는 사례들이 생겨났다. 2009년 8월, 애플은 자사 홈페이지에 에릭 슈미트가 애플 이사회에서 사임한다고 공식 발표했다. 지금의 구글은 인도 출신의 선다 피차이Sundar Pichai가 대표직을 맡고 있다.

구글은 각 계열사들을 통해 미래를 위한 준비에 한창이다. 알파벳 산하의 웨이모Waymo라 불리는 자율주행 자동차 서비스 연구 조직이 존재하는데 무려 1천만 마일이나 공공도로를 운행한 기록이 있다. 2016년 교차로에서 우회전을 하려고 하다가 첫 사고를 낸 바 있지만 웨이모의 자율 주행 기술은 점차 발전하고 있는 중이다. 웨이모는 웨이모 원Waymo One이라는 자율 주행 택시 서비스도 준비 중에 있다. 2020년 이후가 되면 구글을 포함해 테슬라나 GM과 같은 곳에서도 자율 주행 자동차 개발에 한창이라 이 분야의 시장이 더욱 뜨거워질 전망이다.

인공지능 알파고AlphaGo 역시 구글에서 결코 빼놓을 수 없는 분야다. 이미 세계적인 바둑기사, 즉 인간을 상대로 승리했고 보다 많은 데이터를 확보해 지속적인 딥러닝이 이뤄지고 있는 상황이다. 바둑은 그야말로 한가지의 적용 사례일 뿐, 핵심기술은 다양한 산업 분야에 응용하여 인류의 편의를 도모하고 기술력 증대에 앞장서겠다는 것이다. 인간이 예측할 수 없거나 예상하기 힘든 상황, 인류가 그동안 풀지 못했던 난제들을 이러한 인공지능이 풀어나갈 수 있을지도 모르겠다. 구글의 역사가 '챕터 1'을 검색 엔진으로 가득 채웠다면 또 다른 페이지에서 '챕터 2'를 쓰고 있는 셈이다. 이들에게 '영원한 승자'라는 단어는 무의미하다.

'잡스'의 애플과 '팀 쿡'의 애플

필자는 사실 '애플'의 팬이다. 애플의 추종자를 속된 말로 '앱등이'라고 표현하기도 하는데 필자도 아이팟으로 시작해 아이폰, 맥북. 아이패드까지 두루 사용하고 있는 애플의 광팬이다. 사실 사용성에 있어 크게 불편함 없이 쓰고 있고 획일화된 디자인과 성능 모두 개인적으로 만족하는 편이다. 스티브 잡스가 이룩한 애플, 지금까지 어떻게 승승장구

하고 있는 것일까?

스티브 잡스Steve Jobs와 스티브 워즈니악Steve Wozniak에 의해 만들어진 애플 컴퓨터는 '매킨토시Macintosh'라는 역사적 발명품으로 인해 자리 잡기 시작했지만 워낙 많은 분야로 뛰어드는 바람에 부도 위기까지 몰렸던 기업이다. 마이크로소프트의 시장 장악이 워낙 월등했기 때문에 애플이 설 자리가 없었던 것도 사실이다. 스티브 잡스의 애플이 성공적으로 성장할 수 있었던 것은 다름 아닌 MP3 플레이어 '아이팟iPod'이었다. 이 기기는 디자인 측면과 편의성에 있어서도 각광을 받았다. 이후 세기의 발명품인 '아이폰iPhone'이 세상의 빛을 보게 되었고 모바일 디바이스 시장에서 지각 변동을 일으키기에 충분한 힘을 발휘했다. 2011년 8월 스티브 잡스는 애플의 CEO직에서 물러났고 같은 해 10월 췌장암으로 별세했다. 죽음에 이르는 그 순간까지 애플의 아버지였던 것이다. 현재 애플의 CEO는 IBM과 컴팩을 거쳐 1998년 애플에 합류하게 된 팀 쿡Tim Cook이다.

팀 쿡이 애플의 수장이 되면서 '스티브 잡스가 무덤에서 일어날 일이 벌어졌다'는 뼈 있는 농담을 들은 적이 있다. 스티브 잡스가 살아생전 새로운 제품을 공개할 때마다 온 세상이 깜짝 놀랄 정도로 센세이션sensation을 일으켰지만 그가 죽고 난 후 애플은 스티브 잡스가 지켜온 불문율가벼운 스마트폰, 최적화된 디스플레이 등을 깨뜨리면서 다소 역행하는 모양새였다. 특히나 필자와 같은 애플 추종자에겐 더욱 그러했다. 그럼에도 불구하고 애플을 선택하는 것은 애플에 대한 무한한 애정 때문인 것일까? 애플의 블루투스 이어폰인 에어팟Air Pods이 공개될 때만 해도 디자인을 포함해 논란이 있기도 했지만 잠정적인 판매량으로만 보면 무려 3천만대에 가까운 숫자라 '성공적인 제품'이라 해도 무리가 없다. 에어팟은 미국의 무선 이어폰 시장의 약 26퍼센트를 차지하고 있다.

애플은 넷플릭스와 유사한 스트리밍 서비스 '애플TV플러스'를 공개하면서 동영상 스트리밍 경쟁 시장에 뛰어들기도 했다. 애플 워치와 같이 웨어러블 시장, 인공지능 스피커인 애플 홈팟 등으로 스마트홈 분야에도 진출한 상태다.

폴더블 디스플레이의 도래

구글과 애플의 막강한 저력과 거대한 브랜드 가치는 그야말로 '넘사벽'넘을 수 없는 4차원의 벽'이라는 뜻으로 다른 것들과는 엄청난 간극이 있다는 의미''이다. 사실 양사가 가진 스마트폰 운영체제OS나 그에 따른 앱 스토어 등을 모두 제외하고 보면 딱히 경쟁모드라고 보기에도 조금 무리가 있는 것 같다. 애플의 경우 삼성전자 등 스마트폰 제조사와 나란히 두고 보면 오히려 재미있는 모양새다.

앞서 언급한 것처럼 구글과 애플은 다른 곳에서 출발했지만 동일한 트랙에서 뛰고 있는 선수들이다. '세상에는 안드로이드와 iOS가 존재한다'는 표현과 유사하게 '모바일 디바이스에는 갤럭시와 아이폰이 있다'라고 할 수 있다. 그런 측면에서 국내기업인 삼성전자는 늘 애플의 아이폰과 경쟁 구도에 있고 이들의 눈치싸움도 그렇게 쉽게 변하지 않는 것 같다.

사실 삼성전자 역시 반도체를 포함해 TV나 냉장고 등 가전 분야에서 세계를 대표하는 기업이다. 삼성이라는 브랜드 역시 세상에 널리 알려진지 오래인데 이들의 저력은 어디까지일까? 1969년 창립되어 전자제품을 제조하기 시작했고 반도체와 가전으로 삼성의 이름을 떨쳤으며 2017년에는 영업이익 14조 원을 달성한 바 있다. 당시 세계에서 가장 많은 수익을 이룬 제조 기업으로 다시 한 번 삼성이라는 브랜드를 각인시킨 바 있다. 삼성전자 역시 갤럭시라는 디바이스로 글로벌 기업 순위에 당당하게 이름을 올렸는데 마치 삼성의 모바일 트렌드가 세상의 트렌드를 변화시키는 듯한 느낌마저 든다.

그러나 모바일, 가전, 반도체 모두 세상에는 내로라하는 기업들이 널려있다. 자칫 발을 헛디디면 어느 순간 경쟁에서 밀릴 수 있다. 그것도 매우 순식간에. 지금부터 대비하지 않으면 굵직했던 삼성의 브랜드 가치도 금방 떨어질 수 있는 것이 세상의 이치다. 과연 삼성전자는 미래를 위해 꾸준하게 대비하고 있는 것일까? 삼성전자가 폴더블 폰 기술을 세상에 내놓으면서 퍼스트 무버로서 앞장서고 있고 블록체인이나 AI 스피커에 대한 꾸준한 준비로 패스트 팔로워가 되려는 움직임도 있다.

삼성전자는 2018년 11월 삼성 개발자 컨퍼런스SDC에서 폴더블폰foldable phone에 탑재될 디스플레이 혁신 기술을, 이후 2019년 바르셀로나에서 열린 MWCMobile World Congress에서 폴더블 폰의 실체를 각각 선보인 바 있다. 삼성전자의 폴더블 폰인 갤럭시 폴드는 단연 화제였고 세상 모든 이들이 주목했다. 화웨이Huawei 역시 폴더블 디스플레이를 탑재한 스마트폰을 출시할 예정이다.

폴더블과 플렉시블 디스플레이가 이처럼 각광을 받고 있으니 애플 역시 출격 준비가 한창이다. 내구성이 우수하고 다양한 환경에서도 견딜 수 있으며 디자인 측면에서도 인기를 얻을 수 있을 만한 폴더블 스마트폰을 연구하고 있는데 그 실체는 아마도 2021년 이후가 되어야 할 것 같다. 접을 수 있는 디스플레이라면 얇고 가벼워야 할텐데 대형화면과 QLED급의 고화질을 구현할 수 있다 하더라도 얼마나 유용하게 사용할 수 있을지 문득 궁금해진다. 만일 폴더블 폰의 인기가 전 세계 스마트폰 인구에게 일상화가 된다면 아이패드와 같은 태블릿 PC의 운명도 시한부가 될 것 같다.

시장조사업체인 위츠뷰WitsView에서는 2019년도에 다양한 폴더블 스마트폰이 출시되어도 전 세계 스마트폰 시장에서 약 0.1퍼센트 수준이며 2021년을 맞이한다고 해도 보급률은 약 1.5퍼센트 수준일 것이라고 전했다. 사실 틀린 말은 아니다. 폴더블 디스플레이는 이제 막 도래했고 그 시장이 겨우 열린 셈이다. 불과 2~3년 만에 스마트폰 시장을 장악할 수는 없다. 그럼에도 삼성, 애플, 화웨이 등 제조사들이 경쟁에 뛰어들고 후발주자가 탄생하게 되면 이 분야의 시장은 더욱 과열될 전망이며 패널 공급량이 늘어나게 되면 될수록 가격은 매우 떨어지게 될 터. 결국엔 성능도 우수하면서 적당한 가격의 폴더블 폰을 만날 수 있을지도 모르겠다.

2025년, 어떤 기업이 살아남을 것인가

앞서 이야기한 것처럼 삼성전자의 파워는 한국을 넘어 전 세계로 이어졌다. 매우 당연하지만 삼성전자는 단지 한 가지 사례일 뿐, 대한민국에는 삼성전자만 존재하는 것이 아니다. 가령 현대자동차의 차량들이 해외에 수출되어 도로 위를 누비는 경우들도 있고 주요 건설사들이 해외 곳곳에 건물을 짓는 경우들도 있다. 국내 주요 기업들 역시 글로벌 브랜드가 되고 있는 것이다. 역으로 보면 한국에서 글로벌 브랜드를 보는 경우들도 이젠 전혀 어색하지 않은 일상이 되었다. 국내 기업의 해외 수출과 글로벌 브랜드의 수입이 차지하는 비중은 언제나 동등할 수 없는 법이고 한국의 경제 상황 역시 꾸준할 수 없는 것.

1997년 대한민국이 전례 없는 외환위기를 겪었던 것은 누구나 아는 사실이다. 대한민국을 포함해 아시아 전체가 흔들리는 경제 위기였다. 한국과 태국, 필리핀, 말레이시아와 인도네시아 전역으로 뻗어나간 국제 경제는 전 세계 경제를 붕괴시킬 수 있다는 우려도 존재했다. 외환보유고가 바닥나게 되면서 기업 파산과 부도는 물론이고 수많은 사람들의 대량 실직도 이어졌다. 대한민국은 국제통화기금인 IMF에 구제금융을 요청하고 이를 상환하기까지 오랜 시간을 버텨야했다. 사실 대기업들이 보유한 경쟁력은 전 세계 산업 분야에 영향을 끼칠 수 있을 만큼 강력할 수 있지만 회사를 어떻게 경영하느냐에 따라 무너질 수도 있고 성장할 수 있는 계기를 마련할 수도 있다.

구글이나 애플 역시 마찬가지다. 쉽게 무너질 수 없을 만큼 견고해 보여도 틈이 생기면 조금씩 벌어질 수밖에 없는 것이다. 스티브 잡스가 하늘로 떠난 이후 팀 쿡 체제로 돌입한 애플에 대한 불신과 불만이 있기도 했다. 팀 쿡은 IBM과 컴팩을 거쳐 애플의 COO[Chief Operating Officer]

로 경력을 쌓은 사업 경영 관리의 경쟁력을 갖춘 사람이다. 스티브 잡스가 갖춘 능력과 비교하기엔 다소 무리가 있을 수 있고 혹자들에게 팀 쿡은 스티브 잡스에 미치지 못하는 인재라고 여기며 현재의 애플을 비판하는 사례들도 있다. 아이폰의 디자인이 역행한다는 둥, 업데이트가 너무 잦다는 등의 비판은 애플의 브랜드 이미지를 자칫 깎아먹을 수 있을 것 같다. 그럼에도 불구하고 애플의 제품은 늘 잘 팔리는 편이다. 미국의 경제 매체 비즈니스 인사이더Business Insider에서는 2018년 1분기 기준으로 전 세계에서 가장 인기 있는 스마트폰이 아이폰X라고 언급한 바 있다.

다시 국내 상황을 언급해보자. 4차 산업혁명 시대를 맞이하면서 정부는 대통령 직속 기관인 4차 산업혁명 위원회를 설치했다. 우리나라의 ICT 기술은 전 세계 최고의 수준에 이르지만 과연 미국이나 중국, 유럽과 대등한 경쟁력을 갖추고 있을까? 이러한 의문은 누구에게나 있을 법하다. 사실 육안으로 확인할 수 있는 그리고 몸소 경험할 수 있는 부분들이 극히 적기 때문일 수도 있다. 최근 스타트업이나 새로운 분야의 중소기업을 찾아본 적이 있다. 오히려 대기업들보다 작은 기업들의 4차 산업혁명 분야를 지향하는 사례들이 더욱 많다는 느낌이 든다.

문재인 대통령은 반도체와 더불어 바이오 헬스나 자율주행 자동차와 같은 미래형 자동차 분야를 중점 육성하고 제2의 벤처붐을 일으킬 것이라고 전한 바 있다. 그 말은 대한민국이 확보한 ICT 기술과 반도체와 제조업 분야의 경쟁력을 더욱 확실히 굳히고 중점 육성할 분야에 대한 지원 의지와도 같다. 스타트업이 중소기업으로 거듭나고 중견기업들은 다시 대기업으로 변화할 수도 있다. 나아가 글로벌 브랜드로 발돋움하기 위한 경쟁력은 각 기업들이 가진 기술력뿐 아니라 위기에 대응할 줄 알고 트렌드에 귀를 기울이는 경영 능력을 모두 포괄해야 할 것이다.

뿌리 깊은 기업만이 살아남는다

구글과 애플 그리고 삼성전자 등 전 세계적으로 브랜드 가치가 뛰어난 업체들이 쉽게 무너질 일은 없을 것 같다. 아니 오히려 더욱 막강한 힘을 가질 수 있을지도 모를 일이다. "부자들이 망해도 삼대가 먹고 산다"고 하는데 이러한 기업들은 그런 개념을 뛰어넘는다.

물론 동종업계에 있는 후발주자들이나 어깨를 나란히 하고 있는 글로벌 기업들이 순식간에 업계를 장악할 수도 있다. 하루가 다르게 변하는 이 세상의 트렌드는 오늘 다르고 내일 눈을 뜨면 또 다른 세계가 펼쳐진다. '퍼스트 무버'가 될 것인가, 그저 그런 '패스트 팔로워'가 될 것인가가 그들의 브랜드 가치와 운명을 좌우하게 될 것이다.

앞에서도 언급한 것처럼 대기업은 쉽게 무너지지 않는 편이다. 유튜브에 올라온 영상만 봐도 글로벌 기업이나 브랜드는 사실 오랜 세월이 흘러도 늘 그 자리를 유지했다. 2030년 아니 2040년이 되어도 오랫동안 기억될 브랜드는 분명히 존재하게 될 것이다. '승자'라는 개념 자체부터 어쩌면 무리가 있는 언급일 수도 있겠다. 구글이나 애플, 삼성 등이 자사의 기술을 더욱 발전시키는 경우라면 승자와 패자라는 개념을 떠나 '선의의 경쟁'이라는 의미를 붙여보면 어떨까?

기술이 발전하게 되면 이를 접하는 소비자들은 보다 나은 테크놀로지를 만날 수 있게 된다. 다만 각 기업들이 연구하는 분야나 추구하고자 하는 방향이 서로 같거나 다를 수 있기 때문에 앞에서 언급한 구글과 애플도 지금으로부터 10년 뒤 혹은 20년 뒤 서로 다른 분야에서 승승장구 하고 있거나 또 다른 기업들과 경쟁하고 있을지도 모르겠다.

나무에 달려 있는 가느다란 가지는 바람이 불면 흔들린다. 하지만 뿌리가 깊게 박힌 나무는 오랜 세월을 버티며 자라왔기 때문에 아무리 거센 바람이 불어도 그 자리를 유지하며 결코 흔들리는 법이 없다. 보통 오랜 경험을 쌓아온 사람들을 두고 '노련하다'고 표현하는데 실패나 패배에 무너지지 않고 또 다른 기회로 삼는 기업이 영원히 기억될 브랜드를 만들게 될 것이다.

02

출근길 신도림역 풍경은 과거가 된다

일자리 전망 재택근무하며 가상오피스로 출근… 러쉬아워 해결?

미래가 되어도 인간은 먹고 살기 위해 직장에 다니고 있을 것이다. 자본주의 사회가 그렇게 쉽게 무너질 수는 없을 테니까. 다만 크게 달라질 근무 환경에 따라 라이프스타일에도 반드시 변화가 찾아올 것이다. 앞에서 언급한 홀로그램과 스마트 오피스, 실감미디어라는 개념은 직장인들의 근무 여건과 출퇴근 풍경 또한 '신세계'를 맞이하게 해줄 것 같다. 무엇보다 5G를 포함해 기본적인 테크놀로지와 인프라가 제대로 갖춰져야 하겠다. 스마트오피스를 구축하기 위한 VRvirtual reality, 가상현실은 물론 5G 통신, 홀로그램 입체영상을 구축하기 위한 영상 인프라의 산업이 각광을 받게 되지 않을까?

특별한 상황이 아닌 이상, 출장을 가지 않아도 해외 파트너와 진짜 얼굴을 마주 보고 있는 듯한 느낌을 주게 될 것이다. 저 멀리 뉴욕 어느 사무실을 진짜로 걷는 듯한 느낌이라면 어떨까? 그것이 가능하려면 원활한 통신 네트워크가 가장 기본이 되어야 하고 고화질의 영상을 구현할 수 있는 기술력도 필요하다. VR의 가능성이 바로 여기에 있다. VR과 연관된 산업은 물론 광학기술에 대한 테크놀로지 역시 꾸준한 개발이 필요할 것이다. VR에는 광학기술도 존재하지만 이를 고화질, 고품질로 구현할 수 있는 솔루션도 필요한 법이다. 이러한 기술들은 나아가 스마트 오피스를 이룩하기 위해 응용할 수 있는 필수 인프라이므로 이 분야의 전망 역시 매우 밝을 것으로 보인다.

'헛된 희망은 아닐까?' 필자가 보기에는 전혀 그렇지 않다. 직장인들의 '워라밸일과 삶의 균형'은 물론 효율적인 퍼포먼스와 회사의 수익 증대, 올바른 복지제도가 자리를 잡기 위해서라면 실감미디어와 스마트오피스의 안착은 이뤄지게 될 것이다. 21세기 우리는 오늘도 '지옥철'을 경험하고 있다. 무더운 여름, 뜨거운 바람이 부는 지하철 안은 단순한 더위를 넘어 답답함을 느끼게 한다. 출퇴근 시간에 대한 탄력근무제가 도입되거나 실감미디어를 통해 재택근무와 가상회의가 펼쳐지게 되면 교통 인프라에도 큰 변화가 찾아오게 될 것이다.

미래 키워드 오락뿐만 아니라 산업현장에서도 유용하게 쓰일 '실감미디어'

실감미디어란 현 시대에 존재하는 미디어나 스크린의 퀄리티를 뛰어넘어 선명함과 표현력은 물론 현실감을 제공해주는 차세대 미디어를 의미한다. 공연, 뮤지컬, 영화 등의 엔터테인먼트, 3차원 입체 홀로그램, 증강현실, 가상현실 등 다양한 분야에서도 활용될 예정이다.

3차원 입체영상을 이용한 가상회의

아침 7시, 오늘도 어김없이 시끄럽게 알람이 울린다. "아, 5분만 더 자도 되겠지?" 늘 그렇듯 어제 늦게까지 TV를 본 나 자신을 원망해본다. 좀비처럼 모든 근육이 풀린 채로 일어나 졸린 눈을 비비고 욕실로 들어간다. 오전 8시, 조금도 늦지 않고 정확히 승강장에 도착하는 지하철을 타야 정확하게 사무실에 도착할 수 있다. 5분 늦잠을 잔 덕분에 오늘도 서둘러 출근 준비를 해본다.

모두가 알다시피 러쉬아워rush hour란, '버스, 지하철 등 교통수단이 혼잡을 이루는 시간대'를 의미한다. 지상에 있는 모든 것들이 번잡하고 혼잡하고 복잡하다. 출근을 위해 발 디딜 틈 없는 지하철, 아니 '지옥철'을 타야 안전한 출근이 가능한데 멀쩡한 지하철도 러쉬아워에는 지옥철로 변해버리니 평일 아침이 두려울 뿐이다. 참고로 신도림역의 하루 평균 환승 인원이 평일 기준으로만 30만 명 이상이라고 하니, 직장인들의 지옥철 운명과 러쉬아워의 출퇴근 전쟁은 피할 길이 없다. 이런 지긋지긋한 지옥철, 벗어날 수는 없을까?

오늘날 직장인들의 출퇴근 시간은 과거에 비해 굉장히 탄력적으로 변했고 자율근무제나 재택근무 등 더욱 유연하게 변화하고 있거나 장기적으로 그리고 지속적으로 개선될 전망이다. 내가 맡은 프로젝트나 주어진 업무만 수행하면 문제없이 '출퇴근'으로 인정해주는 것. 어쩌면 이러한 근무 환경이 '지옥철'을 벗어날 수 있는 방법일 수도 있겠다. 그러나 이는 회사마다 특성이 있고 상황이 있다는 점을 결코 간과할 순 없다. 사실 일부 회사들은 자유로운 출퇴근 시간을 부여하고 노트북이나 모바일만 있으면 어느 곳에서나 업무를 수행할 수 있는 환경을 마련하기도 했다.

이를테면 모바일 오피스Mobile Office와 같이 회사와 내가 통신망으로 연결되어 필요한 정보를 수시로 찾아보고 업무 지시를 받거나 업무 수행에 대한 결과나 상황을 보고하는 커뮤니케이션을 모바일 오피스의 근무 형태라고 하는데 키워드 그대로 '움직이는 사무실'이니 회사와 접속된 나 자신이 곧 사무실이라는 개념이 된다. 모바일에 구축해야 할 회사 업무 포털이나 결제 시스템이 온전하게 갖춰져야 하고 언제 어디서나 접속 가능할 수 있도록 원활한 무선 통신 속도 역시 기반이 되어야 하겠다. 자, 그렇다면 직장인이 지옥철을 벗어날 수 있는 또 다른 방법은 무엇이 있을까?

영화 〈킹스맨: 시크릿 에이전트Kingsman: The Secret Service〉나 마블 시네마틱 유니버스의 〈어벤저스Avengers〉 그리고 〈캡틴 아메리카Captain America〉 시리즈를 유심히 봤다면 '홀로그램 3차원 입체 영상'을 활용한 가상회의imaginary meeting를 한 번 이상 봤을 것이다. 이렇게 영화 속에서나 접하던 가상회의가 실제로 구현된다면 멀리 떨어져 있거나 참석이 불가피한 경우 회의실에 굳이 모든 사람이 모여 앉지 않아도 의사소통이 가능하게 될 것이다. 감히 말해 '지옥철'을 벗어날 수 있는 묘책이 될 수도 있는 것이다.

지방이나 해외에 있어 참석이 불가한 클라이언트들이 있다면 전화선을 이용한 컨퍼런스 콜conference call이나 카메라와 영상, 스크린을 활용한 화상회의가 충분히 가능해진 시대다. 그러나 음성만으로는 분명 한계가 있다. 화상을 이용하는 것은 동화상動畵像과 음성 그리고 데이터를 주고받을 수 있어 컨퍼런스 콜에 비해 매우 편리하고 보다 효과적일 수 있지만 여러 사람들이 회의에 참여하게 되는 경우나 화상회의에 필요한 시스템 구축 등 우리가 꿈꾸는 가상회의와 비교하면 역시 한계점이 드러날 수 있다.

영화 속에서 볼법한 가상회의는 음성과 화상을 뛰어넘는 마치 '판타지' 같다. 실제 사람이 내 옆자리에 앉아 있는 것처럼 무슨 옷을 입었는지 어떠한 표정을 하고 있는지 쉽게 알 수 있을 것이고 무엇보다 원활한 커뮤니케이션이 가능하다는 점에서 뛰어난 퍼포먼스를 보일 수 있다. 그렇다면 가상회의를 가능하게 만드는 인프라는 무엇일지 살펴보자.

AR과 VR을 즐기려면 5G가 필요하다

사실 홀로그램과 혼합현실 등 새로운 영상 서비스 기술로 '실감미디이immersive media 또는 tangible media'라는 키워드가 종종 활용되는 경우가 있다. 우리나라를 대표하는 삼성전자나 LG전자 등이 출시한 UHD TV나 QLED TV가 구현하는 고화질의 영상정보도 매우 뛰어나지만 실감미디어 역시 과거의 단순한 홀로그램 영상과 달리 선명함을 추구하고 있고 여기에 현실감까지 제공한다.

재단법인 전라북도문화콘텐츠산업진흥원에서 주관하는 제2회 지투페스타G2FESTA가 2019년 3월 1일 전북 군산에서 개막해 KT 등 40여 개 기업들이 참여했다. KT의 경우 〈K-Live Xperience〉 체험관을 운영해 실감미디어를 즐길 수 있도록 했다. 앞에서도 언급했듯 아무리 화질이 좋은 TV라 해도 2차원적인 시각정보를 제공하지만 실감미디어는 3차원으로 영상정보를 업그레이드하기 때문에 사람의 시각과 청각 등을 충분히 자극할 수 있다.

여기서 가장 중요한 것은 바로 시각 정보인데 사람의 두 눈이 어떠한 피사체를 바라볼 때 생겨나는 화각의 차이를 활용해 입체감을 발생시킬 수 있도록 한다. 양쪽 눈이 바로 앞 물체를 바라볼 때 두 눈 사이의 거리만큼 약간의 다른 시야를 보게 되는데서 일어나는 현상을 양안시차兩眼視差라 하며 인위적으로 양안시차를 만드는 입체경과 더불어 3D TV나 3D 영화들이 등장하기도 했다. 실감미디어 역시 사람의 시각 정보를 제대로 활용할 수 있고 3차원 미디어로 현실감을 느낄 수 있도록 구성만 된다면 우린 비로소 거추장스러웠던 3D 입체 안경을 벗어던질 수 있다는 이야기다.

실감미디어는 감히 말해 우리가 꿈꾸는 가상회의를 위한 기술의 시작이라고 해도 과언은 아닐 것이다. 달리 말하면 홀로그램이 실감미디어의 기초단계라고도 볼 수 있다. 실감미디어 분야가 각광을 받을 수 있는 것은 보다 실제와 같은 모습을 구현할 수 있어야 게임은 물론 엔터테인먼트, 통신 등 기타 산업분야에도 활용할 수 있기 때문이다.

앞서 언급했던 KT는 2017년 상암동 누리꿈스퀘어에 'K-live x VR Park'를 개관한 바 있다. 지투페스타에서 선보였던 AR농구와 같이 홀로그램과 가상의 영상을 AR[augmented reality, 증강현실]과 접목시켜 구현한 것 역시 이 곳에서 만나볼 수 있다. 또한 가수들의 공연이나 뮤지컬 등의 콘텐츠를 플로팅 홀로그램으로 현실화하기도 했다. 고해상도의 프로젝터를 통해 영상을 쏘고 이를 거대한 투명막에 투사하는 방식인데 사실 판타지인 셈이지만 마치 '진짜' 존재를 보는 듯한 느낌을 주고 있다. 3D 입체 안경을 쓰고 영화를 바라보던 시대가 이와 같은 홀로그램과 실감미디어를 통해 변모하고 있는 셈이니 어지럽거나 시각적인 피로감은 사라지고 기술이 구현된 어느 곳에서나 공간의 제약 없이 현실감 넘치는 판타지를 느낄 수 있다는 점에서 우리가 꿈꾸는 가상회의 역시 조금 더 가까워진 듯한 느낌이다.

가상회의를 위한 것이라면 끊김도 없고 버퍼링도 없는 통신 속도 또한 매우 중요한 영역이다. 실사와 같은 입체 영상을 구현하려면 광학기술도 중요하지만 엄청난 데이터의 송수신량도 반드시 고려해야 한다. 인류는 5G 통신 속도를 구현하게 되면서 대용량의 동영상 파일도 끊김없이 볼 수 있는 시대를 맞이했다. 기존의 LTE를 넘어선 5G 시대를 맞아 가상현실VR이나 증강현실AR, 사물인터넷IoT 분야가 가장 각광을 받고 있다.

퀄컴Qualcomm의 크리스티아노 아몬Cristiano Amon 사장은 "5G가 가져올 변화는 실로 어마어마하다"라고 말했으며 "모바일 산업과 소비자 경험에 새로운 혁신이 일어날 것"이라고 언급한 바 있다. 그만큼 5G라는 네트워크는 응답 및 처리 속도, 처리 용량 등 기존의 4G보다 상당 부분 향상되었다.

〈포브스Forbes〉에서도 5G시대를 맞이하게 되면 AR와 VR 시장이 크게 성장하게 될 것이라는 언급이 있었다. 사실 VR과 같은 콘텐츠 시장이 크게 각광받지 못했던 이유 중에 하나가 대용량의 데이터를 송수신할 수 없는 네트워크의 한계가 있었기 때문이다. 물론 장비의 보급이나 부실한 콘텐츠 역시 성장을 막는 이유 중 하나이기도 했다.

5G의 통신 속도는 최대 다운로드 속도가 20Gbps인데 기존 LTE 시대를 감안하면 약 20배 수준이다. 쉽게 말하면 1기가바이트 분량의 영

화를 약 10초 이내로 다운로드해 감상할 수 있는 수준에 이른다. 다운로드 속도는 물론 정보를 송수신할 수 있는 응답속도 역시 중요하다. 홀로그램 자체의 정보를 아주 먼 곳에 있는 서버와 주고받아야 끊김이 없기 때문이다. 4G의 응답속도를 두고 약 10~50밀리세컨드 수준이라고 했는데 5G에서는 1~5밀리세컨드로 크게 줄어들게 된다.

SK텔레콤의 'T 리얼 텔레프리즌스T Real Telepresence'는 AR 글라스를 통해 홀로그램 기반의 영상 회의를 구현할 수 있는 기술이라고 전했다. 쇼파나 침대에 편하게 누워서도 미국이나 남미, 아프리카 등 우리나라와 저 멀리 떨어져 있는 사람들과 소통이 가능하다는 것인데 실제 회의실에 있는 듯한 느낌을 주는 것은 물론이고 대용량, 고화질의 영상을 함께 본다거나 3D 설계도면을 함께 펼쳐볼 수 있다는 점을 강조했다.

미국의 과학기술 사이트인 〈싱귤러리티 허브Singularity Hub〉에서는 호주국립대학교Australian National University, ANU나 우리나라 카이스트에서 홀로그램 입체영상을 구현할 수 있는 소형 장치 개발에 박차를 가하고 있다고 했다. 호주 브리즈번에 위치한 홀로그램 전문 기업 '유클리데온Euclideon' 역시 세계 최초로 다중 사용자 홀로그램 테이블이라는 이름의 프로토 타입을 제작하기도 했다.

삼성전자의 경우 홀로그램 재생 장치와 재생 방법에 대한 특허를 출원했다고 알려져 있다. 역시 R&D 단계에 머물러 있어 실제로 언제쯤 상용화 될 수 있을지 알 수 없지만 현실에서 만나볼 수 있는 건 시간문제라고 한다. 이처럼 우리가 꿈꾸고 있던 판타지가 현실화 될 수 있는 가능성은 매우 높아졌고 먼 미래에나 구현될 줄 알았던 신기술이 금방이라도 만나볼 수 있을 듯한 느낌마저 든다.

워라밸을 부르는 '오피스의 진화'

딱딱한 디스플레이가 흑백에서 컬러로 변하고 총천연색의 QLED로 진화하였으며 브라운관에서 평면으로 그리고 다시 커브드 디스플레이에서 급기야 휘어지고 접히는 플렉시블 AMOLED로 진화했다. 이처럼 기술과 트렌드는 하루가 다르게 변한다.

물론 이와 같은 고퀄리티의 기술력이 3D 홀로그램을 이용한 가상회의를 구축할 수는 있겠지만 온전히 이를 위해 값 비싼 장비나 인프라를 구성해야 할까? '기술이 좋으니까 그리고 앞으로 나아질 테니 언젠가는 만나볼 수 있을 겁니다'는 누구나 쉽게 해줄 수 있는 말이겠다. 제대로 구현하기 위해서라면 사용자의 경험UX이 매우 중요한데 멀리서 바라보는 공연과 달리 내 옆에 누군가를 진짜처럼 마주하려면 내 앞에 있는 회사 동료 역시 이를 동일하게 느껴야 할 것이다. 쉽게 말하면 영화에서 보는 것처럼 매우 자연스러운 결과를 낳으려면 홀로그램의 안정성이나 피사체를 촬영하고 이를 송수신하기 위한 영상 융합 등 문제점 해결과 고도화도 함께 병행해야 한다는 것이다.

홀로그램을 활용한 공연이나 뮤지컬 콘텐츠가 존재하고 있지만 비즈니스와 산업 분야로 확장하기 위해서는 정부의 정책이나 이를 위한 인력 양성, 제작이나 송출 그리고 융합에 이르기까지 지속적인 연구와 개발도 반드시 필요하겠다. 누군가를 위한 기술이 아니라 모두를 위한 테크닉으로서 바람직하게 가려면 반드시 올바른 정책과 똑똑한 지원이 수립되어야 할 것이다.

모바일 오피스나 탄력근무제 역시 매너리즘을 파괴하고 '워라밸'을 증대시킬 수 있는 방안 중 하나다. 홀로그램이나 혼합현실을 통한 가상회의나 업무 수행은 지옥철을 벗어날 수 있는 매우 스마트한 계기가 될 수도 있겠다. 매일 아침 눈을 비비고 일어나 사람들로 가득 찬 지하철이나 버스에 올라타는 것 역시 매우 피곤한 일이다. 더구나 서울에 밀집해 있는 사무실과 원거리에 떨어진 집을 오가는 직장인들에게 한 시간 이상 걸리는 출퇴근길 역시 그리 쉽지 않은 '고행'이다.

기술이 발전하면 최적의 업무 환경을 제공하는 것은 물론이고 보다 효율적인 업무 수행이 가능하다는 점으로만 봐도 수많은 직장인들에게 긍정적인 효과를 볼 수 있을 것이다. 일과 삶의 균형을 이루는 워라밸의 향상과 상호 소통이나 프로젝트 협업 증대에도 큰 도움이 될 뿐 아니라 중요한 의사결정 역시 빠르게 대응할 수 있으니 회사 차원에서도 효과적일 수밖에 없다.

스마트 조직을 위한 솔루션과 정보를 제공하는 사이트 'Cowork^cowork.io^'에서는 직장인들의 대다수가 전통적인, 이를테면 부서원들이 서열대로 앉아서 근무하는 사무실보다 위워크^Wework^나 패스트 파이브^Fast five^와 같은 공동 작업 공간을 선호했다고 한다. 함께 일하는 공간은 나아가 스마트 오피스라는 개념으로 진화하게 될 것이다. 비즈니스와 과학 분야 뉴스를 제공하고 있는 매체인 미국의 TCB^TCB resistencias^에서는 2028년까지 전 세계 스마트 오피스 시장이 약 14퍼센트 성장하게 될 것이라고 했다. 지금으로부터 10년 후의 미래다. 우리는 앞으로 지옥철이 아니라 지하철을 꾸준히 타게 될 것이고 딱딱하고 답답한 사무실 의자에 앉지 않아도 업무의 효율성을 극대화할 수 있는 기회를 맞이하게 될 것이다.

글쎄, 과연 실감미디어의 기술력과 인프라가 구축이 된다면 지금 우리 직장인들은 사무실에 가지 않아도 될까? 디지털 노마드가 우후죽순 늘어가고 있는 지금, '아날로그'로 과거를 추억하는 사람들도 존재하고 있을 만큼 세상은 너무도 변했다. 더구나 모바일 오피스와 탄력근무제가 도입되면서 직장생활에도 마치 트렌드가 있는 것처럼 느껴지기도 한다. 10년 뒤, 20년 뒤에도 기업은 존재한다. 물론 그 곳에서 일하는 직장인들도 계속해서 존재하기 마련이다. 트렌드가 변화한다고 해도 우리의 업무량이 크게 줄거나 재택근무가 마구 늘어나는 것도 아니다. 회사마다 성격이 다르고 사업 구조가 다르기에 매우 당연하지만 스마트 오피스는 필요한 곳에서만 생길 수밖에 없다.

그럼에도 불구하고 근무의 효율성, 즉 회사와 직원이 추구하는 업무의 퍼포먼스를 극대화할 수 있다면 회사의 궁극적인 목표인 수익 창출, 직장인들이 원하는 복지와 워라밸에 모두 직결될 수 있지 않을까? 구글이나 페이스북과 같은 글로벌 기업이나 우리나라의 SK텔레콤, 미래에셋 등도 스마트 오피스를 구축한 사례에 포함될 수 있다. 특히 모바일, 인터넷으로 모든 것을 해결할 수 있는 세상이 되면서 오프라인 지점을 방문하지 않는 경우들도 꽤 늘어난 편이라 이러한 케이스에 스마트 오피스는 매우 적합하다고 할 수 있겠다.

2019년, 금융정보를 제공하고 있는 다우존스 산하의 웹사이트인 마켓워치market watch가 발표한 자료에서도 글로벌 스마트 오피스를 구축하는 사례가 늘면서 꾸준하게 성장할 수 있는 시장이라고 전망하기도 했다. 인구가 꾸준히 증가하는데도 불구하고 교통수단의 원활한 흐름이 개선되지 않으면 2030년에도 '지옥철'은 존재할 수밖에 없을 것 같다. 하지만 많은 기업들이 스마트 오피스를 도입하게 되면 조금은 달라질 수 있지 않을까? 우리가 생각하는 그 미래에 말이다.

03

집집마다 인공지능을 보급하라

일자리 전망 테크놀로지의 시대에 '문과생'은 무엇을 해야 할까?

스마트폰이 점차 고도화 되면서 '인공지능 비서'라는 것이 탑재되기 시작했다. 마치 말장난을 하듯 인공지능 비서를 불러 이런저런 대화를 나눈다. 삼성 갤럭시에는 '빅스비'가, 애플의 아이폰에는 '시리'라는 인공지능이 각각 탑재되었다. 이후 인공지능 스피커가 생겼고 차량이나 집 안에서도 인공지능 비서를 부르는 시대로 변모했다. 홈오토메이션 home automation이 이룩되면 사실 스피커나 IPTV와 연동되는 셋톱박스는 의미가 없어질 수도 있다. 말 그대로 가정이나 회사에 '붙박이'처럼 탑재될 가능성이 있기 때문이다.

인터넷 사이트나 모바일 UI 또는 UX를 다루는 엔지니어들이 코딩을 하고 개발과 관련된 기술력으로 여러 분야에 투입되어 있는 지금의 산업 환경이 인공지능을 고도화 시키고 개발하는 인력을 '모셔가는' 수준에 이르렀다. 머신러닝 플랫폼을 개발하거나 인공지능의 자연어 처리, 챗봇 빌더 등 기본적인 인공지능의 설계부터 플랫폼 구축과 개발에 따른 검토를 처리할 수 있는 인력들이 꾸준히 각광을 받게 될 전망이다. 네이버 클로바Clova의 경우 C언어, 자바Java, 리눅스Linux, 파이선Python 등 기존에 존재하던 프로그래밍 언어를 다룰 줄 아는 사람 더불어 인공지능과 머신러닝 알고리즘에 대한 지식이 있는 인력을 모집하는 것처럼 인공지능 고도화와 홈오토메이션을 이룩하게 될 미래에도 충분히 가치가 있을 것 같다.

(비록 영화 속 캐릭터이기는 하지만) 토니 스타크의 재능은 매우 천부적이었다. 앞에서 언급한 프로그래밍은 물론이고 머신러닝을 포함해 인공지능의 알고리즘에 대한 기본 개념을 뛰어넘어 수많은 시행착오 끝에 지식과 경험을 쌓았을 것이다. 지식만큼 경험은 매우 중요하다. 아이러니하게도 경력 있는 신입을 모집하려는 기업들이 있기는 하지만 '인턴'이나 기업들의 '체험형' 학습 프로그램은 충분한 경험이 될 수 있겠다. 이쯤 되면 '문과생은 어디로?'라는 질문이 있을 것 같다. 회사의 전사적인 투자로 이루어진 플랫폼이 구축되면 이를 어디에 활용할 것인가 그리고 어떻게 수익을 거둘 수 있을까라는 이슈가 생길 수밖에 없다.

다른 업계는 어떠한지 동향 파악과 분석은 필수고 맹목적인 플랫폼 구축이 아니라 전략적인 기획과 목표를 수립해 실행할 수 있어야 한다. 물론 그러한 인재 역시 개발 인력 못지않게 필수적이니 인공지능과 사물인터넷, 홈오토메이션이라는 분야는 당분간 꾸준함을 보일 것으로 예측된다. 〈포브스〉에서는 인공지능을 활용한 새로운 일자리가 창출될 것이라 전망했다. 2029년까지 약 10년이라는 시간동안 인공지능이 보편화될 것이고 인공지능 트레이너나 인공지능의 윤리적 이슈를 담당하게 될 담당관 등 AI가 첨단기술로 진화하게 되면서 또 다른 일자리가 생겨나게 될 것이라고 전했다.

인공지능 스피커의 경우 사용자들의 수많은 명령, 즉 쿼리에 대한 신속하고 정확한 답을 제시하고 '사용자-인공지능' 사이의 원활한 커뮤니케이션이 이루어져야 어느 정도 완벽한 수준에 이르겠지만 현존하는 인공지능 스피커는 사실 우리가 영화 속에서 본 듯한 느낌을 주지는 못한다. 그럼에도 불구하고 일상생활에서 유용하게 사용할 수 있다는 것은 일정 수준의 기술력을 갖췄다고 해도 무리는 없겠다.

지금 이 시간에도 인공지능은 학습을 하고 있고 꾸준히 발달하고 있는 상황이다. 스마트 워치 역시 피트니스 트래커라는 개념을 넘어 스마트폰을 손에 쥐고 있지 않아도 충분히 사용할 수 있는 수준에 이르렀다. 기술력은 그만큼 발전했다. 그러나 인공지능 스피커나 스마트 워치를 주변에서 흔히 볼 수 없다는 것은 기본적으로 보급률 자체가 낮은 셈이고 이를 보유하고 있지 않아도 일상생활에 무리가 없기 때문이다. 그렇다면 애초에 기획과 의도 자체가 잘못된 것일까?

사람들은 보다 편리하고 쾌적한 삶을 꾀한다. 더우면 리모컨으로 에어컨을 켜고 집에 먼지가 쌓이면 로봇 청소기를 돌리는 시대다. 쓸고

닦고 버리는 행위 자체는 점차 사라졌고 버튼식 선풍기 앞에 온종일 앉아 더위를 피하는 것도 옛날이야기가 되어버렸다. 집이라는 공간에서 모든 사람들에게 적용될 수 있는 지극히 공통적인 일상과 생활 패턴을 파악할 수 있어야 인공지능 스피커의 할 일이 생기게 된다. 스마트 워치 마찬가지. 잠에서 깨어난 그 순간부터 출근이나 등교를 준비하는 시간, 그리고 하루 일과에서 일어나는 수많은 행동 속에서 사용자의 다양한 패턴이 데이터로 쌓여야 분석이 가능한 것이다. 기술적으로 실현 가능하며 존재해야 할 목적과 의도가 완벽하더라도 기획이나 마케팅, 전략 등을 고려하지 않는다면 결국 쓸모없는 기계들만 양산될 뿐이다. 인공지능의 경우, 사용자가 요구하는 것에 맞춰 답을 제시할 수 있도록 고도화하려면 결국 '인문학적인 고민'이 동반되어야 한다. 이런 고민들이 보다 자연스러운 커뮤니케이션을 가능케 만든다. 기술이 실생활에 적용되고, 나아가 수익화되려면 비즈니스적인 설계가 필요하다. 테크놀로지를 발전시키는 것은 이공계의 역할이지만, 이를 활용하는 것은 인문계에게 남겨진 숙제인 것이다.

미래 키워드 세상 모든 것을 인터넷으로 연결하다

IoT(Internet of Things)는 우리말로 '사물인터넷'이다. 전화기, 비행기, 전

등, 자동차, 카메라, 스마트폰 등 세상에 존재하는 물체들이 서로 연결되어 구성된 인터넷을 의미한다. 눈에 보이는 물체뿐만 아니라 인터넷이 가능한 공공장소나 차량을 인식하는 주차장, 결제라인이 연결된 카페나 편의점 등의 장소도 포함될 수 있다.

IoT 아파트라는 것이 하나의 사례가 될 수 있다. 스마트폰을 이용해 보일러를 제어하고 음성으로 전등이나 TV의 전원을 켜는 경우들이 여기에 포함된다. 실제로 국내 통신사와 건설사가 협약을 맺고 IoT 아파트 구축에 투자와 연구를 진행하기도 했다. 지능형 IoT 아파트 건설 사례는 지금도 지속적으로 이어지고 있다.

이와 관련해서 홈오토메이션이라는 개념을 살펴볼 수 있다. 이는 가정 내에 존재하는 냉장고, TV, 보일러 등의 기기들이 인터넷, 모바일 등과 연동되는 것을 뜻하는데, 라이프스타일은 물론 인류의 편의를 향상시키고 침입 감지, 방재 및 방범을 위한 보안 시스템을 통해 가정의 안전을 꾀하는 종합적인 자동화 시스템을 말한다. 사무 자동화라는 의미의 OA office automation 라는 키워드가 존재하듯, HA는 위와 같은 자동화 시스템과 더불어 에너지 효율, 홈뱅킹으로도 뻗어나갈 수 있으며 어쩌면 집안에서 운동을 하고 요리를 하면서도 물건을 살 수 있고 ATM 기기나 은행에 가지 않아도 업무처리가 가능해질 수 있다. 세상은 이미 그렇게 변화하고 있다.

클로바, 카카오아이, 누구, 기가지니…
쏟아져나오는 '스피커'들

얼마 전 작고 귀여운 AI 스피커 하나를 선물 받았다. 포장을 뜯고 와이파이와 블루투스를 통해 휴대폰과 스피커를 연동시킨다. 어렸을 때 변신로봇이나 RC카를 선물 받았던 것처럼, 이 작은 기기가 무엇이든 대답해주리라 생각하고는 이것저것 물어본다. "음악 틀어줘." "오늘 날씨 어때?" "뉴스 들려줘."

뉴스나 날씨와 같은 생활정보는 굳이 모바일로 검색하지 않고도 음성으로 얼마든지 가능해진 시대가 되었다. 요리를 하거나 출근 준비를 하면서도 충분히 활용할 수 있게 되었다. 인공지능 모듈은 애플이나 삼성 등 각 제조사들이 시리Siri나 빅스비Bixby라 불리는 '인공지능 비서'를 개발해 스피커에 탑재한 것인데 어떠한 방식으로 우리가 원하는 답을 제시하는 것일까?

생각해보면 IT기업이나 제조사 등 굵직한 글로벌 기업들이 AI 스피커를 만들어내고 있다. 네이버는 클로바Clova라는 인공지능 모듈을 웨이브wave와 프렌즈 스피커에 탑재시켰고 카카오는 카카오아이Kakao I라는 AI를 카카오미니 그리고 현대자동차 일부 모델에 각각 탑재했다. 그리고 국내 통신사인 SK텔레콤은 누구Nugu를, KT는 기가지니GIGA Genie

를 가각 출시했다. 우리나라는 대표하는 포털사와 통신사가 모두 AI 스피커를 출시한 셈이다. 글로벌로 보면 구글의 구글 홈Google Home, 아마존의 알렉사Alexa, 애플의 애플 홈팟Homepod, 마이크로소프트의 인보크Invoke 등이 대표적인 스피커 브랜드로 알려져 있다.

이들이 제작한 스피커를 판매해서 원하는 수익을 얻는다고 보기엔 다소 무리가 있다. 오랜 시간동안 인공지능을 개발해왔고 여기에 투입된 R&D 비용만 해도 적지 않은 비용을 쏟아부었을 텐데 나름 적당하다고 여길만한 수준에 팔고 있는 제품단가로 손익분기점을 넘길 수 있을까? 결론적으로 보면 절대 아니다. 그럼에도 불구하고 국내외 기업들이 인공지능을 개발하고 있고 AI스피커는 물론 사물인터넷IoT과 자동차, 내비게이션 등에도 이를 탑재하고 있다. 그렇다면 무엇 때문에 인공지능에 투자하는 것일까?

당초 스피커는 음악을 듣기 위한 장치였기 때문에 사운드의 품질을 위해 좋은 브랜드를 고집하는 사람들도 다수 존재했다. 내 앞에서 진짜로 연주하는 듯한 현실감을 느낄 수 있을 정도로 말이다. 저음의 베이스나 심장을 울리는 드럼, 귓가를 통해 뇌로 전달되는 피아노의 선율에서 노이즈나 잡음을 제거하기 위해 안간힘이다. 그렇기에 고품질의 사운드를 원하는 사용자들은 노이즈 캔슬링이 기본 옵션으로 장착된 고가의 제품을 선호하기도 했다.

KT 기가지니의 경우는 프리미엄 브랜드인 하만카돈Harman-Kardon의 튜닝기술을 사용했다. SK텔레콤의 '누구'는 아스텔앤컨Astell & Kern팀의 음질 튜닝 노하우를 안착시켰다. 이와 더불어 스피커의 외형에도 신경을 많이 쓰는 편이다. 사운드를 위해 큼지막하게 제작하는 경우들이 종종 있었는데 거실의 인테리어를 조화롭게 이루고자 심혈을 기울인 제품들도 존재한다.

하지만 이러한 기업들이 진짜 집중하는 것은 바로 '인공지능'이다. 사람의 편의를 위해 음성으로 '모든 것'을 제어한다는 의미에서 개발이 이뤄지고 있는 것이다. 연필과 펜을 이용해 글을 썼고 타자기를 이용해 글씨를 찍어내는 시절도 있었다. 컴퓨터가 생기면서 세상은 급변했고 광랜 등의 통신망이 전국 그리고 전 세계에 깔리면서 어디서나 인터넷을 활용하는 시대가 되었다. 컴퓨터와 인터넷은 모바일로 스며들었다. 그리고 누구나 스마트폰을 들고 다니며 '터치'라는 접근 방식이 일상화되었다. 손만 스치면 꺼지거나 켜지는 전원 버튼이나 냉장고 패널, 밥솥에 장착되어 있는 디스플레이 모두 사람이 직접 프로그램을 작동하고 제어하는데 이를 음성으로 편리하게 이용할 수 있다면 어떨까?

결국 음성으로 인공지능과 기기들을 제어하는 방식이 사물인터넷으로 진화하기 위한 기초 토대가 된다. 사물인터넷이 우리가 살고 있는 가정에 스며들게 된다면 이는 결국 '스마트홈'으로 진화하게 될 것이다. 그런 의미에서 AI 스피커는 우리 생활의 중심, '허브hub' 역할을 하게 될 것이다. 다시 말해 스마트홈을 구현하는데 기초 토대를 마련하는 것이 '인공지능'이기에 많은 기업들이 미래를 위한 투자를 아끼지 않는다는 것 역시 기본적인 설명이 될 수 있을 것이다.

AI 스피커는 수익원이 아니라 '투자처'

다시 AI 스피커로 돌아와보자. AI 스피커의 외형은 원통형이나 사각 형태의 스피커부터 작고 귀엽게 출시된 '미니' 사이즈에 이르기까지 제조사마다 모두 다르다. 이러한 기기들은 소리를 내뿜는 영역과 더불어 사람의 육성을 들을 수 있는 마이크가 존재해 사람이 명령하는 음성을 인식한다. 사람이 명령하는 키워드, 즉 쿼리query를 분석해 원하는 답을 제시하는데 스피커와 연결된 인터넷 망에서 적합한 결과를 찾아 진짜 사람이 말해주는 것처럼 대답answer을 해준다. 이른 바 빅데이터big data라 불리는 수많은 데이터들을 클라우드cloud에서 찾아 쿼리에 대한 답을 주는데 얼마나 정교한 품질을 제공하는지가 가장 큰 이슈다.

엉뚱한 답을 제시하는 사례도 있지만 이는 대다수 사람의 음성을 제대로 듣지 못한 것이거나 극히 적지만 시스템의 오류 정도로 이해하면 좋겠다. 인공지능은 보통 딥러닝deep learning을 활용하는데 축적된 데이터를 기반으로 학습을 한다. 데이터는 사용자의 명령과 호출에 대한 키워드가 인공지능의 딥러닝을 고도화시킬 수 있는데 많으면 많을수록 풍부한 데이터를 확보할 수 있으니 말 그대로 '다다익선'인 셈이다. 사람이 수많은 책을 읽으며 지식을 쌓아가듯 인공지능 역시 '학습'은 매우 중요한 부분이다.

학습이 잘 된 인공지능은 홈오토메이션을 이룩할 수 있는 근거가 된다. 앞에서도 언급했듯, TV나 오디오 같은 엔터테인먼트 시스템이나 냉장고, 보일러와 같이 가정에서 활용하는 기기들에 이르기까지 우리의 라이프스타일을 180도 바꾸는데 큰 몫을 하게 될 것이다. 식품의 신선도를 유지하기 하거나 시원한 물, 차가운 얼음을 만들어내는데 쓰이는 냉장고에도 디스플레이가 탑재되어 오늘의 날씨나 일정, 뉴스 등을 표시하는 경우도 있었다. 더불어 요리에 필요한 재료가 있는지, 요리에 대한 레시피를 제공하기도 한다. 시스코Cisco 보고서에 따르면 가정 보안이나 비디오 감시 체계, 보일러 제어 애플리케이션 등 가정용으로 쓰이게 될법한 사물통신M2M, Machine to Machine이 2021년까지 절반 가량을 차지하게 될 것이라고 한다. M2M 연결에 따른 가정용 앱이 약 46퍼센트까지 성장, 업무용, 헬스케어, 차량 등과의 연결이 이 뒤를 잇는다고 한다.

가정용으로 연결되는 앱의 시나리오를 살펴보자. 회사에서 퇴근을 하고 집과 일정한 거리에 존재할 때 시스템이 이를 감지한다. 출근 시점에 에너지 절약 모드나 외출 모드로 있었던 에어컨이나 보일러가 작동하면서 원하는 온도로 쾌적한 환경을 만들게 될 것이며 문을 열고 현관에 들어서자마자 조명이 켜지고 밥솥에서 있던 밥이 따끈따끈하게 익게 될 것이다.

지금의 인공지능은 휴대폰과 스피커, 내비게이션에 존재하고 있고 이를 고도화시켜 사물인터넷은 물론 스마트홈으로 안착되는 순간 홈오토메이션이 현실화될 수 있기 때문에 수많은 기업들이 이 곳에 투자와 연구를 아끼지 않는 이유다. 더구나 이를 통해 에너지를 효율적으로 소비할 수 있고 보안에 있어서도 매우 안정적인 시스템을 제공하게 된다. 여행을 위해 공항으로 가는 고속도로 위에서 미처 끄지 못한 전등이나 TV를 외부에서 제어할 수 있다는 이야기다.

보안 시스템이라는 측면에서 보면, 택배기사나 검침원 등 외부인들의 접근을 알아서 제어한다는 것인데 홈오토메이션이 이룩하게 될 시스템에서는 집안에서 쓰이는 소모품을 온라인 쇼핑몰에서 구매를 하고 실제 물품이 오는 과정을 추적한다. 택배기사가 물건을 들고 집 앞에 도착하면 이를 스캔해 정확히 배달했는지 여부를 기록으로 남겨두게 될 것이다. 카메라와 연결된 보안 시스템이라면 최근 택배 기사를 위장해 물건을 훔쳐가는 사건들이나 최첨단 도어락도 쉽게 풀어낼 수는 없을 것 같다. 도어락의 비밀번호를 설정하는 방식에서 지문을 인식하거나 인간의 망막 스캔을 이용하는 경우들을 볼 수 있는데 직장은 물론 집에서도 이러한 기능을 구현하게 될지도 모른다.

그러나 일원화 또는 중앙으로 집중된 홈오토메이션이 외부로부터 해킹을 당했다면 어떻게 될까? 보안의 중요성은 두말하면 잔소리. 시스템의 고도화를 지속한다고 해도 우회경로로 침입하는 사례가 존재할 수도 있다. 블록체인과 같이 개인화는 물론 복제도 수정도 그리고 해킹도 어려운 방어막이 있다면 솔루션으로 제시될 수 있다면 이를 홈오토메이션과 접목하는 것도 방법일 수 있겠다.

4차 산업혁명은 모든 것이 연결되는 '초연결사회hyper-connected society'로 진입하는 것이라고 했다. 인터넷이 탄생해 전 세계에 있는 사람들이 일정한 사이트에 접속하는 사람과의 연결이 3차 산업혁명의 기반이 되었는데 이제 우리는 사람을 넘어 사물과 연결되는 시대를 맞이하게 되었다. 인공지능 스피커에 이어 스마트 홈으로 거듭나는 것은 우리가 살고 있는 공간에 존재하는 모든 사물들을 궁극적으로 연결하는데 중점을 둔다.

SK인포섹Infosec의 보안전문가그룹인 이큐스트EQST에서는 "2019년 전 세계 약 80억 개 수준의 사물인터넷 기기가 인터넷과 연결되고

2025년이면 200억 개가 넘을 것"이라고 예상했다. 마켓리서치Market Research와 같은 시장조사 기관의 보고서들도 2020년대 후반이라면 스마트 홈에 대한 수요 증가, 홈오토메이션의 기술력이 기하급수적으로 발전할 것이라고 했다. 이처럼 홈오토메이션과 스마트 홈에 대한 기대는 남다르다. 스마트 홈이 급진적인 발전을 이뤄나갈수록 스마트시티라는 광범위한 개념도 상승세를 타게 될 것이다.

우리가 아무렇지 않게 사용하고 있는 인공지능 비서들이 향후에는 영화에서 보던 '자비스'로 거듭날 수도 있겠다. 인공지능 스피커에 대한 투자와 개발 그리고 연구는 반드시 지속이 되어야 할 것이고 여기에 탑재된 인공지능은 결국 가정은 물론 회사에 존재하는 기기들과 연결을 시작하게 될 것이다. 사람마다 취향이 다르고 생활 습관이 다양하기 때문에 각 가정에 맞는 솔루션을 제공하려면 이를 활용하는 소비자들의 개인적 생활 패턴 즉 사용자 경험UX 역시 데이터로 확보해 제공할 수 있어야 하겠다. 근본적으로 사람의 안락한 생활을 제공하고 삶의 질을 향상시키기 위한 것이니 말이다.

인공지능 스피커는 사용자의 목소리를 통해 음성 명령을 수신하고 그에 적합한 답을 골라내 제공한다. 그런데 통상 음악을 감상하거나 날씨 정보를 듣거나 오늘 있었던 사건, 사고에 대한 뉴스를 청취하기 위해 활용하는 케이스가 대부분이고 이 중 가장 많은 명령은 역시 음악이다. 그럼 인공지능 스피커는 탄생하게 된 목적과 부합하고 있는 것일까? 심지어 인공지능을 학습 시키고 제품을 만들기 위해 투입된 투자 금액을 회수할 수 있을만한 뚜렷한 수익원이 없는 편이다. 제품을 팔아서 생기는 수익으로 손익분기점을 맞추기도 어려운 상황이다.

인공지능 스피커는 그저 출발선일 뿐이다. 감히 말해 '돈벌이'를 위한 수단은 아니었던 것이다. 인공지능이 우리가 살고 있는 가정에 스며들게 된다면 보다 편리한 생활이 가능하게 될 것이다. 일부 지역에 건설된 아파트 단지, 그리고 건설 중인 곳들도 이러한 인공지능이 탑재된 스마트홈을 제공한다. 아침에 일어나 뉴스나 날씨 정보를 들으며 출근 준비를 하게 될 것이고 교통 상황은 어떤지 가장 최적화된 출근길은 무엇인지 인공지능과 소통하게 될 것이다. 인공지능과 사물인터넷의 결합으로 이루어진 홈오토메이션은 결코 멀지 않은 이야기다.

04

20년 뒤, 인류는 7G 시대를 맞이할 것인가

일자리 전망 중국에서만 해도 800만 개의 일자리 만들 '이 산업'

우리가 그토록 바라던 5세대 이동통신이 2019년 4월 한국에 안착했다. 5G 상용화 이후 약 두 달 만에 가입자 100만 명을 넘었다. 5G 통신 네트워크가 단순히 모바일의 속도를 높여주는 것으로 끝나진 않는다. 말 그대로 '지각변동'인 셈. 고도화가 필요한 시설이나 새로운 플랫폼을 구축하기 위한 인프라 그리고 각 산업분야를 서로 연결시키는데 통신 네트워크는 필수적이다.

하지만 현재로써는 기반 시설이나 5G 전용이라 할 만한 특화된 서비스가 부족한 것이 사실이다. 말하자면 LTE보다 통신 속도가 빠른 수준일 뿐 서비스에 대해서는 '시기상조'인 것이다. 기존에 활용했던 3G나 LTE 통신망이나 시설을 모두 5G로 교체해 '전국 5G망'을 구축해야 하나 약 3년이 소요될 예정이라고 한다.

여기서 짚고 넘어가야 할 것은 5G의 특화 서비스다. 5G가 여러 분야에 모든 것을 이어줄 통신 네트워크로 거듭날 수 있다고는 하지만 무엇을 어떻게 연결할 것인가에 대한 고민이 필요하다. 자율주행 자동차나 스마트 홈, 사물인터넷 등 산업적인 부분의 변화는 이미 어느 정도 예상한 것이지만 일반적인 스마트폰 사용자에게는 어떠한 변화를 줄 수 있을까?

실제로 5G 수준의 강력한 네트워크와 최신이라 할만한 스마트폰만 있다면 VR과 AR은 지금보다 더욱 각광을 받을 수 있을 것이라 전망하기도 했다. 5G가 갖춰지기도 전에 등장했던 VR에 대한 실망감을 기대감으로 높여줄 수 있다면 VR이나 AR에 대한 엔터테인먼트 및 게임 산업, 더불어 홀로그램 입체영상이나 실감미디어도 충분히 각광 받을 수 있는 분야로 손꼽힌다. 실제로 네이버의 V라이브에서도 VR을 준비 중이다. 5G 네트워크 도입으로 인해 고퀄리티의 콘텐츠를 아무런 장애 없이 매우 실감나게 제공해줄 수 있다면 팬들이 좋아하는 연예인들을 바로 눈앞에서 보고 있는 듯한 느낌을 줄 수 있을 것 같다.

기존에 등장했던 VR은 사실 '맛보기' 수준에 불과하다. 본격적인 것은 5G가 전국에 안착된 이후다. SK텔레콤이나 KT, LG유플러스 등 국내 통신사들의 5G 통신 요금에 VR 재생을 위한 HMD[head mounted display]를 포함시키는 경우도 생겼다. 5G와 VR의 연결고리는 사실 일부이긴 하지만 그만큼 가능성도 충분하다고 판단되는 분야다.

특히 중국의 5G 기술력과 가상현실 산업은 함께 성장하고 있을 만큼 잠재력이 매우 큰 시장이다. 중국의 VR 시장은 2020년 연평균 약 125퍼센트 성장해 시장규모만 해도 1천억 원에 가까운 수준에 이를 것이라고 했다. IT 전문매체인 테크크런치에 따르면, 중국의 5G 기술을 통한 경제적 생산량은 2030년 약 6조 위안 수준, 800만 개의 일자리가 생겨나게 될 것이라고 하는 만큼 중국의 기술력은 무서울 정도로 꾸준히 성장하고 있는 추세다. 우리나라는 세계 최초 5G를 도입한 국가이지만 이를 위한 기반 시설과 기술력을 갖추고 여기에 필요한 인력 양성에 집중해야 할 때다.

미래 키워드 LTE를 넘어 '5세대'로 달려가는 이동통신 기술

5G는 '5th generation mobile communications'를 줄인 말로 4G 시대에 활용했던 2GHz 이하의 주파수와 달리 28GHz에 달하는 주파수를 활용하게 된다. 3G 통신에 활용했던 IMTinternational mobile telecommunication 2000의 바통을 이어받아 IMT 2020이라는 통신규격을 갖게 된다. 단어에서 볼 수 있듯 2020년 상용화를 목표로 하고 있는 국제 표준 규격이다. 최대 다운로드 속도는 20 Gbps, 최저는 약 100 Mbps 수준으로 영화 1기가바이트짜리 한편을 10초 내로 다운로드 하여 감상할 수 있는 수준이다. 전송속도와 전송량도 중요하지만 정보를

송수신하는 데 필요한 응답속도 역시 4G에 비해 약 10배나 빠르다고 한다. 4G의 응답속도는 10~20밀리세컨드였지만 5G에서는 1~5밀리세컨드 수준이다. 초저지연성으로 인한 5G의 특징 때문에 꽤 많은 분야에서 활용될 수 있다.

016, 018, 019… 추억의 번호들

시간은 늘 일정한 속도로 흐르지만 느낌에서 오는 차이는 매일, 매시간 다른 것 같다. 하루 종일 컴퓨터 앞에 앉아 어제 했던 업무를 지속하고 있으면 시간이 느리게 가는 듯 느껴지고 또 어떨 땐 1분 1초도 모자란 것처럼 시곗바늘이 빠르게 돌아가는 것처럼 보인다. 일정하게 하루 24시간, 1440분이 지나가 버리지만 우리가 몸소 느끼는 트렌드라는 것은 빠르게 바뀌는 중이다. 작년에 새로운 모델의 자동차가 출시되었다고 해도 1년이 지나지 않아 어느새 '구식'이 되어버리는데 우리가 손에 들고 있는 스마트폰 역시 시간이 지나면 보다 세련되고 강력해지는 걸 확인해볼 수 있을 것이다. 카메라의 성능은 더욱 좋아지고 디스플레이는 보다 고화질로 변화하며 배터리는 든든하게 느껴질 만큼 오래 지속된다.

과거에는 소위 '삐삐numeric pager'라고 불리는 무선호출기를 누구나 하나씩 들고 다닌 적이 있었는데 PCS 폰personal communication service이 등장하면서 역사 속으로 사라져 버렸다. PCS는 개인 휴대통신으로 2.5세대 이동통신을 기반으로 한다. 이동하면서도 통화가 가능했기 때문에 일정한 거리를 두고 곳곳에 널려 있던 공중전화 부스도 조금씩 자취를 감추기 시작했다. 우리나라의 PCS 사업자는 한국통신 프리텔의 '016'

과 한솔의 '018', LG텔레콤의 '019'가 서비스했다. 한국통신 프리텔은 KT 계열의 이동통신업체였고 한솔 PCS는 한솔그룹 산하에 있던 통신 계열사였지만 모두 KT로 뭉쳤다. 이후 우리나라의 통신 사업자는 SK텔레콤, KT, LG유플러스로 자리를 잡은 상태다.

'3G' 통신은 국제전기통신연합인 ITU^International Telecommunication Union^가 정하는 표준 기술 규격에 따른 3세대 이동통신기술을 의미한다. 2002년 시작된 3G 통신은 영상 통화와 로밍 등이 보다 보편화되었다. 3G의 전송속도는 약 초당 2메가바이트^2Mbps^ 수준이다. 정보통신망에서 통신 회선을 통해 주고받을 수 있는 데이터의 양을 bps^bits per second^로 표현한다. 텍스트만 주고받았던 시절이 있었는데 3G 시대를 맞이하면서 인터넷 방송이나 뮤직 비디오 등 동영상을 볼 수 있을 만큼의 통신 속도를 구현하기에 이르렀다. 물론 동영상 로딩이 원활하지 않아 종종 끊기기도 했다.

3G에 이어 등장한 LTE 통신은 이른바 4세대 이동통신이라 불린다. 'long term evolution'이라는 말을 줄여 LTE라고 일컫는데 역시 국제규격의 통신이다. 전송속도는 초당 100메가바이트에서 초당 1기가바이트 수준이다. 동영상을 '보는 것에서' 쉽게 '공유'할 수 있는 수준이다. 지금은 모두가 익숙한 통신 속도를 구현하고 있는데, 모바일을 활용한 동영상 시장은 급물살을 타게 되었고 유튜브나 넷플릭스 등의 동영상 플

랫폼이 4G와 함께 안착했다. 3G 통신 시절에 동영상 소비는 전체 휴대폰 유저의 불과 38퍼센트 수준이었지만 LTE가 개막하게 되면서 44퍼센트까지 성장했다. ITU가 4세대 이동통신을 2008년 정의했으니 LTE는 2018년까지 무려 10년간 버텨온 표준 통신 규격이겠다. LTE가 진입한 초기에는 데이터 전송 속도나 규격 그리고 용량 등이 아주 명확한 4G 레벨에 미치지 못하는 3.9G 수준이었다고 한다. 그럼에도 불구하고 3G와는 확연하게 비교되는 수준이었으며 LTE-A[Advanced]로도 변화하여 빠른 속도를 구현해냈다.

2017년 미국 라스베이거스에서 열린 글로벌 가전 및 IT 제품 전시회인 CES 2017에서는 5G가 네트워크 분야의 뜨거운 감자로 화제를 모았던 키워드였다. 혹자는 5G 혁명을 몸소 체험하기 위한 최적의 장소라고 말했다. 당시 행사의 주요 이슈는 5G를 비롯해 인공지능과 가상현실 그리고 자율주행 자동차였다. SK텔레콤과 KT 등 국내 통신사들 역시 5G 시대 개막을 앞두고 B2B용 5G 전파를 쏘아 올리기도 했다. 2018년 12월에는 통신칩 업계의 글로벌 강자인 퀄컴[Qualcomm]이 미국 하와이에서 열린 '스냅드래곤 테크 서밋 2018[Snapdragon Tech Summit]'에서 2019년도 상반기 5G 상용화를 발표하기도 했다. 수많은 언론과 매체에서 앞다투어 이를 보도하기도 했을 만큼 5G에 거는 기대가 남달랐다.

퀄컴의 5G 상용화에 적용될 새로운 칩은 바로 '스냅드래곤 855'라고 한다. 손바닥보다 작은 이 칩은 5G 적용은 물론 초음파 지문인식 기술도 들어 있다고 한다. 5G 네트워크에는 응답속도, 처리속도, 처리 용량 등 기존보다 모두 향상되었으며 2019년 이후 미국, 유럽, 일본 그리고 한국 등에 배치될 예정이라고 했다. 이렇게 되면 5G 기술을 적용한 스마트폰도 곧 만나게 된다. 5G에서는 최대속도가 무려 초당 20기가바이트인데 LTE에 비하면 20배 수준이다. 가상현실이나 사물인터넷 기술 그리고 자율주행 자동차에 응용하게 될 기술력에 확장성을 띄게 된다. 1기가바이트의 동영상을 10초 안에 다운로드하는 수준이라 UHD 영상과 같이 어마어마한 용량의 데이터도 쉽게 즐길 수 있게 될 것이다.

증강현실과 가상현실의 기술력이 이미 시장에 진입했음에도 크게 성장하지 못했던 것은 원활하지 않았던 통신 속도의 문제도 언급될 수 있다. 하지만 5G 시대에서 이러한 시장의 성장 가속화도 눈여겨볼만하다는 포브스지의 리포트를 본 적이 있다. 사실 혼합현실을 즐기기 위한 장비의 보급이나 다양한 콘텐츠가 없는 것도 성장을 막는 이유 중에 하나겠지만 현장감 있는 콘텐츠 그리고 고화질의 동영상이자 무시할 수 없는 수준의 용량을 가진 데이터를 송수신할 수 없는 네트워크의 한계가 발목을 잡은 셈이다. VR과 같이 360도를 돌며 주변의 모든 것을 바라보려면 용량이 커질 수밖에 없다. 하지만 5G는 이를 가능케 한다. 국내 통신사는 물론이고 AT&T와 같은 글로벌 통신사들도 고화질 스트리밍 방식의 VR 기술 구현 그리고 킬러 콘텐츠에 집중하고 있다고 한다.

자율주행 자동차 분야 역시 5G의 힘을 받게 된다. 실제 자율주행 자동차가 사람이 핸들을 잡지 않아도 운행이 가능한 것은 라이다LiDAR와 같은 민감한 센서들이 여럿 존재하기 때문인데 교통 정보를 원활하게 송수신할 수 있는 통신망이 구축되어야 한다. 원격으로 자동차를 자유롭게 운행하기 위해서라도 수많은 데이터를 주고받아야 하니 5G와 같은 통신 인프라는 언급하지 않을 수 없다. 주변 환경, 교통정보, 날씨, 앞뒤 차량의 간격 같은 미세한 정보까지 클라우드와 같은 서버 그리고 자동차 간 송수신하는 데이터들은 그 분량도 많겠지만 아주 신속하고 정확하게 받을 수 있어야 한다.

6G와 7G를 준비하라?

구글과 같은 검색 엔진을 통해 6G라는 키워드를 입력하게 되면 수많은 기사들이 등장한다. 그만큼 5G는 눈 앞에 와 있고 기술은 6G에 근접하며 인류는 7G를 꿈꾼다는 것이다. 미국의 한 커뮤니티인 'ICONSICONS of Infrastructure'에서 이러한 내용의 글을 읽었다. 인류가 맞이하게 될 5G는 이제 얼마 남지 않았다고 하면서 6세대와 7세대 이동통신에 예측해보는 짧은 글이었다. 6세대 이동통신이 안착되면 전국을 넘어 전 세계를 커버할 수 있을 정도의 위성 통신망을 확보하게 된다고 했다. 아마존과 같은 정글이나 아무것도 없는 사막 위에서도 통신 자체가 가능하기 때문에 '사각지대'가 아예 사라진다고 언급했다. 7세대 이동통신은 글로벌을 넘어 우주로 넘어갈 만큼의 위력을 가진 통신 시스템을 구축할 수 있다고 했다.

통신업계 전문가들은 2030년이면 6세대 이동통신을, 2040년이면 7세대 이동통신이 상용화될 것이라고 예측한다. 6세대 이동통신이 구현하는 통신 속도는 무려 초당 100기가바이트 수준이라 5G의 최대속도와 비교하면 5배나 차이가 난다. 6G가 상용화되면 "영상을 쉽게 다운로드할 수 있고 고용량의 데이터를 순식간에 공유할 수 있을 만큼의 초고속 통신망을 구축하게 될 것"이라는 단순한 말 자체를 뛰어넘는 개념이다. 그러니까 LTE나 5G 수준에서도 충분히 가능한 상황이라 6G나 7G 통신 체계는 우리가 꿈꾸는 미래를 만들어줄 수 있을지도 모른다.

6세대 이동통신에서는 스마트홈을 이룩할 수 있는 사물인터넷이 보다 본격화되고 이것이 만물인터넷까지 넓어질 수 있는 확장성을 지닐 수 있다고 했다. 이웃나라 중국의 경우 5G가 안착하기도 전에 6세대 이동통신에 대한 연구를 이미 시작했고 역시나 만물인터넷을 꿈꿔볼 수 있는 통신 체계가 될 것이라고 전했다. 핀란드 역시 정부와 헬싱키 과학 아카데미Helsinki Academy of Sciences의 승인을 받아 핀란드 국립 오울루 대학교University of Oulu에서 6세대 이동통신 프로젝트를 시작하기도 했다.

6G 이상으로 통신 체계가 더욱 발전하게 되면 모바일 디바이스 간의 연결은 매우 단순한 개념이 되어버릴 것 같다. 전 세계에 존재하는 몇 대나 될지 모를 모바일 디바이스에서 통신 모듈만 있다면 그 무엇이든 연결할 수 있는 개념이 되고 이러한 유기적인 연결은 지능적인 생태계를 만들어주게 될 것이다. 통신망을 통해 주고 받는 데이터는 보다 많아지지만 매우 정교하고 신속하게 그리고 가볍게 느껴질 만큼 원활한 커뮤니케이션이 이뤄질 전망이다. 무선을 전등을 켜고 지방에 있어도 서울에 있는 우리 집의 보일러를 제어하고 지금 차 안에서 클라우드에 있는 교통정보를 수신하는 우리의 일상생활이 크게 변화하게 될 것이다.

하지만 분명히 '시기상조'일 수 있다. 아직 5G도 정착하지 않았는데 너무 앞서가는 이야기일 수도 있지만 기술력은 그만큼 우리가 생각하는 수준 이상으로 한 발짝 앞에 있는 듯하다. 더구나 5G 통신체계를 계획했을 때 인류는 이미 6G 이상의 통신 체계를 염두하고 있었을 것이다. 어쨌든 시간은 흐르고 6G를 넘어 7G 그리고 그 이상의 통신 시스템이 엄청난 변화를 몰고 올 것이다. 우리가 사는 이 세상은 어디까지 변화하게 될까?

2030년이면 5G를 넘어 6G 시대가 도래하게 된다. 5G 시대를 맞아 국내 통신사들의 5G 요금이 탄생했고 이미 일부 사용자들은 5세대 통신 속도를 경험하고 있다. 필자 역시 5G가 구현되는 디바이스를 체험해봤고 4G와는 분명히 다른 속도를 두 눈으로 목격했다. 그런데 6G가 되면 이를 제대로 느낄 수 있을 것인가. 앞으로 10년 뒤 5G보다 다섯 배 이상 차이를 보이게 될 6세대는 스마트폰은 물론 사물인터넷이 구축된 다른 어딘가에서 체험하게 될 수 있을 것이다.

인류는 지금 10년 뒤의 이동통신을 꿈꾸고 있다. 그리고 2040년, 바로 지금으로부터 20년 뒤의 차세대 이동통신을 연구하고 있을지도 모르겠다. 보통 '빠르다는 의미'에서 '빛의 속도'라고 표현하는데 과연 우리는 빛의 속도로 구현된 이동통신 네트워크를 경험하면서 그 엄청난 차이를 어디에서 실감할 수 있을까? 많은 사람들이 몰려있는 곳에서 휴대폰을 들고 안테나 표시가 나타나주길 바랐던 시절도 있었지만 '빛의 속도'라는 개념이 현실화되면 천지가 개벽할 사건이겠다.

05

블록체인의 진가는 아직 드러나지 않았다

일자리 전망 종이 계약서를 대체할 솔루션을 개발하라

블록체인block chain에 대한 가능성은 이미 수많은 미디어에서 다룬 것처럼 암호화폐뿐 아니라 유통, 보안, 금융 등 생각보다 많은 분야에서 활용될 수 있다. 암호화폐에 대한 이야기는 잠시 접어두고 블록체인이 가진 잠재력을 바라보자. 본 글에서도 언급한 바와 같이 블록체인은 금융은 기본이고 스마트 계약, 유통, 투표 등에 활용되면서 투명성을 확보할 수 있게 된다. 기업들이 블록체인 기술을 도입해 각자의 사업에 적용만 할 수 있다면 이 분야의 미래를 매우 밝은 편에 속한다.

네이버나 카카오와 같은 포털기업들도 자신들의 개발 리소스를 투입해 각각 링크체인, 클레이튼이라는 블록체인 네트워크를 구축하기도 했다. 물론 꽤 많은 인력들이 이곳에 포진하고 있다. 기본적으로 이러한 블록체인은 게임이나 유통, 결제 시스템에 주로 적용될 예정이다. 사실 인공지능이나 로봇, 사물인터넷이 등장하게 되면서 지금까지 인간이 자리했던 곳들이 대다수 자동화가 되기도 했다. 블록체인이 등장하게 되면 이를 바탕으로 진행되는 거래 과정에 중간자제3자 역할이 사라지게 될 수도 있다. 기본적으로 디지털 시스템 상에서 거래로 이뤄지고 기록이 남기 때문에 종이 서류 역시 불필요하다고 할 수 있다.

IT 전문가들의 소셜 커뮤니티인 〈테크리퍼블릭Tech Republic〉에서 언급한 블록체인 직업군을 잠깐 살펴보자. 블록체인 사용 증가에 따라 각 기업들도 블록체인 기술력을 도입하는 추세이고 이에 따라 경쟁 우위를 확보하고자 집중하고 있는 편이다. 블록체인을 도입하는 기업들 모두 당연히 블록체인에 관한 전문가를 필요로 하게 되는 것. 가령 블록체인을 도입하고자 하는 기업들이 어떠한 솔루션을 구축한다고 가정해보자. 여기에 필요한 필수 인력은 프로젝트 관리자, 그리고 블록체인 언어를 다룰줄 아는 개발자, 블록체인 품질에 대한 엔지니어 등이다.

또한 블록체인과 사용자, 거래 등에 있어 법률에 관한 컨설턴트나 전문 변호사도 확보할 수 있다면 더욱 원활하고 안전한 플랫폼을 이룰 수 있을 것이다. 특히 도입 초기에는 블록체인에 관한 기술, 거래, 보안 등이 나라가 정한 법률에 문제가 없는 것인지에 대한 검증도 필요하니 어느 정도의 과도기를 거쳐야 할 것이다. 물론 각 나라가 블록체인에 관한 규제와 법률을 어떻게 지정하느냐에 따른 학습이 필요하게 될 것이고 블록체인의 기본적인 기술에 대해서도 파악해야 할 것이다.

경우에 따라서는 블록체인 디자이너 같은 역할도 필요하다고 하는데

이는 웹 사이트나 모바일 애플리케이션의 UI User Interface 그리고 UX User eXperience를 만들어내는 디자이너의 역할과 크게 다르지 않다. 블록체인의 잠재력은 수면 아래에서 점점 커지고 있는 상태다. 본격적으로 도입이 되면 산업 분야에 큰 영향을 끼칠 수 있는 만큼 새로운 직업군이 탄생하게 될지도 모르겠다.

미래 키워드 블록체인은 일종의 '거래장부'

일정 시간동안 온라인에서 거래된 내역이 블록block으로 형성되면 네트워크에 있는 모든 참여자들에게 이 내역이 전송되고 해당 거래의 타당성 여부를 승인하게 된다. 이것을 블록체인 기술이라고 한다. 블록에 담긴 거래 내역이 승인되면 다른 블록체인과 연결되므로 위변조가 불가능하다. 네트워크에 존재하는 모든 참여자들의 각 서버로 거래 내역이 전송되므로 중앙 집중형이 아닌 '탈중앙' 즉 분산형 데이터 저장기술이라는 말이 등장하기도 했다. 공공 거래 장부라고도 한다.

블록체인의 본질은 '코인'이 아니라 '장부'

2018년 포브스에서 블록체인block chain을 꾸준히 탐험하고 연구하는 50개의 글로벌 기업들을 언급한 바 있다. 여기에는 이름만 들으면 알 만한 글로벌 브랜드가 다수 존재한다. 오라클, 텐센트, 알리바바, 메트라이프, 페이스북, 월트디즈니, IBM, 애플 등이었다. 일본의 토요타, 우리나라의 삼성도 이름을 올렸다. 삼성SDS가 구축한 넥슬레저 플랫폼Nexledger platform이 바로 그 실체인데 기업들을 대상으로 분산 거래 장부ledger 플랫폼을 제공하는 것이다. 금융은 물론 다양한 산업에서도 범용으로 사용할 수 있는 기업용 블록체인 플랫폼이 바로 넥슬레저다. 사용자끼리 직접 금융 거래를 할 수 있도록 효율적인 지급 결제 솔루션digital payment을 제공하고 블록체인 신분증digital identity을 통해 제휴 기관의 간편 인증 서비스도 제공 받을 수 있게 했다. 더불어 스마트 컨트랙트smart contract처럼 위변조가 불가능하면서 인증이 확실한 디지털 스탬핑digital stamping도 안전하게 제공할 수 있다고 했다.

그리고 2019년 4월 포브스는 블록체인의 '빌리언 달러 베이비billion dollar babies'라는 제목으로 새로운 50개 기업을 소개했다. 페이스북, IBM, 인텔, 네슬레, 오라클 등 지난 해와 동일하게 이름을 올린 글로벌 브랜드가 존재하는데 삼성은 올해도 리스트에 올라왔지만 애플은 빠져 있었다. 삼성의 경우, 앞에서 언급한 넥슬레저 블록체인 플랫폼이 또 다시 언급되었다. 글쎄, 반드시 블록체인 플랫폼을 구축해야 하는 것은 아닐 테지만 멀지 않은 미래 반드시 블록체인의 기술이 필요하다면 애플은 어떠한 변화를 추구하게 될까? 더구나 이미 애플 카드라는 것을 선보이면서 금융 서비스를 실시하게 되는 애플에게 블록체인은 필요한 '필수 요소'가 아닐까?

캐나다 출신의 경영 컨설턴트이자 미래학자인 돈 탭스콧Don Tapscott은 자신의 웹사이트 'dontapscott.com'에서 1세대 디지털 혁명은 인터넷, 2세대 디지털 혁명은 블록체인 기술이라고 언급한 바 있다. 더불어 "19세기에는 자동차가, 20세기에는 인터넷 혁명을 이루었고 21세기는 블록체인이다"라고 정의하기도 했다. 블록체인은 비즈니스 가치를 창출할 수 있고 정부의 역할을 재구성할 뿐 아니라 콘텐츠 산업의 혁신, 보안이나 개인 프라이버시로 일어날 수 있는 중대한 이슈들을 해결할 수 있는 플랫폼이라고 전했다.

블록체인이라는 키워드를 검색할 때 가장 많이 등장하는 의미는 바로 '분산 공개 장부' 또는 '공공 거래 장부'다. 거래 내역과 같은 기록들이 블록block에 담기고 이러한 블록의 모음이 서로 연결chain되면서 이루는 형태가 바로 블록체인의 기본 구성이다. 온라인에서 수도 없이 일어나는 금융 거래나 비트코인bitcoin과 같은 가상화폐의 거래에서 충분히 가능성이 있는 해킹을 막을 수 있는 궁극의 기술이기도 하다.

조금 더 쉽게 풀어보자. 일반적인 시중 은행들은 보통 중앙 서버를 구축하고 사용자들의 입출금, 이체 등의 거래 내역을 보관해왔다. '탈중앙decentralization'이라는 단어는 암호화폐나 블록체인이라는 키워드가 등장하면서 함께 나타나기 시작했는데 말 그대로 중앙 서버를 벗어나 거래에 포함되어 있는 모든 컴퓨터가 동시에 같은 기록을 보유하게 된다는 개념이다. 위변조가 어렵다는 것은 네트워크에 존재하는 모든 컴퓨터가 이 기록을 통째로 바꿔야 하기 때문이지만 블록체인 개념에서는 아예 불가능하다. '분산'과 '공공거래' 장부라는 의미도 바로 이러한 이유에서 비롯된다. 거래에 포함되어 있는 네트워크 상 모든 컴퓨터가 하나의 거래를 인증하고 기록하게 되면 블록이 생성되어 다른 연결고리와 함께 체인을 이루게 되고 이 조합이 '블록체인'으로 만들어지니 해킹 자체가 어려울 수밖에 없다.

사토시 나카모토Satoshi Nakamoto라는 정체불명의 인물이 개인 간 거래P2P가 가능한 블록체인 기술을 고안해냈다고 알려져 있다. 위와 같은 블록체인 기술을 암호화폐에 적용했고 우리에게 익히 알려진 '비트코인'을 개발한 것도 이 인물이라고 한다. 호주 출신의 컴퓨터 과학자 크레이그 라이트Craig Wright가 비트코인의 창시자 나카모토라고 주장하기도 했는데 해킹, 우주 등 다양한 기술 정보를 다루고 있는 웹사이트 마더보드Motherboard에서는 그의 주장 자체가 증명할 수 없는 '거짓말'이라고 전한 바 있다.

비트코인Bit-coin은 컴퓨터에서 사용하는 정보의 기본 단위 비트bit와 동전coin을 합친 키워드로 2009년 처음 탄생한 가상화폐의 한 종류다. 비트코인과 같은 화폐를 코인, 이를 담는 장치를 월렛wallet 또는 지갑이라고 부른다. 인터넷상에서 거래하므로 실체가 존재하지 않는다. 그 때문에 가상화폐virtual currency라고 부르기도 하지만 암호화 기술을 사용하고 있어 '암호화폐crypto currency'라고도 한다. 이러한 암호화폐는 블록체인이라는 기술을 통해 구현하는데 이미 세계적으로 주목받은 기술임에도 암호화폐에 대한 관심이 워낙 폭발적이었던 터라 오히려 비트코인이나 이더리움 등 코인의 가격, 이를 거래하는 거래소에 더욱 집중이 된 듯한 느낌이 들기도 한다.

기업 간 계약, 전자투표 등 무궁한 활용처

암호화폐의 가격은 증권가에서 거래되는 종목처럼 꾸준함이 없었다. 물론 증권 종목 역시 호재나 악재가 있는 경우 상한가나 하한가를 기록하는 경우들도 있기는 하나 암호화폐의 등락폭은 그야말로 어마어마했다. 암호화폐에 대한 내용을 차치且置한 채 블록체인만 두고 보면 이 기술력은 다양한 분야에서 폭넓게 활용이 가능하다.

한 가지 사례를 들어보자. 신혼집을 마련하기 위해 부동산의 아파트 매물을 확인하고 부동산에 전화를 건다. 좋은 전셋집이 있으니 이를 눈으로 확인하기 위해 날짜를 잡고 집으로 보러 간다. 마음에 드는 곳이니 계약을 하자고 하면 신혼집을 구하는 임차인, 집주인이 임대인 자격으로 부동산에 나타나고 부동산의 공인중개사들은 말 그대로 이들을 이어주는 중개인이 된다. 전세자금을 이체하고 준비된 몇 장의 서류를 확인한 뒤 자필 사인이나 인감을 통해 계약서에 도장을 찍으면 계약은 마무리된다.

미국 출신의 컴퓨터 과학자 닉 자보Nick Szabo라는 사람이 이와 같은 계약 형태를 스마트하게 바꿀 수 있는 '스마트 계약smart contract'이란 개념을 선보였다. 디지털상에서 수많은 조항들을 직접 확인하고 제3자 없이도 신뢰할 수 있는 거래를 수행하는데 블록체인 기술이 포함될 수 있다. 컴퓨터 프로토콜과 블록체인 기술이 접목된 스마트 계약은 히스토리를 읽어볼 수 있지만 모든 블록체인 기술이 그러하듯 위변조를 할 수 없어 보안 또한 우수하다.

1990년대 닉 자보의 스마트 계약 이론은 당시에 구축할 수 없었던 개념이었다. 이유는 당시의 기술력이 그 이론을 따라주지 않았기 때문이다. 그러나 5G와 만물 인터넷 시대에 살고 있는 우리에게 이러한 스마트 계약은 실제 적용에 대한 정책만 잘 수립되면 얼마든지 활용이 가능하다. 비트코인에 적용된 블록체인의 기술이 1세대였다면 스마트 계약에 필요한 블록체인 기술은 2세대 수준이다.

러시아 출신의 프로그래머이자 작가인 비탈릭 부테린Vitalik Buterin이 창시한 이더리움Ethereum이라는 플랫폼은 스마트 계약이 가능할 수 있도록 구현된 블록체인 2.0 기반의 분산 컴퓨팅 플랫폼이면서 암호화폐 거래소에서 'ETH'로 거래되고 있는 알트코인 중 하나다. 이더리움은 불과 5년도 되지 않은 플랫폼이고 블록체인 2.0이 적용된 스마트 계약도 지속적인 연구를 통해 발전시켜야 할 영역이 존재하고 있긴 하나 사물인터넷이라든지 전자 투표electronic voting, 의료 데이터 매매, 증권 거래 등 여러 분야에서 활용할 수 있을 만큼 충분한 가치가 있다.

블록체인 기술이 전자 투표와 같은 형태에 적용이 되면 투명성을 보장하고 결과 값에 있어서도 위변조가 불가능하니 좋은 적용사례가 될 수 있을 것 같다. 무엇보다 이른 아침 시작되어 저녁 늦게 끝나는 투표 시간, 그 이후 개표와 결과 값을 측정하고 기록해 결과를 알려주는 시간과 인력을 고려하면 블록체인의 전자투표는 매우 효율적이라 하겠다. 거짓말 하지 않는 투표의 결과가 알고리즘에 의해 도출되는 것 그리고 그 분석에 대한 프로세스는 사람이 수작업을 하는 경우와 매우 큰 차이를 보이게 될 것이다.

실제로 전자투표 시스템은 전 세계 다양한 국가에서 활용되고 있다. 일부 국가에서는 전자투표 시스템을 활용하기 위한 테스트도 진행 중이고 또 그러한 계획을 수립하고자 지속적으로 검토 중이라고 했다. 에스토니아를 비롯해 브라질, 인도 등이 전자 투표를 활용하고 있고 캐나다, 미국의 경우 일부 지역에서 전자 투표를 이용한다. 에스토니아의 경우 2005년 인터넷 투표를 실시해 2년 만에 전국으로 확대했다. 미국의 경우는 각 주마다 법이 다르기에 일부 지역에만 적용하고 있다.

의료 분야에서 활용하게 될 데이터 매매는 어떻게 이뤄질 수 있을까? 오라클의 데이터 사이언스닷컴DataScience.com에서는 환자의 건강을 관리하는 데이터를 어떻게 접근하느냐에 따라 토큰 보상과 스마트 계약이 포함될 수 있다고 전했다. 일부 보험사에서는 사용자가 목표치로 정해둔 운동량에 도달하면 보상을 해주는 상품이 실존하기도 했다. 가령 매일 만 보1만 걸음를 걸으면 그에 맞는 보상 프로그램을 설정해 토큰을 제공하는 케이스다.

임상실험에 참여한 환자들의 데이터나 환자들의 진료 기록에 포함될 수 있는 개인 데이터를 접근 가능하도록 설정해두고 데이터를 제공하는 환자들에게는 보상을, 이 데이터를 활용하는 병원이나 기업들은 이 정보를 토대로 의학 기술을 발전시킬 수 있고 의약품을 개발할 수도 있으며 학계에 전파해 의료진 양성에 기여할 수 있게 될 것이다. 블록체인 기반의 스마트 계약이라면 환자들의 데이터를 안전하고 투명하게 보관할 수 있고 무엇보다 관리 비용도 크게 줄일 수 있어 매우 효과적이라 하겠다.

2023년 이후, "블록체인 소프트웨어 시장은 약 100억 달러 이상"

우리나라 정부도 블록체인을 활용한 공공 시범사업을 두 배 이상 확대하고 민간 프로젝트도 함께 추진한다고 발표한 상태다. 2018년만 해도 블록체인 기술의 공공 시범 사업 규모는 여섯 건으로 약 40억 원 수준이었다. 과학기술정보통신부와 한국인터넷진흥원 등은 2019년 12건, 약 85억 원 규모로 확대하겠다고 언급한 바 있다. 시간제 노동자들의 권익 보호를 위한 근로 계약서서울특별시, 블록체인 기반의 맞춤형 의료 서비스 시스템 구축서울의료원, 인공지능 맞춤형 관광 설계 시스템전라북도, 사업 제안서 접수 및 평가 시스템 구축방위사업청 등이 시범사업 사례다.

근로계약상 필요한 정보를 최소화하고 이를 서울시를 포함해 서울시 각 지역 자치구나 근로복지공단 등이 분산 저장하는 것이며 블록체인 기반이니 계약서의 위변조가 불가능하도록 방지하고자 하는 케이스다. 파트타임으로 근무하는 학생들을 일컬어 '알바생'이라고 하는데 시간제 노동자들 중 가장 취약할 수 있는 집단이다. 통상 근로계약서 없이 출입문에 적혀 있는 내용을 보고 사장과 간단한 면접 이후 채용이 되는 과정이라 정당한 근로에 대한 급여를 받지 못하는 사례들도 있었다. 블록체인 기반의 근로 계약서라면 어쩌면 있을 수 있는 부당행위에 대해 노동자들이 목소리를 낼 수 있을 것 같다.

의료 서비스 시스템의 경우는 처방전이나 제증명서 등을 병원, 약국, 환자들에게 공유하는 절차, 실손 의료보험에 대한 청구와 심사 프로세스의 효율성을 극대화하고 임상실험의 안정성을 향상시키기 위한 시스템에 블록체인을 적용하는 케이스다. 임상 시험의 연구 결과나 수많은 의약품의 공급 네트워크의 투명성이나 의료 기관과 연계되어 있는 다양한 직군들의 자격 인증까지 블록체인이 적용될 수 있는 것이다. 의약품을 투여받거나 임상실험에 참여하는 사람들 또한 치료를 받은 후 보험금을 청구하고 지급받는 수많은 환자들의 데이터는 매우 민감할 수 밖에 없어 반드시 주의를 기울여야 하고 정부의 블록체인에 대한 규제도 올바르게 수립해야 할 것이다.

우리나라는 물론 세계 각 정부에서도 블록체인 기술을 각 분야에 도입하고 지원하는 사례가 늘고 있다. 독일의 경우 제약, 에너지, 공공행정 등에 블록체인을 활용하는 방안에 대해 모색하고 있고 룩셈부르크에서는 증권 거래에 있어 중개인의 수를 줄여 증권 거래의 효율성을 높이고 보다 투명하게 증권 유통이 가능할 수 있도록 블록체인을 도입하겠다는 법안도 통과된 상태라고 한다.

시장조사업체인 ABI리서치는 2023년 이후면 블록체인 소프트웨어 시장의 매출이 약 100억 달러 이상이 될 것이라고 예측했다. 이미 IBM, 마이크로소프트, 아마존, 오라클, 삼성과 같은 글로벌 대기업들을 블록체인 기반의 솔루션을 개발했거나 더 나은 플랫폼과 서비스를 제공하기 위해 연구를 지속하고 있는 상황이다. 블록체인에 대한 공격적인 투자와 연구가 지속된다면 ABI리서치가 예측한 규모 이상이 될 수도 있겠다는 생각이 든다.

글로벌 시장조사기관인 리서치앤마켓Research and Markets의 보고서에서는 의료 시장에 적용될 수 있는 블록체인 기술의 성장규모가 2017년 3천 540만 달러에서 2026년 약 32억 5천만 달러 수준으로 성장하게 될 것이라고 전망하기도 했다. ABI리서치가 전망한 블록체인 소프트웨어 수치의 약 30퍼센트 수준인 것이니 의료 분야의 블록체인 적용은 올바른 정책만 수립된다면 꾸준해질 것으로 보인다.

미래형 헬스케어 서비스나 웨어러블 기기의 의료 시장 진입만 봐도 인류에게 있어 건강에 대한 이슈는 쉽게 변하지 않는 것 같다. 환자들의 빅데이터를 기반으로 하는 의료 분야와 제약 회사들의 연구 그리고 그러한 데이터를 블록체인을 통해 접근 가능한 수준에서 활용하게 될 수 있다면 전 세계 의료산업과 관련 서비스는 지금보다 긍정적으로 성장할 수 있는 환경이 마련될 수 있을 것이다.

암호화폐와 블록체인 정보를 제공하는 '블록트Blokt'에서는 에너지 시장의 블록체인 시장이 2023년 약 70억 달러 이상 성장하게 될 것이라고 이야기한다. 독일이나 네덜란드, 영국 등 유럽지역의 블록체인 기술 투자가 지속되고 있고 심지어 빠르게 성장하고 있는 추세라고 한다. 반면 아태 지역에서는 호주가 가장 빠르게 성장하고 있는 시장이라고 덧붙였다. 글로벌 기업 중 마이크로소프트, 액센츄어, IBM 등이 에너지 시장의 주요 리더인데 에너지 자원을 관리하는 방식, 그 방식과 비용을 절감할 수 있는 효율적인 솔루션을 제공할 수 있는 능력을 갖춘 곳들이다. 전력을 공급하는 기관이 에너지를 생산하고 이 에너지를 사용하는 사람들의 거래 절차라든지 전력 공급망을 관리하는 시스템 등에 블록체인이 적용되는 것이다.

세계 최대의 컴퓨터 제조업체인 IBMInternational Business Machines Corporation은 블록체인 기술과 비즈니스 모델을 연결하기 위해 지속적으로 연구해왔다. 2018년 푸드 트러스트food trust라는 개념에 블록체인을 입혀 실제 사용자들을 위한 서비스로 구축했다. 소비자들이 음식을 사먹는 경우 이 재료가 어디에서 왔는지 그리고 믿고 먹을 수 있는 제품인지 식품 유통 네트워크에 블록체인 기술력을 적용한 사례다. 유통망의 이력을 투명하게 관리하고 제품에 대한 신뢰도를 높여 사용자들에게 제공하게 되는 것이니 제품을 제공하는 입장에서 이러한 서비스는 자사의 브랜드 가치를 한층 더 높여줄 수 있게 될 것이다.

IBM은 이러한 생태계를 구축하기 위해 꽤 오랜 시간 테스트를 거쳐왔다. IBM의 푸드 트러스트 솔루션은 IBM의 자체 블록체인 기술과 클라우드를 접목한 유료 상품이다. 공급망에서 식료품의 출처와 위치, 상태를 확인하기 위한 중소기업용 추적 솔루션의 경우 우리나라 원화로 월 13만 원 수준이다. 매출액 규모가 500억 이상 1조 원에 달하는 중견기업용은 월 70만 원대, 매출액이 1조 원이 넘는 식료품 기업의 경우는 월 540만 원 이상이다. IBM과 같이 클라우드를 이용한 블록체인 서비스를 일컬어 'BaaSBlockchain-as-a-Service'라고 한다. 고객들이 클라우드 기반의 솔루션을 활용해 블록체인 응용 프로그램인 스마트 계약이나 블록체인 인프라를 구축한다. 고객들은 솔루션 비용을 지불해 편리하게 프로그램을 사용하고 이러한 솔루션을 제공하는 공급자들은 고객들과 고객들의 비즈니스에 필요한 인프라를 유지, 관리하고 복잡할 수 있는 벡엔드Backend를 처리한다. 'BaaS' 자체도 네이버 클라우드와 같이 필요한 소프트웨어를 웹에서 쉽게 활용할 수 있도록 구현한 'SaaSSoftware as a Service' 서비스 모델과 유사하다. 참고로 서버나 스토리지, 네트워크 장비 등을 빌려주는 'IaaS Infrastructure as a Service'라는 개념도 있다.

국내에도 BaaS 서비스를 구축한 사례가 있다. KT의 기가 체인 BaaS KT GiGA Chain BaaS 서비스 역시도 클라우드 기반으로 블록체인 노드를 구성하고 쉽고 편리한 블록체인 솔루션을 API로 제공하고 있다. 이처럼 기업들이 블록체인 전문 개발자 없이도 서비스를 구축할 수 있는 시대가 되었다. 오히려 자신들의 업무 역량과 비즈니스 모델을 키우고 적용할 수 있는 블록체인은 외부 전문가에게 맡기는 것이 가장 효율적일 수 있다. 네이버 링크체인, 카카오 클레이튼, 두나무 등의 블록체인 전문 기업들도 외부 업체들과 손을 잡고 블록체인을 활용한 플랫폼을 구축하기 위해 박차를 가하고 있는 중이다. 마켓앤마켓 MarketsandMarkets 보고서에서도 블록체인 서비스 BaaS 시장의 가치가 2023년 약 154억 달러 수준이 될 것이라 전망하고 있는 만큼 블록체인 전문 기업들이 제공하는 서비스가 'B2B' 거래에서 꽤 각광을 받을 수 있을 것 같다.

기술을 활용하려면 법안이 뒷받침되어야 한다

2019년 블록체인 엑스포라는 이름의 대규모 행사가 런던, 암스테르담, 미국 산타클라라에서 개최했거나 행사를 준비 중이다. IBM, 이더리움재단, 보잉사, 스타벅스, 코카콜라 등 꽤 많은 기업들이 이 엑스포에 참여하고 있다. 블록체인 엑스포blockchain-expo.com 사이트에 블록체인에 관한 재미있는 이야기가 있었다. 바로 2030년 블록체인 기술이 가져올 미래와 예측이다. 실제로 2023년까지 블록체인 산업이 크게 변화할 것이고 다양한 분야에 확대될 것으로 보인다. 2030년이 됐을 때 블록체인의 기술은 또 어떻게 변해 있을까?

이 사이트에서 언급한 2030년의 블록체인 미래에는 전 세계 대다수 정부들의 통화가 암호화폐로 대체된다고 했다. 짐바브웨 같은 나라는 인플레이션이 심각한 편인데 블록체인과 결합한 암호화폐의 가능성이 이를 해결해줄 수 있을 것이라고 했다. 사실 암호화폐는 시대의 흐름을 반영하게 되고 환경적인 요인으로 인해 가치가 급등하면 토큰의 가격도 오르게 마련이다.

실제로 코인의 가치를 높이기 위해 집중하는 블록체인 전문 기업들도 존재한다. 2030년이 되면 1조 달러 규모의 기업보다 1조 달러의 가치를 하는 토큰이 생길지도 모른다고 언급한다. 글쎄? 과연 1조나 되는 토큰이 생길 수 있을까? 우리나라도 그렇지만 자신의 신분을 밝힐 수 있는 주민등록증, 운전면허증이 존재하는데 인간에게 적용되는 신분이 블록체인 ID로 변모할 수 있다고도 했다. 사실 에스토니아의 경우 에스토니아 정부가 발행하는 전자 신분증이 존재하고 있다. 보안 문제로 인해 일부는 회수한 사례도 있긴 하지만 가장 발 빠르게 움직이는 나라 중 하나다. 에스토니아 출신이 아닌 외국인들도 전자영주권e-Residency of Estonia을 발급받아 회사를 설립할 수 있도록 인증을 해주기로 한다. 물론 모두 온라인에서 거래가 가능하다. 멀지 않은 미래에 100억 수준으로 폭증하게 될 인구수를 효율적으로 관리하고 보안 문제에 있어서도 실용적인 블록체인 ID에 대한 언급이 어쩌면 가장 현실적인 이야기 같았다.

블록체인 기술은 꾸준히 발전하는데 이를 어떻게 그리고 어떠한 분야에 적절하게 활용할 수 있을지에 대한 고민이 필요한 때다. 식료품의 출처를 확인하는 IBM의 푸트 트러스트처럼 믿고 먹을 수 있는 블록체인 유통 사례가 있긴 하지만 과연 우리는 이를 '맹신'할 수 있을까? 보안이 철저하고 위변조가 불가능한 블록체인이라 하니 한 나라의 대통령을 뽑는 투표에 블록체인을 결합한 전자 투표가 투명성에 있어 완벽할까?

이론적으로 보면 분명히 가능한 미래처럼 느껴진다. 다만 정부 정책에 활용하게 되는 블록체인 기술에 대한 검증은 반드시 필요하다. 더불어 다양한 분야에 블록체인이 적용될 수 있다곤 하지만 '다양한 분야'라는 것 자체의 의미가 '일부 분야'로 한정될 수도 있다는 점이다. 그리고 블록체인의 취약점으로 가장 많이 언급되는 것이 트랜잭션transaction 속도다. 이론적으로 블록체인에 참여하는 모든 노드가 어떤 거래에 대한 합의가 이뤄져야 블록이 생성되고 체인이 연결이 되는 것인데 합의 프로토콜의 범위와 규모에 따라 트랜잭션 처리가 느려질 수 있다는 의미다. 블록체인의 장점 뒤에 기술적으로 정책적으로 해결해야 할 이면들도 존재하고 있을 테니 이를 올바르게 활용하기 위해서라면 끊임없는 연구와 노력이 필요할 것 같다.

블록체인의 이론적 개념만 바라보면 매우 완전하고 완벽한 기술처럼 여겨진다. 스마트 계약과 같은 거래는 물론이고 금융, 유통, 투표에 이르기까지 위변조가 불가하면서 투명성까지 고려할 수 있으니 완벽하게 구현된 블록체인 기술을 도입해 서비스에 탑재할 수 있다면 얼마나 효과적일 수 있을까? 어쩌면 이는 양면성을 가진 '양날의 검'과도 같다. 위변조가 불가하고 투명성을 확보하지만 원활하게 이루어져야 할 거래를 다소 지연시킬 수도 있다. 그럼에도 불구하고 다양한 분야에 접목시킨다면 이를 위한 법안이나 정책도 올바르게 마련해야 할 것이다.

하지만 글로벌 시장에 등장한 블록체인 기술은 점차 고도화되고 있다. 그만큼 블록체인의 단점으로 부각된 이슈들을 해결하기 위한 작업들이 진행되고 있다. 도이치뱅크의 경우에도 블록체인의 투명성이나 보안에 대한 장점들을 인지하면서도 처리 용량이나 확장성, 거래 지연에 대한 이슈들을 블록체인의 고질적인 문제라고 언급했다. 다양한 블록체인 전문 기업들이 이러한 문제 해결을 위해 고민하고 있고 처리 용량은 물론 처리 속도까지 증대 시킬 수 있도록 집중하고 있는 상황이니 감히 예측하긴 어렵지만 10년 이내라면 가능하지 않을까? 다만 이를 도입하고 적용하기 위한 국내 법안 마련이 얼마나 이뤄질 수 있을지가 관건이다. 블록체인의 필요성은 충분히 인지하고 있고 관련된 블록체인 진흥 법안도 발의되고 있는 상황이니 국내에서도 블록체인이 가진 양면성을 효과적으로 활용할 수 있도록 잘 다듬어야 하겠다.

2장

기술은 새로운 일자리를 부른다

06

유튜브와 넷플릭스가 터트린 '미디어빅뱅'

일자리 전망 1인 미디어 열풍 속에서 성장하는 크리에이터

유튜브와 넷플릭스 그리고 후발주자인 디즈니와 애플TV 서비스가 같은 링 안에 모여 경쟁을 벌이게 되었다. 글쎄, 동영상 트렌드가 언제까지 지속될 수 있을까? 지금까지 오랜 기간 컴퓨터와 인터넷에 이어 모바일 시대로 철저하게 굳어지면서 전 세계 누구나 모바일을 사용하고 있다. 유튜브와 같은 동영상 플랫폼이 탄생했고 일반적인 검색 엔진을 뛰어넘으며 각광을 받기 시작했다. 텍스트나 사진으로 피드를 장식했던 페이스북이나 트위터, 인스타그램 등의 SNS에서도 동영상을 주로 볼 수 있게 되었다.

우리가 살고 있는 지금은 감히 '동영상 플랫폼 시대'라 해도 과언이 아니다. 동영상을 바라보는 습관 역시 남녀노소를 막론하고 전 세대에 걸쳐 있다. 그만큼 우리가 생각하는 것 보다 더욱 많은 사람들이 동영상 플랫폼을 활용하고 있다. 비록 짧은 기간이지만 필자가 PD로 활동했던 당시만 해도 프로그램을 제작하는 일 자체는 매우 고되고 힘들었다. 혹자는 3D 직업Dirty, Dangerous, Difficult이라고도 했다. 지금은 특수한 장비나 능숙한 스킬이 없어도 모바일로 영상을 제작하는 시대가 되었다.

유튜브 크리에이터가 뜬다는 말에 초등학생 희망 직업란에 '유튜버'라는 직업군이 등장하기도 했다. '과학자'라는 키워드가 사라지고 컴퓨터공학자나 소프트웨어 개발자라는 구체적인 직업군의 키워드도 등장했다. 넷플릭스와 같은 스트리밍 서비스의 경쟁 심화는 동영상 플랫폼의 현주소와 같다. 영화나 드라마 등 콘텐츠를 제작하는 제작진들 역시 스트리밍 서비스를 통해 자신들의 결과물을 독점으로 보여주는 시대가 되었으니 영화를 제작했다고 해서 영화관이나 DVD로 보여주는 형태의 '경계'가 허물어졌다고 해도 무리는 없을 것 같다. 콘텐츠를 생산하는 크리에이터, 그것이 굳이 유튜브나 넷플릭스가 아니더라도 수많은 동영상 플랫폼이 확보하고자 하는 콘텐츠가 향후 '승부수'가 될 수 있다면 이 분야의 직업군들도 당분간 각광을 받을 수 있지 않을까 하는 생각이 든다.

미국의 미디어 사이트인 미디엄Medium.com에서도 인기 있는 크리에이터를 소개하면서도 동영상 플랫폼이 무엇이든 콘텐츠의 중요성을 이야기한 것처럼 유튜브가 인기가 있다고 해서 맹목적으로 동영상을 만드는 것이 아니라 동영상 트렌드를 읽을 줄 알아야 하고 대중문화에 대한 깊이를 통한 콘텐츠 설계가 필요할 것 같다. 쉽게 말하면 '먹방먹는 방송'이 대세라고 해서 그 트렌드에 무조건 편승하는 것이 아닌 크리에이터의 독창성과 경쟁력을 키우는 것이 바람직할 것이라는 것. 트렌드가 되었다는 것은 이미 '과거형'이다. 동영상 플랫폼에 있어 '퍼스트 무버'와 '패스트 팔로워'의 개념은 존재한다.

산업 전망 TV 방송도 영화도 모두 인터넷으로 전송되는 'OTT 서비스'

OTT(Over-The-Top)란 인터넷 네트워크를 통해 방송 프로그램, 영화와 같은 콘텐츠를 제공하는 서비스를 의미한다. 'Top'은 TV와 연결된 셋톱박스(Set top box)를 의미하는데 'Over-the-X(OTX)'와 같이 X의 영역에 존재하는 서비스 또는 이를 초월하는 상품을 의미한다고 보면 좋을 것 같다.

한편 미국에서는 코드 커팅(Cord-Cutting)이라는 말이 사용되기도 한다. 넷플릭스와 같은 OTT 서비스에 가입해 동영상을 소비하게 되는 경우 기존의 유료방송을 해지하는 것을 의미하는데, '코드 커팅(선을 끊어버린다)'이라는 표현이 따로 자리 잡을 만큼 OTT로 이동하는 사례가 많다는 증거라 할 수 있다.

"요즘 누가 TV 봐? 넷플릭스 봐야지"

최근 흔히 볼 수 있는 QLED TV는 양자점 발광다이오드Quantum dot Light Emitting Diode 라는 기술로 구현한 텔레비전을 뜻한다. 여기서 말하는 '양자점'을 가리켜 '퀀텀 닷'이라고 하는데 나노미터 수준으로 굉장히 미세한 반도체 결정물질이 전기적이고 광학적인 성질을 지녀 입자 하나하나가 스스로 빛을 내고 색을 꾸며낸다. 보통 포토샵이라는 프로그램을 쓸 때도 미세한 부분을 픽셀 단위로 쪼개 작업을 해야 정교하게 사진을 꾸밀 수 있는 것처럼 퀀텀 닷을 이루는 결정질들이 하나씩 효과를 내니 엄청난 화질개선을 이룩할 수 있는 것이다.

과거 흑백 텔레비전 앞에서 많은 사람들이 모여 프로그램을 시청했는데 어느새 컬러 TV로 변모했다. 그리고 뚱뚱한 모습의 브라운관은 앞뒤로 공간이 생겨날 정도로 얇아지기 시작했고 화질 또한 엄청난 수준으로 개선이 되었다. 1980년대를 넘어 2000년대에 진입한 우리 세대는 플라스마 현상을 이용했던 PDPPlasma Display Panel, 액정으로 화면을 구현하는 LCDLiquid Crystal Display를 맞이하기도 했다. 브라운관 TV를 역사 속으로 사라지게 한, 세상을 바꾼 '평판 디스플레이'의 대명사라 하겠다.

이제는 화면이 휘어지는 커브드 디스플레이curved display와 더불어 고화질 해상도를 구현하는 UHDUltra-HD, 앞서 언급한 QLED 시대가 도래했다. 매우 급진적으로 변화를 몰고 온 TV 시장 속에서 모바일 역시 우리의 트렌드를 지속적으로 바꾸고 있다. 사실 TV를 시청하는 시간보다 스마트폰을 손에 쥐고 인기 있는 동영상을 큐레이션Curation한 사이트에서 프로그램을 소비하는 행태로 변화했다. 그 결과 비디오나 DVD는 거의 죽었다고 해도 무리가 없을 것 같다.

실제로 1990년대 미국에서 엄청난 인기를 모았던 블록버스터 비디오Blockbuster는 미국 내 DVD 대여 시장을 장악할 정도였다. DVD를 빌려간 후 이를 일정한 기간 내에 반환하지 않으면 연체료를 물어 이를 수익구조로 삼았는데 이러한 구조를 달리 생각한 한 사람에 의해 블록버스터 비디오는 문을 닫았다. 매월 정액제로 DVD를 빌린다면 어떨까? 그것도 연체료 없이. 매달 월정액을 내면 업계는 이를 정기적인 수익으로 매출을 올리게 되고 사용자 입장에서는 DVD를 가져다주면 또 다른 DVD를 가지고 나올 수 있다는 발상이다. 이처럼 발상의 전환으로 시작된 미국의 비디오 업체 덕분에 미국 전역에 수많은 점포를 보유하며 승승장구 했던 블록버스터 비디오는 2010년 파산했다.

이를 무너뜨린 사람은 넷플릭스의 CEO인 리드 헤이스팅스Wilmot Reed Hastings다. 인터넷을 의미하는 'NET'라는 단어와 영화를 뜻하는 'Flicks'를 결합해 넷플릭스라는 이름이 되었다. 애초에 인터넷으로 영화를 유통시켜보겠다는 취지로 만들어져 전 세계적으로 수많은 구독자를 끌어 모았다. 미국을 넘어 글로벌 서비스로 확장한 결과 약 1억 명이 넘는 유료 구독자를 확보하는데 성공했다.

넷플릭스는 OTT 서비스의 최강자라고 해도 과언이 아닐 정도다. OTT 서비스란 인터넷 망을 통해 방송 프로그램이나 영화와 같은 콘텐츠를 제공하는 서비스를 말한다. 'Top'은 TV와 연결된 셋톱박스Set top box를 의미하는데 'Over-the-XOTX'와 같이 X의 영역을 넘나드는 또는 초월하는 서비스나 상품을 의미한다고 보면 좋을 것 같다. 의사의 처방전 없이 구매가 가능한 의약품의 일부를 'OTCOver-the-Counter'라고 표현하는 것과 동일하다.

아마존이 제공하는 프라임 비디오나 디즈니Disney와 폭스FOX사 등이 공동으로 런칭한 훌루Hulu와 같은 서비스도 넷플릭스와 함께 대표되는 OTT 서비스다. 지상파는 물론 케이블TV에서 정해진 시간에 방영되는 프로그램들에 구속된 시청자들을 사로잡기에 OTT 서비스만큼 매력적인 플랫폼도 없을 듯하다.

JTBC에서 방영했던 〈스카이캐슬〉은 회차가 늘어날수록 시청률도 함께 급상승했다. 무려 20퍼센트 이상의 시청률을 기록하면서 지상파를 압도하기도 했다. tvN의 〈응답하라〉 시리즈나 〈도깨비〉와 같은 프로그램 역시 엄청난 인기를 모아 화제가 된 바 있다. 이처럼 종합편성 채널의 힘은 지상파를 넘어서고 있는 추세이며 지상파에 있던 제작진들도 종편채널로 넘어가 시청자들이 선택할 수 있는 폭을 광범위하게 넓히고 있다. 여기에 OTT 서비스와 같이 인터넷 스트리밍 서비스까지 가세한 상황이다.

5G 시대가 본격적으로 개막하게 되는 2020년 이후에는 초고속과 초지연성으로 인해 '끊김' 없는 동영상에 집중할 수 있게 된다. 중요한 장면에서 로딩이 된다거나 끊겨버리는 경우 허탈했던 느낌은 이제 곧 사라지게 된다. 이러한 동영상 소비 트렌드는 결과적으로 '코드 커팅'으로 이어진다. 코드커팅이란, 주로 미국에서 쓰이는 키워드인데 인터넷 TV나 넷플릭스와 같은 OTT 서비스를 접한 이후 기존의 유료방송을 해지하는 경우를 말한다. '선을 끊어버린다'는 표현으로 이러한 단어가 정착되었다.

새로운 플랫폼이 아주 매력적인 상품으로 시청자, 소비자들을 유혹하고 있으니 기존의 유료방송을 더 이상 유지할 필요가 없어진 셈이다. 워낙 많은 콘텐츠들이 배열되어 있어 무엇을 선택하기가 어려울 정도다. 넷플릭스는 사용자들을 위해 '추천 알고리즘'을 활용한다. 시청자들의 취향을 분석하고 만족할 만한 결과 값을 내놓을 수 있도록 빅데이터를 활용하는데, 가령 〈클로버필드 : 패러독스〉라는 넷플릭스 전용 영화를 관람했다고 치자. 엔딩 크레딧이 올라갈 때 이와 유사하거나 시청자가 선호할법한 콘텐츠를 추천해 바로 이동할 수 있도록 도움을 준다.

물론 선택은 사용자의 몫이고 이러한 데이터들이 쌓여 빅데이터를 만들고 추천 알고리즘으로 적용된다는 것이다. 이 말은 넷플릭스의 알고리즘이 딥러닝을 한다는 말과 같다. 보다 정교한 서비스를 위한 것이라면 빅데이터와 딥러닝은 필수다.

미국의 마케팅 에이전시인 'Square2'에서는 비디오 스트리밍 시장이 2021년 약 700억 달러 수준으로 껑충 뛸 것이라고 전망했다. 2016년 약 300억 달러 수준인 것을 감안하면 2배 이상의 성장세다.

넷플릭스의 매출액은 살펴보면, 매체마다 각각 다른 금액이 표기된 바 있어 통계포털 'Statista.com'이 제공하는 금액을 기준으로 찾아봤다. 이 사이트에서 제공하는 2018년 넷플릭스의 매출액은 157억 달러였다. 한화로 17조원에 달하는 금액이다. 2016년 약 88억 달러 수준이었으니 2년 만에 2배 가까이 성장한 셈이다. 세계적인 신용평가회사 무디스Moody's에서 평가한 넷플릭스의 신용등급은 2018년 10월 'Ba3'였다. 무디스 신용평가 등급 기준으로 보면 Ba1 레벨부터 C레벨까지 '정크Junk'로 분리된다. 그럼에도 불구하고 전망이 좋다는 평도 함께 받았다.

사실 넷플릭스가 스트리밍 서비스를 원활하게 진행 중이라는 것은 그만큼 구독자수를 어느 정도 확보했다는 근거가 될 수 있다. 소비자를 위한 콘텐츠 확보와 자체적인 마케팅에 예산을 쏟아붓는 모양새이긴 하지만 무디스에서는 2022년이 되면 넷플릭스의 수익과 그에 따른 현금흐름이 좋아질 것으로 내다보고 신용등급도 상향 조정했다. 또한 2021년, 유료 스트리밍 가입자가 약 2억 명에 달할 것이라고도 했다. 사용자는 늘고 콘텐츠 수급에 들어가는 비용은 어느 정도 유지하되, 마케팅 비용은 점차 줄이면서 가입비용을 조금씩 늘려가다 보면 넷플릭스의 성장세는 꾸준할 것으로 보인다.

유튜브가 장악한 동영상 플랫폼

넷플릭스와 더불어 세상을 장악한 동영상 플랫폼이라면 누구나 유튜브를 제일 먼저 이야기할 것 같다. 필자 역시 회사에 출근해 자리에 앉으면 노트북의 전원을 켜고 웹브라우저를 연다. 하룻밤 사이 메일 박스에 들어온 새로운 메일을 확인하고 버릇처럼 업무에 필요한 몇 가지 웹사이트를 열어두는데 그 중 하나가 바로 유튜브다. 음악을 감상할 때도, 무언가 뉴스에 대한 검색을 할 때도, 궁금한 동영상을 찾아볼 때도 모두 유튜브로 진입하는 습관이 생겼다.

유튜브는 '모든 사람들이 쉽게 동영상을 공유할 수 있는 기술력을 기반으로 한 서비스'로 2005년 출발한 플랫폼이다. 2006년 10월 구글이 유튜브를 인수한 바 있는데 이는 구글과 유튜브를 함께 성장시킬 수 있는 시너지를 가진 셈이 되었다. 네트워크과 자본이 탄탄한 구글의 힘을 받아 유튜브는 급성장했다. 하루 1억 개 이상의 동영상 조회수를 기록하고 있고 한국어를 포함해 이 세상에 존재하는 언어 약 50개 이상을 지원하며 일부 서비스를 제외하고는 모두 무료로 동영상 조회가 가능하다. 댓글이나 공유 또한 쉽게 할 수 있어 마치 SNS처럼 활용도 가능하다.

유튜브는 중국을 포함해 일부 국가에서 차단된 서비스이지만 우회경로를 뚫어 유튜브를 활용한다는 이야기도 있었다. 국내에서는 아프리카TV나 네이버TV 등이 유튜브와 유사한 편이다. 글로벌로 보면 중국의 틱톡Tiktok이나 프랑스의 데일리모션Dailymotion 등이 유튜브와는 차별성을 띄면서도 유튜브가 가는 길을 쫓아가는 추세다.

잘 알다시피, 유튜브를 통해 스타로 거듭난 크리에이터들도 존재하고 이를 통해 본업 이상의 수익을 내는 유튜버들도 있다. 스웨덴 출신의 펠릭스Felix는 '퓨디파이PewDiePie'라는 채널에서 게임 리뷰로 유명인사가 되었다. 2019년 3월 기준으로 그의 채널의 구독자수는 8천만 명 이상 거의 9천만 명에 가깝다. 누적 조회 수도 200억 뷰가 넘는다.

또 한 가지 사례를 보자. 지난 2019년 2월 11일, JYP엔터테인먼트 소속의 신인그룹으로 스타트를 끊었던 'ITZY있지'는 그들의 뮤직비디오 〈달라 달라〉를 유튜브와 네이버 V 라이브에 선공개한 바 있다.

공개된 지 만 하루도 되지 않아 유튜브 1천만 뷰를 돌파해 화제가 되었는데 JYP의 저력과 ITZY의 기대감이 폭주한 결과이면서 유튜브의 강력한 콘텐츠 소비량을 확인할 수 있는 계기가 되었다. 반면 같은 날 네이버 V 라이브의 조회 수는 약 24만 뷰였다.

유튜브를 활용하는데 있어 인기 연예인과 셀럽celebrity, 유명인들은 충분한 영향력을 갖추고 있다. 그들의 입을 통해 흘러나오는 말들은 화제가 되거나 인기를 끌거나 논란의 여지가 있을 수도 있다. 그러나 이제는 캐리 언니나 대도서관 같은 유튜버들의 방송들도 충분히 화제몰이를 할 수 있을 정도다. 이처럼 스타성을 가진 유튜버들은 사회적으로 영향을 끼칠 수 있을만한 '인플루언서influencer, 주변에 영향력을 발휘하는 사람'가 되었다는 것이다. 〈유시민의 알릴레오〉나 홍준표의 〈TV홍카콜라〉, 황교익의 〈황교익 TV〉 등과 같은 채널도 존재하고 있으니 유튜브는 세대를 넘어 계층과 성별, 진영을 초월하고 있다고 하겠다. 게다가 요리연구가 백종원의 〈요리비책〉은 2019년 7월 기준으로 구독자 200만 명을 돌파했고 MBC 무한도전의 김태호 PD가 개설한 〈놀면 뭐하니?〉는 2019년 6월 오픈하여 불과 한 달 만에 26만 명의 구독자를 모았다. 명실공히 유튜브 시대라는 점을 더욱 각인시키고 있는 셈이다.

유튜브는 크리에이터들의 동영상과 더불어 유튜브 오리지널도 함께 서비스하고 있다. 광고 없는 동영상, 인터넷이 없어도 디바이스에 저장해 오프라인 재생 기능, 유튜브 음악, 오리지널 영화를 프리미엄에 묶어 제공한다. 물론 유료 상품이다. 유튜브 오리지널은 유튜브가 지원하고 제작하는 오리지널 시리즈로 유명 배우들이 등장하는 드라마나 인기 크리에이터가 만드는 코미디 등 엔터테인먼트 콘텐츠를 제공한다. 월 7천 900원의 비용으로 이러한 서비스를 가입해 활용해볼 수 있었는데 2020년이 되면 이를 무료로 제공하겠다는 보도가 있었다. 기존에 없었던 광고를 붙이고 월 사용료를 없애 오로지 광고로만 수익화 할 계획으로 보인다. 유튜브의 오리지널 콘텐츠는 넷플릭스와 더불어 다른 플랫폼과 본격적으로 경쟁 구도에 나서는 셈이다.

돈을 낼 것인가, 광고만 소비하고 영상을 보게 될 것인가. 사실 유튜브의 검색 서비스도 구글의 힘을 받아 사용자가 원하는 적합한 결과 값을 부여하는데 우리나라 검색 점유율의 상당 부분을 차지하고 있는 네이버를 맹추격하고 있다는 결과도 있었다. 검색 알고리즘이 편하다는 이유도 있겠지만 동영상이 각광을 받고 있으니 웹문서나 블로그 등 텍스트 위주로 검색 결과를 노출시키는 기존의 트렌드가 변화하고 있다는 의미로도 해석해볼 수 있겠다.

국산 동영상 서비스, 유튜브에 대항할 수 있을까?

국내에서도 넷플릭스와 유튜브처럼 모바일로 동영상을 소비할 수 있는 많은 플랫폼들을 각 기업에서 제공하고 있다. 네이버는 네이버TV를 활용해 MBC, JTBC 등 각 방송사의 영상 클립을 볼 수 있도록 했다. 다만 영상을 보기 전 '15초'라는 어쩌면 긴 시간의 광고를 보고 있어야 한다. 물론 이러한 광고가 네이버TV의 수익원이긴 하다. 이 광고 수익은 네이버와 영상을 제공하는 CP contents provider들과 나눠 갖는다.

SK브로드밴드는 2016년 1월 모바일 동영상 플랫폼 '옥수수Oksusu'를 런칭하고 지금까지 영화, 스포츠, 실시간TV, 옥수수 오리지널 등의 다양한 콘텐츠를 제공하고 있다. 출범 당시에는 넷플릭스를 넘어서겠다는 포부가 있었다. 2019년으로 접어들면서 SK텔레콤은 MBC 등 지상파가 연합한 푹PooQ과 옥수수의 사업 조직을 합쳐 새로운 동영상 플랫폼으로 거듭나기 위한 준비를 하고 있다. 푹PooQ은 KBS, SBS, MBC가 함께 투자해 설립한 콘텐츠연합 플랫폼으로 월정액 상품에 가입해 실시간 방송과 다시 보기 서비스를 이용할 수 있다. 이러한 푹과 옥수수가 합치게 되면 규모 또한 매우 커지게 된다. 그만큼 해외 플랫폼이 국내에서 발휘하는 힘이 거대하니 토종 플랫폼으로 맞붙겠다는 것이다.

LG유플러스 역시도 모바일 영상 플랫폼 '비디오포털'이라는 이름으로 서비스한 바 있다. 마찬가지로 실시간 채널과 영화, 해외시리즈, 뉴스까지 진행해왔다가 일부 개편이 되었다. '비디오포털'이라는 이름은 지우고 유플러스 모바일TV로 이름을 바꾸면서 사용자 맞춤형은 물론 IPTV 서비스인 유플러스TV와 연동을 강화했다. 여기서 사용자 맞춤형은 말 그대로 사용자가 소비한 콘텐츠와 관심도, 평가 등을 모두 고려하여 데이터로 쌓고 이러한 빅데이터를 활용해 추천하는 방식을 말한다. 대다수 동영상 플랫폼이 운영하는 방식과 유사하다.

이처럼 동영상을 바라보는 우리들의 소비 행태는 굉장히 많이 변했다. 물론 앞으로도 이러한 트렌드가 지속될 것이라 추측된다. 그만큼 모바일은 떼려야 뗄 수 없는 우리 생활의 필수 디바이스이고 사용성 측면이나 화질 모두 TV 이상의 퀄리티를 추구하고 있기 때문이다. 스웨덴의 통신 장비 제조사인 에릭슨Ericsson은 2024년 5G 통신에서 모바일 데이터의 트래픽이 전체의 약 25퍼센트를 차지하게 될 것이라고 했다. 이와 더불어 모바일의 데이터 트래픽에서 동영상을 소비하는데 사용되는 트래픽은 2023년 75퍼센트까지 늘어나게 될 것이라고 전했다. 동영상 소비 비중과 습관은 시간이 지남에 따라 점차 증가하는 그래프를 그릴 것이라 예상했고 소셜 네트워크 서비스, 음악, SW소프트웨어 다운로드, 웹 브라우징Web Browsing, 파일 공유가 그 뒤를 잇고 있다.

5세대 이동통신을 맞이하게 되면 사물인터넷이나 가상현실VR 콘텐츠가 보다 각광을 받게 되는데 이러한 콘텐츠 소비율도 늘어나게 될 것이다. 특히 VR과 같이 360도를 모두 볼 수 있는 동영상은 일반적인 해상도에 비해 약 4~5배 높은 대역폭을 사용하게 되므로 데이터의 트래픽을 결코 무시할 수 없다. 요금을 부과하는 기준 역시 2020년 이후가 되면 대대적으로 개편이 될 수도 있겠다. 동영상을 소비하는 비중은 높고 그만큼 데이터 소비량도 늘기 때문에 많은 변화를 가져오게 될 것 같다.

TV 앞에 앉아 있던 과거의 어린 아이들은 지금 모바일과 태블릿, PC에서 영상을 바라보고 있다. 드라마와 영화를 소비하는 습관이 이렇게 많이 달라졌다. 앞으로 10년이 지나고 20년 뒤 2040년이 되면 곧 맞이하게 될 5G에 이어 7G까지 상당한 고도화가 이뤄지게 되는데 지금 우리의 동영상 트렌드는 또 어떻게 변하게 될까 문득 궁금해진다.

공룡이 되어가는 엔터테인먼트 산업

구글이나 애플과 같은 경우 몇 년이 지나도 오랫동안 기억될 기업이자 브랜드라고 언급한 바 있다. 사실 비디오, DVD, VOD 등 동영상 플랫폼 시장은 트렌드가 변화함에 따라 무너지는 케이스도 분명하게 존재했다. 2019년 동영상을 소비하는 행태에 있어 유튜브는 절대 강자였다. 그런 상황 속에서 넷플릭스, 옥수수, 왓차WATCHA, 푹 등 다양한 기업들의 OTT 서비스가 소비자들을 유혹하고 있다. 전 세계를 대표하는 디즈니도 스트리밍 시장에 뛰어들었고 잠잠했던 애플 역시 2019년 3월 애플 TV플러스Apple TV+라는 독점 콘텐츠 서비스를 발표하기도 했다. 그만큼 지금의 동영상 시장은 매우 뜨겁다.

작은 캠코더로 영상을 찍어 앨범처럼 기록해두는 경우들도 있었고 이러한 영상들을 UCCuser created contents라는 이름의 콘텐츠로 만들면서 화제가 되었던 시절도 했다. 모바일 시대에 접어들면서 고퀄리티의 캠코더나 고화질을 구현하는 카메라가 없어도 스마트폰이면 충분히 만들어낼 수 있는 시대가 되었다. 물론 편집 툴도 다양해졌고 이를 유통할 수 있는 서비스도 꽤 늘어난 편이다.

글쎄, 10년 뒤라면 이러한 트렌드가 어떻게 바뀌게 될까? 지금 이 시대의 동영상 스트리밍 시장은 그야말로 활황세인데 이것이 10년간 지속적으로 유지될 수 있을까 하는 물음에는 쉽게 답하기가 어렵다. 사실 5G를 넘어 6G 이상의 통신 속도가 구현이 되면 4K이상이 될법한 무거운 동영상 콘텐츠도 쉽게 다운로드 받을 수 있게 되고 사용자 간 공유도 어렵지 않게 될 것이므로 쉽게 무너지지 않을 것이지만 트렌드라는 것은 향후 1년 뒤에도 어떻게 바뀌게 될지 아무도 알 수 없다.

엔터테인먼트나 미디어 시장의 환경은 조금 다르게 느껴질 수 있다. 사람들은 꾸준히 음악을 감상하고 영화나 드라마를 소비하고 있다. 동영상을 소비하는 문화는 결코 변화하기 어렵겠지만 동영상을 어디에서 소비하느냐가 관건일 수 있다. 사용자의 폭 넓은 선택이 가능한, 더불어 매력적인 콘텐츠를 확보한 플랫폼이라면 오랫동안 살아남을 수 있지 않을까? 애플도 디즈니도 넷플릭스와 경쟁할 준비가 되어 있는 상태다. 향후에는 또 다른 공룡기업이 이러한 경쟁 시장 속에 뛰어들지도 모를 일이다.

영국의 컨설팅 그룹 딜로이트Deloitte에서는 2030년 동영상 시장에 대한 시나리오를 자사 사이트에 공개한 바 있는데 여기에서도 콘텐츠 확보를 중요시했다. 다수의 사용자를 확보한 막강한 플랫폼이라도 콘텐츠가 빈약해진다면 또 다른 곳을 찾게 될 것이다. 가수 윤종신의 기획사인 미스틱스토리Mystic Story도 넷플릭스 전용으로 〈페르소나Persona〉라는 작품을 제작한 바 있는데 가수 아이유를 단독 주연으로 최전방에 세우고 이경미, 임필성, 김종관, 전고운 등 네 명의 유명 감독을 섭외해 네 편의 각기 다른 작품을 담아 하나의 영화로 만들었다. 박찬욱 감독의 경우는 BBC 드라마로 제작된 〈리틀 드러머 걸The Little Drummer Girl〉을 왓차플레이에 감독판으로 공개하기도 했다.

완성도 있는 콘텐츠를 제공하기 위해서라면 그게 무엇이든 공동으로 작업하고 협업해야 한다는 것. 그리고 이를 사용자들에게 제공해야 한다는 것. 기술은 늘 발전한다. 그것은 모든 플랫폼이 크게 다르지 않을 것이다. 하지만 콘텐츠는 플랫폼마다 전혀 다를 수 있다. 앞으로 10년 뒤에도 어떠한 콘텐츠를 담느냐가 가장 중요한 이슈가 될 것 같다.

07

'무인운송 시스템'에도 사람이 필요하다

일자리 전망 택배를 날라줄 드론은 누가 조종하지?

드론drone은 이미 다양한 산업 분야에 자리하고 있다. 그만큼 드론의 쓰임새는 매우 효과적이다. 기본적으로 배송이 가능한 드론이 지속적으로 늘어난다면 환경적인 이슈까지 해결할 수 있는 것이니 이만큼 매력적인 것도 없을 것 같다. DHL이나 페덱스와 같은 물류회사가 언급한 것처럼 기존에 활용했던 노후 차량은 점차 줄어들게 될 것이고 역으로 드론을 통한 배송은 점차 늘어나게 될 전망이다.

국토교통부에서는 경량항공기 조종사 과정, 초경량비행장치 조종사 과정 등 약 40여 개의 교육 기관을 지정하기도 했다. 이와 더불어 대한상공회의소는 드론 국가자격취득과정도 운영한다. 택배나 감시, 농업, 의료에 필요한 드론 운용에는 드론표준 전문가를, 영화나 사진을 촬영하는 드론 촬영감독 등이 이 분야에서 점차 늘어나게 될 전망이다. 작은 드론 하나가 하늘을 날아다니는 플라잉 택시로 거듭나게 되면서 이 시대의 산업은 격변하고 있는 중이다.

미래 키워드 웅웅거리는 소리를 내는 비행체, 드론

처음에는 군사용 무인항공기로 개발되었던 드론은 '웅웅거리는 소리를 낸다'고 해서 이를 뜻하는 영어 단어 'drone'이 이름으로 붙었다. 무선전파를 통해 조종이 가능하며 현재는 군사용을 넘어 항공 촬영, 배달, 키덜트 제품 등 민간용으로도 활용되고 있다. 앞에서 언급한 것처럼 촬영이나 배달은 물론 소방이나 농약 살포, 대기질을 측정하는 산업용도 존재한다.

'탄소 배출의 주범'으로 몰린 글로벌 택배사들

소포란, '자그마하게 포장한 물건이나 우편물' 또는 '물건을 포장해 보내거나 받는 우편물'을 말하는데 무엇을 보내느냐에 따라 부피가 달라지게 되니 소포 발송 금액 역시 조금씩 차이를 보이게 된다. 누군가로부터 소포를 받고 이를 뜯어보는 기분은 누구나 한번쯤 느껴봤으리라. 모바일과 O2O 시대에 접어들면서 워낙 많은 사람들이 온라인 쇼핑을 즐겨하고 있고 심지어 해외 직구해외 직접 구매도 심심찮게 이뤄지고 있어 '소포'라는 키워드보다 택배라는 말이 더욱 많이 쓰이는 편이다. 심지어 온라인 쇼핑몰에서 내가 눈으로 보고 직접 선택한 물건임에도 이를 택배로 받는 기분은 남다른 것 같다.

사람들은 시장이라는 곳이나 슈퍼마켓에서 물건을 사고파는 행위들을 해왔는데 동네 주변에 즐비했던 시장들은 대규모 마트나 백화점이 들어오게 되면서 쉽게 볼 수 없는 장소가 되어버렸다. 그럼에도 불구하고 시장에서 파는 물품들을 손에 들고 길거리 음식을 사먹는 경우가 과거의 기억을 떠올리는 듯 물건이 아니라 우리의 추억을 사고파는 곳이 되어버린 것 같다. 검은 비닐에 물건을 담고 기분이 좋으면 얼마를 깎아주는 그들은 그대로인데 말이다. 인터넷의 탄생이 세상을 바꾸듯 유통망과 상거래의 변화를 이뤄낸 것이 이러한 변화를 가져왔으리라.

우편물 중에서는 택배라는 것을 통해 배달이 되고는 하는데 이미 수많은 택배 회사들이 국내외로 존재하고 있다. CJ대한통운의 경우 CJ택배와 대한통운이 합쳐져 만들어진 이름으로 이를 떼어내 '대한통운'이라는 기업으로만 보면 운송사업의 역사가 꽤 깊은 편이다. CJ대한통운은 동아그룹에서 금호아시아나그룹을 거쳐 CJ와 만나게 되면서 현재에 이르렀다. 롯데택배의 경우도 현대로지스틱스가 롯데그룹에 인수매각되면서 탄생한 합병 기업이다. 그 밖에 우체국택배, 로젠택배 등이 대표적인 물류 유통 회사로 꼽힌다.

해외에는 미국의 페덱스Fedex나 UPSUnited Parcel Service, 독일의 종합 물류 서비스 회사인 DHLDalsey, Hillblom, Lynn의 약자로 창립자 세 명의 이름을 딴 것 등이 존재하고 있다. 앞에 언급된 글로벌 기업은 세계에서 가장 대표적인 택배 물류 회사다. DHL의 경우도 그러하지만 최근 대다수 기업들은 다양한 분야에서 소비자 또는 사용자들을 위한 서비스를 구축함과 동시에 친환경 문제에 대해 매우 신경을 쓰는 편이다.

DHL과 같은 모든 택배 회사들은 운송에 필요한 다양한 방법을 활용하게 되는데 수많은 국가를 돌며 물품을 배송해야 하니 비행기나 배, 철도와 같은 운송 수단은 매우 필수적이다. 더구나 해당 국가에 도착한 이후부터는 통상적으로 육로를 이용하기 때문에 차량에서 뿜어져 나오는 탄소 배출에 각별히 신경을 쓴다고 한다. 그러한 이슈로 인해 생겨난 것이 DHL의 전기 자동차인데 배송 서비스의 탄소 제로 프로젝트를 위해 전기 자동차 업체인 스트리트 스쿠터StreetScooter를 아예 인수하기도 했다.

이 회사 역시 독일 기업이다. DHL은 2050년까지 탄소 배출 제로를 달성하기 위한 프로젝트를 실시하고 있다고 한다. 또한 20205년까지 직원들의 80퍼센트를 친환경 전문가로 인증하고 환경과 기후 보호 활동에 동참할 것을 권장하고 매년 백만 그루의 나무를 심는다는 목표도 세웠다. 그만큼 물류 배송에서 발생되는 탄소 배출과 친환경 문제는 매우 중요하다.

DHL이 이러한 프로젝트를 진행한다고 하는데 세계적 물류 회사 세 곳 중 또 다른 기업들은 어떠할까? 페덱스 역시 환경에 대한 문제는 놓치지 않고 다루는 이슈다. 페덱스가 물류 배송에 활용되고 있는 운송수단의 효율을 높이거나 대체에너지를 통해 친환경적으로 거듭날 수 있는 대안을 마련했다. 우선 2020년까지 차량 효율을 약 30퍼센트 향상시킬 것이며 2030년 제트 연료의 30퍼센트를 대체 연료로 바꿀 수 있는 방안을 모색해 신재생에너지 도는 재생이 가능한 연료를 확보하겠다고 했다. 현재도 전동식 또는 하이브리드 기반의 배송 트럭을 운영하고 있는데 친환경에 적합한 운송수단을 추가로 확보한다고 하니 어쩌면 다른 기업들보다도 친환경에 매우 민감한 것 같다.

드론에서는 앞서나가는 '메이드 인 차이나'

이처럼 물류 운송 회사들은 차량을 이용하기 때문에 친환경에 대한 이슈를 다룰 수밖에 없어 마치 자신들의 사명처럼 여기며 이를 해결하고자 한다. 비행기나 배로 국가 간 운송을 시행하고 있지만 일단 배송이 필요한 어느 나라에 도착하게 되면 대다수 트럭을 사용할 수밖에 없다. 그렇게 되면 트럭이 아무리 빨리 달려간다고 해도 어느 정도의 시간이 소요된다. 환경의 문제는 되풀이해도 모자라기는 하나 배송 시간에 대한 문제도 고려해봐야 할 것 같다.

DHL도 정해진 시간에 물품을 배송하는 것으로 유명한 편인데 이를 다른 방법으로 소비자에게 전달할 수 있다면 어떨까? 이러한 이유로 등장하고 있는 키워드가 바로 '드론 택배drone delivery 또는 aerial package delivery system'다. 드론이란, 무선 전파를 통해 지상에서 조종하는 무인항공기를 의미한다. 과거에는 리모트 컨트롤러를 이용해 원격으로 조종할 수 있는 RC카나 헬기 등이 마치 어른들의 장난감 같았지만 드론은 이미 그 개념을 넘어섰다.

본래 드론은 무인 정찰 등 군사용으로 활용된 바 있지만 이제는 어린이들의 장난감처럼 초보자들도 사용할 수 있는 입문용 드론부터 카메라를 장착해 부감샷high-angle을 촬영하는 전문가용 드론까지 널리 쓰이고 있는 추세다. 특히 하늘에서 지상을 내려다보는 부감샷과 같은 경우는 본래 헬리콥터를 타고 촬영해왔지만 이젠 다큐멘터리, 예능 등에서도 드론을 활용하는 경우가 매우 잦아졌다. 더구나 카메라의 성능까지 매우 우수한 편이라 안전사고만 예방할 수 있다면 드론의 활용도는 매우 높은 편이다.

현재 드론을 제작하는 곳이라면 'made in China'가 매우 훌륭한 편이다. 대다수의 물품들이 다소 저렴한 중국의 인력을 활용하고 있지만 드론만큼은 실제 중국의 브랜드가 각광을 받는 편이다. 테크놀로지의 최신 정보를 제공하는 IT 매거진 〈디지털 트렌드Digital Trends〉에서 2019년 베스트 드론The best drones of 2019을 선정했는데 이 중 중국의 DJI 매빅2프로Mavic 2 Pro가 최고 제품상the best products of the year이었고 영국의 Yuneec Breeze, 중국의 스타트업 기업인 Ryze의 'Tello', 프랑스 Parrot의 Mambo 제품도 이름을 올렸다.

DJI의 경우 매빅2와 함께 인스파이어, 스파크 등 세 개의 제품이나 올라왔다. 아마도 드론을 다룰 줄 알거나 드론에 관심이 있는 사람이라면 DJI의 브랜드는 익히 알고 있을 것이다. DJI는 중국의 실리콘밸리라 불리는 선전 지역에 본사를 두고 있고 2006년 작은 사무실에서 시작해 지금은 6천 명 이상의 직원이 있는 글로벌 기업으로 크게 성장했다. 온라인 미디어 사이트인 미디엄에 따르면, DJI의 연간 판매액은 약 30억 달러 규모, 자산가치는 약 150억 달러 규모라고 전했다. 덕분에 DJI를 설립한 프랭크 왕Frank Wang은 이 분야에서 가장 성공한 사람이 되었다.

미국의 IT 리서치 기업인 가트너에서는 드론의 시장 규모가 2020년 110억 달러에 도달할 것이라고 덧붙였다. DJI가 제작하는 매빅과 같은 드론은 4K 영상을 찍을 수 있는 고성능 카메라가 달렸을 뿐 아니라 휴대가 매우 간편하다. 매빅 2 프로의 경우 접을 수 있도록 구현되어 있어 더욱 편리한 편이다. 드론은 이처럼 하늘에서 바라본 지상 세계를 카메라에 온전히 담을 수 있도록 제작이 되고 있으니 '드론' 자체의 정체성이 바뀌게 된 셈이고 현재 업계에서도 촬영 장비로서 자리를 잡은 추세다.

드론 한 대가 절감할 운송비용은 '연간 5천만 달러'

앞서 언급한 것처럼 드론이나 무인항공기 등은 보통 적군의 기지나 요새 부근의 상공을 날아다니며 정보를 수집하거나 정찰하는 용도로 활용되어 왔다. 사람이 실제로 이러한 지역을 침투하기엔 다소 위험 요소가 있기 때문이었다. 그런 면에서 무인항공기는 충분히 그 역할을 대신 할 수 있었고 원격으로 조종할 경우 공격용 무기를 발사할 수 있기에 군사적으로도 매우 요긴했다. 앞에서 언급한 것처럼 드론은 아이들이나 키덜트를 위한 상품 그리고 촬영을 위한 장비로 거듭나게 되었고 이러한 개념을 넘어 음식 배달이나 택배 등 다른 분야에서도 쓰이고 있는 추세다.

한 가지 사례를 들어보자. 프랑스의 드론 제조기업인 패럿Parrot에서 제작한 'ANAFI Thermal' 제품은 똑같은 외형에 카메라를 탑재하고 있는데 이 드론의 특징은 바로 열화상 감지다. 높은 건물들의 외관에서 열 손실은 없는지 직접 확인할 수 있고 구조 작업이 필요한 곳에서도 안이 보이지 않을 때 역시 이 드론을 활용해볼 수 있다. 나아가 아프리카 밀림이나 사파리 같은 곳 등에서 동물의 스트레스를 최소화 하고 이를 관리하는 사람들의 안전을 지키기 위해 원격으로 모니터링 할 수도 있다.

미국 오하이오주에 위치한 워크호스Workhorse는 전기 자동차에 이어 드론을 개발하는 업체로 비즈니스 모델을 확장했다. 2007년 설립되어 전기 자동차 및 배터리 성능의 고도화를 꾸준히 지속했고 2015년 워크호스 그룹으로 스케일을 높였다. 이 회사는 연방 항공 관리국Federal Aviation Administration, 오하이오 주의 러브랜드Loveland 시와 무인 항공 운송 파일럿 프로그램에 협력하고 항공 운송Aerial Package Delivery 프로젝트를 진행하기로 한 바 있다. 사용자는 온라인 쇼핑 플랫폼을 통해 배송 위치를 설정하고 배송이 어떻게 진행되고 있는지 모니터링이 가능하다. 워크호스의 배송 드론은 호스플라이HorseFly라고 하는데 약 4.5킬로그램 무게의 물품을 약 시속 80킬로미터 속도로 운반이 가능하다고 한다.

미국 애틀란타에 위치한 글로벌 물류 기업인 UPS가 워크호스 그룹과 함께 파일럿 프로그램을 진행한 바 있는데 UPS가 배포한 자료의 내용을 살펴보자. 물건 배송을 위해 배송차량을 운전하던 기사가 차에서 내린다. 택배를 받아야 할 사람은 두 명. 배송 기사와 드론이 각자 맡은 목적지로 이동한다. 목적지에 물건 배송을 완료한 드론은 다시 차량으로 복귀해 배터리 충전을 위한 도킹 스테이션에 안착한다. 그 뒤로 배송 기사가 차량으로 달려오고 있다. UPS 자료에는 실제로 같은 시간 동안 이렇게 두 건의 임무를 완수할 수 있다는 내용이 담겨 있다.

자, 앞서 UPS가 발표했다는 이 내용이 어쩌면 드론 배송의 핵심일 수 있다. 하루 종일 여러 곳을 배송하기 위한 인력과 소요되는 시간, 차량의 주행거리 등 지금까지 꽤 소모적이었던 '손실' 자체를 크게 줄일 수 있게 된다는 것이다. 이처럼 드론으로 인해 배송기사 한 명이 하루 1마일약 1.6킬로미터씩 1년간 절감 효과를 보이게 되면 최대 5천만 달러의 효과를 볼 수 있다. 약 6만 6천 명의 배송기사들이 도심을 벗어나 깊은 시골 지역까지 매일 배송을 하고 있다고 전했다. 배송업을 하는 기업이니 배송을 하는데 들어가는 비용과 시간은 당연히 감안하고 있겠으나 이를 줄일 수 있다면 보다 최적화된 환경에서 빠르고 정확한 서비스를 진행할 수 있을 것이다. 그렇기에 드론과 배송기사의 협업은 매우 이상적이라 할 수 있겠다.

드론이 활용될 또 다른 사례도 있다. 우버다. 승객과 차량을 이어주는 서비스로 2009년 창업해 2010년 6월 미국에서 처음 시작된 우버는 미국을 넘어 전 세계적으로 사용되고 있는 모바일 애플리케이션 서비스다. 우버에 고용된 운전기사와 차량이 필요한 승객들을 중계하는데 우리나라의 카카오택시와 유사하다고 보면 좋을 것 같다. 우버는 이러한 중계 서비스와 더불어 차량 공유 서비스인 우버 엑스Uber X, 카풀 서비스인 우버 풀Uber POOL 등도 제공하고 있다.

여기에 음식 배달 서비스인 우버이츠Uber Eats도 서비스를 시작했는데 현재 국내에서도 이용이 가능하다. 드론에 관한 정보를 제공하는 웹사이트 〈dronethusiast〉에서는 우버가 음식 배달을 위해 드론 사용을 테스트할 계획이라고 전했다. 식품을 유통하는 비즈니스 모델의 명칭은 우버 익스프레스Uber Express라는 가칭을 달고 있으나, 2021년 이후면 이 계획이 충분히 현실화가 될 것으로 보인다. 만일 드론으로 음식을 배달하게 될 경우 신선도를 지킬 수 있는 시간적인 측면에서 매우 좋은 조건을 갖추게 될 것 같다.

한편 한국 부산지방경찰청에서는 2018년 10월 '치안 드론의 현재와 미래'라는 주제로 '치안 드론 컨퍼런스'를 개최하기도 했다. 경찰대학에서도 드론과 관련된 세미나를 꾸준히 열고 있는데 실종자를 수색하는 수색용 드론, 순찰에 필요한 드론과 같이 '치안 드론'의 필요성을 이야기하고 역으로 드론과 관련된 범죄에 대한 대응방안을 모색하는 등 드론의 보편화에서 기인하는 다양한 주제들이 여러 분야에서 펼쳐지고 있다.

드론은 이제 막 시작되었을 뿐

이처럼 드론은 많은 분야에서 활용이 되고 있다. 영화 촬영을 위한 용도로 쓰이고 있는 것도 이젠 전혀 어색하지 않은, 매우 기본적인 수단이 되었다. 하정우 주연의 2016년 영화 〈터널〉에서도 경찰의 수색용 드론과 함께 언론사들이 쏘아올린 여러 대의 드론이 등장하는 장면은 여러 의미에서 장관을 이루기도 한다. 재난 현장에서 드론을 투입하는 것도 이젠 보편적이고 앞에서 언급했듯 식품과 물품을 배송하는 케이스도 점차 늘어나게 될 것으로 보인다. 좁은 길이나 꽉 막힌 도로도 종횡무진 누벼왔던 바이크들보다 하늘을 날아다니는 드론이 더욱 많아지지는 않을까?

영국의 시장조사 업체인 '인터랙트 애널리시스Interact Analysis'는 2022년 상업용으로 활용될 드론 시장이 약 150억 달러 규모로 커질 것이라고 했다. 지금처럼 중국과 미국이 시장을 키워나갈 것으로 전망했다. 드론의 출하량도 드론의 니즈가 큰 미디어나 엔터테인먼트 그리고 다양한 산업분야로 이어지게 되어 2022년이면 62만 대를 초과하게 될 것이라고 했다.

황의 법칙이나 무어의 법칙Moore's Law처럼 기술이 발전하면서 드론의 기술력과 출하량도 기하급수적으로 성장할 수도 있을 것 같다. 세계적인 미래학자이자 콜로라도 다빈치 연구소장인 토마스 프레이Thomas Frey는 2030년 전 세계 10억 대의 드론이 하늘을 날아다니며 여러 활동을 하게 될 것이라고 예측하기도 했다. 그러면서도 드론의 기술력이 날로 발전함에 따라 악용될 수 있는 가능성도 이야기했다. 무엇이든 운반할 수 있는 능력으로만 보면 우리가 예상하지 못한 불법적인 물건들이 돌아다닐 수도 있고 개인 프라이버시에 영향을 줄 수도 있다고 했다.

과학기술이 발전하면서 일어날 수 있는 혜택 그리고 효율적인 요소들에는 반드시 이러한 문제를 동반할 수 있다. 우리나라의 경우 서울 시내에서 드론을 날리는 경우 사전허가를 받도록 되어 있다. 조종할 수 있는 자격이 있는지, 보험에는 가입이 되어 있는지 등의 기준을 마련하기도 했지만 향후 드론 산업을 육성하고 업계에서 활발하게 그리고 긍정적으로 활용되려면 이보다 더 바람직한 정책이 필요할 것 같다.

지금까지는 드론의 스케일이 작은 부피의 물품을 배송하고 음식을 배달하는 용도로 쓰이게 될 것이라 예상했지만 드론의 개념을 무인항공기라는 측면으로 보면 하늘을 날아다니는 운송수단의 가능성도 분명 존재한다. 두바이에서는 독일 기업인 'Volocopter'에서 제작한 무인항공기가 하늘을 날아다니기도 했다. 물론 테스트였다. 두바이 같은 경우는 스마트시티와 더불어 로봇이나 무인항공기 같은 민간 서비스를 구축하는데 집중하고 있는 편이다. 특히 이러한 무인항공기 서비스를 2022년 이내에 가동할 수 있도록 계획을 세우고 있다고 한다. 나아가 2030년, 여행을 하기 위한 수단으로서 무인항공기의 비중이 25퍼센트 수준이 될 것이라고 전망하기도 했다.

두바이의 과감한 도전이고 야망이자 미래를 설계하는 계획이긴 하지만 딱히 불가능한 이야기도 아니다. 이미 드론의 기술과 잠재력, 다양한 산업 분야의 활용도를 감안하고 예측해보면 언젠가 우리 눈앞에서 펼쳐지게 될 미래의 모습일 것이다. 그만큼 드론의 정체성은 변화했고 지금도 진화하고 있다. 앞으로 10년 이내 사람을 통한 배달이나 택배가 드론을 활용한 케이스도 변모하게 될 것이고 향후 10년 뒤라면 정말로 하늘을 날아다니는 '에어택시'까지 두 눈으로 목격할 수 있을지도 모르겠다. 드론에 의한 프라이버스 침해나 규제, 추락에 대한 안전성 등 고려해야 할 이슈는 분명히 존재하지만 지금의 기술이 고도화되고 올바른 정책만 마련된다면 수 년 후 하늘에서 매우 큰 변화가 도래하게 될 것이다.

08

프로그래머가 지은 집, 스마트홈

일자리 전망 모든 사물에 '생명'을 불어넣어줄 전자공학자

세계경제포럼의 클라우스 슈밥Klaus Schwab 의장은 우리 사회가 이미 4차 산업혁명 시대에 접어들어 사물인터넷 이상의 '초연결사회'로 접어들고 있다고 했다. 말 그대로 우리는 아무렇지 않게 IoTInternet of Things, 사물인터넷를 경험하고 있는 셈이다. 바코드나 QR코드를 통한 어딘가의 접속 역시 굉장히 평범해 보일 수 있지만 역시 사물인터넷을 기반으로 한다. 하이패스나 주차장에서 차량을 인식해 차단기가 열리는 경우 역시 사물인터넷 범주 안에 속한다.

이처럼 IoT 기술이 다양한 분야에 적용되면 쉽게 사람들과 마주쳤던 공공시설에서도 인공지능과 대화하게 될 것이다. 예를 들면 좁은 공간에서 주차 요금을 받는 사람이라든지 어느 공공장소의 인포메이션 데스크에 앉아 있는 안내원들을 대신하여 사물인터넷이 적용된 인공지능이나 로봇의 디스플레이가 대신할 수도 있다.

그러한 측면에서 IoT 분야의 기술을 연구하고 개발하는 인력 양성은 점차 늘어나게 될 것이다. 한국직업능력개발원 커리어넷에서도 미래 유망 직업으로 IoT 전문가를 언급하기도 했다. IoT 전문가라고 해서 하나의 직종을 표현하는 것이 아니라 IoT 분야의 다양한 직업군을 포함시킬 수 있겠다. 기본적으로 컴퓨터 프로그래머, 통신으로 사물을 잇는 것이니 네트워크 시스템을 개발하고 유지보수의 능력을 가진 사람, 통신공학 기술력을 갖춘 인재, TV나 냉장고에도 사물인터넷을 연결할 수 있으니 가전제품 개발자도 포함될 것 같다.

마이크로소프트에서는 IoT 디바이스의 구성과 네트워크, IoT 데이터 분석과 솔루션, 아키텍처 설계 등 사물인터넷 전문 프로그램을 개설하고 인재 양성을 꾀하고 있다. 이 책에서 언급할 수 있는 내용은 매우 일부로, 실제로 사물인터넷이 이루게 되는 분야는 굉장히 광범위하기 때문에 모두 언급할 수 없을 정도다. 과거에는 사람과 사물 사이에 인터넷이 있었는데 이제는 이를 가리지 않는다. 기존처럼 사람과 사물을 잇고 급기야 사물 간 커뮤니케이션이 이뤄지고 있는 시대가 되었다. '만물인터넷'이 초연결사회를 이루게 되는 것이다.

미래 키워드 우리는 이미 '초연결사회'에 들어서 있는가

본래 초연결hyperconnectivity이라는 키워드는 네트워크 사회에서 개인간 커뮤니케이션 또는 개인과 디바이스 간 커뮤니케이션에 대한 연구에서 도출된 단어라고 한다. 말하자면 이메일을 사용하거나 메시지를 보내거나 음성이나 화상통화를 하는 등 현존하고 있는 다양한 소통방식을 뛰어넘는 개념이다.

그리고 이를 토대로 초연결사회超連結社會, hyper-connected society라는 키워드가 등장했다. 우리가 살고 있는 지금 이 시대는 다양한 정보통신기술을 기반으로 하고 있다. 우리 세상에 존재하는 정보통신 기술이 우리가 흔히 마주하는 사물들은 물론 우리 생활 속에 존재하지만 눈에 보이지 않는 기기들과 복잡하고 다양하며 촘촘하게 연결되어 있는 사회가 바로 초연결사회다. 모바일 디바이스, 인공지능 스피커, 자율주행 자동차, 사물인터넷이라는 개념을 기본으로 하며 나아가 스마트시티, 빅데이터, 만물인터넷이 '초연결사회'를 이룩하는 핵심기술이 될 것으로 보인다.

5G를 넘어 6G, 7G로

2차 대전이 끝난 이후 미국과 소련현 러시아 연방은 사회주의와 자본주의로 대립하며 힘겨루기를 했다. 우주선 개발에도 양국이 대립했고 혹시 있을지 모를 핵전쟁을 대비하는 등 1960년대 냉전시대 속에서 양국의 눈치 싸움이 지속적으로 이어졌다고 한다. 미 국방부 산하의 고등연구계획국인 아르파넷ARPANET은 1960년대 후반부터 전쟁에 대비하기 위해 머리를 맞대고 아이디어를 짜냈다. 그 중의 하나가 바로 컴퓨터 네트워크를 서로 연결시키는 것이었다.

미국 전역에 흩어져 있는 연구소나 대학교, 국방부의 통신시설을 하나로 연결하고자 프로젝트를 추진했고 그 결과 UCLA나 캘리포니아 산타바바라Santa Barbara 대학 등 일부 대학의 네트워크가 상호 연결되었으며 패킷packet을 송수신하기에 이르렀다. 여기에서 패킷이란 네트워크를 통해 전송하기 쉽도록 잘라낸 데이터의 전송단위인데 소포를 의미하는 패키지package와 양동이나 덩어리를 뜻하는 버킷bucket을 합쳐 만들어진 단어다. 이처럼 네트워크가 연결되기 시작하면서 전자우편e-mail이 탄생했고 미국 전역뿐 아니라 해외를 잇는 글로벌 네트워크망이 생기기도 했다. 통상 아르파넷을 두고 인터넷의 기원이라고도 한다.

지금 우리는 인터넷을 통해 수많은 일들을 한다. 기업에서 구축한 회사 업무 포털로 이메일을 쓰고 자료를 업로드하거나 특정 사이트에서 음원이나 영화를 다운로드 받거나 과제를 하기 위한 자료를 검색하는 행위 모두 인터넷을 통한다. 인터넷이 컴퓨터와 연결된 이후 PCS를 거쳐 스마트폰이 생겨났고 PC보다 모바일을 활용하는 케이스가 늘어나게 되면서 이른 바 '모바일 전성시대'를 맞이하게 된다. 모바일의 일부 애플리케이션을 제외하고 대다수 네트워크와 연결되어 작동을 한다. 모바일이라는 것 자체가 본래 통신을 위한 디바이스이니 이렇게 작동하는 방식은 너무도 당연해졌다. 와이파이Wi-Fi, Wireless Fidelity나 LTE 등 우리의 스마트폰은 언제나 인터넷과 연결되어 있는 상태다.

사실 우리나라의 인터넷은 다른 국가에 비해 보다 더 발달되어 왔고 빠른 속도의 통신을 제공해왔다. 전화선을 이용해 컴퓨터가 데이터 통신을 할 수 있도록 만들어진 'ADSLAsymmetric Digital Subscriber Line'이나 ADSL 통신망에 이어 초고속 디지털 전송기술로 부각된 'VDSLVery high-bit rate Digital Subscriber Line', 광섬유 케이블을 이용한 광랜Optic Local Area Network 등이 자리하면서 세계에서 가장 빠른 인터넷 속도를 구현해냈다. 스마트폰의 경우에는 2G에서 3G로 그리고 LTE에서 5G 시대를 바라보고 있고 6G나 7G에 대한 연구와 개발도 지속되고 있다. 우리 생활에 필수적으로 자리한 인터넷은 점차 변화하고 있고 그 변화에 따른 인프라가 조성되면서 트렌드를 바꾸는 중이다.

주방기구가 직접 요리법을 배운다면

이러한 인터넷이 이제는 통신용 디바이스나 PC가 아니라 사물에도 이어질 수 있다면 어떨까? 2019년 4월 국토교통부가 발표한 '스마트 가로등'이 사물인터넷 기술과 스마트시티 구축에 대한 대표적 사례 중 하나가 될 것 같다. 밤이 되면 거리의 가로등이 하나 둘 켜지면서 어두운 골목을 환하게 밝혀준다. 도로 위를 밝히는 수많은 가로등 역시 차량의 원활한 주행과 안전을 위해 비가 오나 눈이 오나 쉬지 않고 작동한다. 국토교통부에서 언급한 스마트 가로등은 사물인터넷 센서를 탑재해 과속하는 차량이나 급하게 차선을 변경하는 차량들처럼 위험 요소가 존재하는 차량들을 식별하여 이를 횡단보도나 신호등에 표시해 보행자의 안전을 지켜준다고 한다. 그간 어둠을 밝혀주던 주된 임무에서 차량의 정체, 교통량, 차량 사고 등 도로 위에 있을 수 있는 정보를 수집하는 지능형 가로등으로 거듭나게 되는 것이니 사물인터넷의 매우 긍정적인 사례라고 할 수 있겠다. 스마트 가로등은 국토교통부 뿐 아니라 과학기술정보통신부, 산업통상자원부, 행정안전부까지 각 부처 간 협업이 이루어지게 되며 2019년부터 2023년까지 약 260억 원의 예산을 투입해 개발할 계획이라고 했다.

현대자동차그룹 유튜브에서 공개된 '스마트홈 시스템'을 다룬 영상에서도 사물인터넷의 다양한 기술을 확인할 수 있다. 음성인식 기반의 플랫폼을 집안에 설치하면서 마치 영화 〈아이언맨〉의 인공지능 자비스와 대화하는 듯한 느낌을 준다. 보일러를 끄고 조명을 켜는 등 가전을 제어하고 주방에 설치된 디스플레이를 통해 요리법을 배우고 목적지까지 빠르게 갈 수 있는 최적의 길을 음성으로 안내받기도 한다. 음성으로 작동하는 인공지능 스피커가 인터넷, 빅데이터를 기반으로 작동하는 것 역시 이와 같은 스마트홈을 구현하기 위한 발판이라고 보면 좋을 것 같다.

사물인터넷은 본래 무선인식 기술인 RFID[radio frequency identification]와 같이 어떤 사물에 센서를 부착해 이 센서가 실시간 데이터를 송수신하는 데 인터넷을 활용하게 되면서 시작된 것이라 할 수 있다. 영국 출신의 케빈 애쉬튼[Kevin Ashton]은 MIT공대의 교수로서 글로벌 소비재 기업인 P&G 근무 당시 RFID에 대한 연구를 지속했고 표준 시스템을 구축하기에 이르렀다. RFID가 적용되는 대표적인 사례로 고속도로의 하이패스[Hi-Pass]나 양주병에 부착된 식별코드 등을 꼽을 수 있다.

케빈 애쉬튼 교수가 처음 사용한 'IoT'라는 키워드는 현재에 이르렀는데, 그는 제품을 공급하는 제조사들에게 이러한 IoT 기술이 난립해 있는 상황을 정리해줄 수 있다고 했다. 이를테면 대량으로 생산하는 제품들을 소비자들이 구매를 하는데 이를 어떻게 정보로 취할 수 있을 것인가에 대한 문제다. 오래 전에는 '장부'에 기록을 하고 이를 토대로 물류를 생산, 공급하지만 결국엔 어떤 이들이 어느 곳에서 어떠한 물건을 샀는지에 대한 정보들이 명확하지 않다. 바코드라든지 모바일 애플리케이션, POS Point Of Sales 기기와 같이 인터넷과 연결된 것들이 복잡한 현실세계와 유통구조를 정립시켜주는 셈인 것이다.

더불어 길거리에서 택시를 찾는 사람들이나 그들을 찾기 위해 하루에도 수십 킬로미터를 운전하는 택시기사들을 연결시켜주는 애플리케이션을 아주 좋은 사례다. 전화로 콜택시를 부르는 경우는 이제 거의 없어졌고 애플리케이션을 이용해 집 앞에서도 택시를 탈 수 있는 지금의 환경을 생각하면 매우 편리해진 건 명백한 사실이다.

폭발적으로 성장할 IoT 시장

인간은 도구를 사용한다. 도구를 이용해 옷을 만들어 입기도 하고 집을 짓기도 한다. 도구를 사용하던 아주 먼 옛날의 시대와 지금의 산업혁명을 비교하기엔 거리가 멀고 괴리감도 크지만 도구라는 것을 처음 사용했을 때의 기분과 인터넷이 생긴 후 사물과 네트워크의 접속으로 이루어진 인간과의 첫 커뮤니케이션을 생각하면 그 느낌은 비슷하지 않을까?

물론 인터넷이 생긴 후 많은 것들이 변화했다. 기업들이 홍보물을 만들어 길거리에 뿌리는 작업이 이제는 온전히 온라인 마케팅으로 넘어갔고 오프라인에서 사람과 사람이 만나 이야기를 나누며 소통을 했지만 이제는 온라인을 통해 대화 뿐 아니라 사진, 동영상 심지어 물품들까지 더욱 많은 것들을 공유하고 있는 시대가 되었다. 이제 인간은 인터넷과 연결된 사물을 통해 커뮤니케이션의 변화를 몸소 체험하기에 이르렀다.

사물인터넷이 RFID나 바코드 등을 거쳐 인공지능 스피커로 넘어오게 되었고 이제는 스마트홈을 구축하기 위한 가장 중요한 기술이 되었다. 사물인터넷과 인공지능의 출발지점은 비록 다르고 활용하게 되는 분야 역시 조금씩 차이가 있을 수 있겠지만 '스마트홈smart home'이라는 궁극적인 목표를 감안하면 가는 길은 같을 수밖에 없다. 스마트홈을 이룩하는데 연결될 가전, 디바이스, 애플리케이션은 점차 늘어나게 될 전망이다.

2017년 라스베이거스에 열렸던 CES의 핵심 주제도 자율주행 자동차, 인공지능 그리고 스마트홈이었다. 결국엔 인공지능은 인터넷망과 연결되어 쓰이고 있고 자율주행 자동차 역시 광범위한 의미에서 사물인터넷에 포함되는 것이며 다양한 가전을 잇는 역할 역시 사물인터넷이니 IoT의 기술력은 만물을 잇는 만물인터넷IoE, Internet of Everything으로 거듭나게 될 것이다.

세계경제포럼의 클라우스 슈밥 의장도 4차 산업혁명이라는 키워드를 꺼내면서 '초연결사회'를 언급하기도 했다. 이처럼 사람과 사람, 사람과 디바이스 그리고 네트워크의 연결은 사물인터넷을 넘어 만물인터넷이 되고 이는 우리 사회에 적지 않은 영향을 끼치게 될 것이다.

싱가포르 DBS은행The Development Bank of Singapore Ltd.이 제공한 콘텐츠에 따르면 2030년 스마트홈의 기술력이 더욱 발전해 지금의 라이프스타일이 크게 변화할 것이라고 전망했다. 이 내용은 미국의 경제 전문 매체 〈쿼츠QUARTZ〉에 실렸다. 스마트홈 기술이 도입되면서 미국 내 가정이 연결이 되는 사례들이 생겼는데 2017년에만 무려 2900만 가구라고 전했고 2025년경이면 전 세계 750억 개에 달하는 디바이스들이 온 세상 개인, 가정, 회사 등에 설치될 것이라고 했다.

2050년 전 세계 인구가 100억 명으로 예상된다는 점을 감안하면 이러한 디바이스의 개수는 더욱 많은 편인데 결국엔 1인이 소유하게 되는 IoT 기기가 최소 두 개 이상은 된다는 의미다. 기본적으로 모바일, PC는 물론이고 자동차, 인공지능 스피커, 웨어러블 기기 등 디바이스 종류도 다양해질 테니 과언은 아닌 듯하다.

스마트 그리드와 에너지에 대한 글로벌한 정보를 제공하는 에너지 산업 전문 매체 스마트 에너지 인터내셔널Smart Energy International에서도 더욱 많은 장치에 데이터가 송수신되어 폭넓은 '연결'이 지속 또는 유지를 넘어 더욱 성장하게 될 것이라고 했다. 특히 스마트홈을 구성하는 주거용 IoT 장비들의 판매가 증가하게 되면서 전 세계 IoT 시장의 매출액이 2027년 약 1천 700억 달러 수준에 이를 것이라고 전망하기도 했다.

IoT를 위한 선결과제, 전력 공급

지금 우리가 사용하는 기기들을 먼 미래 도래하게 될 IoT의 관점에서 보면 진입 단계라고 봐야 할 것 같다. 하지만 인공지능을 연구하고 디바이스를 제조, 연구하는 기업들은 이미 어느 정도 준비를 마친 상태라고 한다. 2019년 MWCMobile World Congress에 참가했던 삼성전자도 5G 시대와 지능형 연결intelligent connectivity이라는 주제에 맞게 통합 IoT 솔루션에 대한 중장기적인 플랜을 언급했다. 갤럭시와 같은 스마트폰은 기본이고 AI 스피커, 커넥티드카conntected car나 스마트팩토리smart factory 등 지금 체험하고 있는 분야를 넘어 한 번도 경험해보지 못한 IoT 세계를 펼치고자 연구를 지속하고 있다.

웨어러블Wareable의 자회사인 앰비언트The Ambient에서도 삼성전자가 꾸준히 지능형 IoT를 준비해왔고 2020년 이후라면 '어느 정도' 완성된 제품을 선보이게 될 것이라고 했다. LG나 소니 등 다른 기업들 역시 이러한 IoT 기술력에 발을 맞출 것으로 보인다. IoT의 기반이 될 수 있는 인공지능 역시 현재보다 더욱 발전된 기술력이 뒷받침 되어야 할 텐데 그 중에 하나는 정말 사람과 대화하는 듯한 느낌을 제공해주어야 할 것이다.

가령 TTSText to speech, 텍스트 음성 변환로 구현되는 기계의 음성은 기계의 학습 능력에 따라 달라질 순 있지만 모든 언어를 완벽하게 소화하고 있지 않기 때문에 꽤 어색한 편이다. 2022년이 되면 인공지능이 점차 정교해지고 사람의 감정까지 파악할 수 있는 수준까지 고도화될 것이라고도 했다. 앞서 언급한 것처럼 집의 면적에 관계없이 어디서나 사람의 목소리를 알아들을 수 있어야 하고 행동을 파악해 원하는 답을 제시해주는 것이야말로 지능형 IoT의 기본적인 목표이자 우리가 꿈꾸는 이상향의 토대가 될 것이다.

마치 판타지 같지만 곧 현실이 될 이러한 모습 뒤에 반드시 해결해야 할 이슈들도 존재한다. 유유히 강 위를 떠다니는 오리나 거위들도 수면 아래에서는 아주 빠르고 열심히 발을 움직인다고 하는데 우리가 꿈꾸는 유토피아, 그 이면에는 이와 같이 기반이 되어야 할 것들이 있는 셈이다. 결국에 수많은 디바이스들 특히 가전의 경우 전력이 원활하게 공급이 되어야 할 것이고 무엇보다 IoT 기술이 인터넷을 활용하고 있으므로 끊김도 없고 지연성을 낮춰야 하며 빠른 속도로 데이터를 송수신해야 한다.

더구나 '빅데이터Big data'라고 할 만큼 방대한 데이터들이 네트워크를 따라 전 세계를 돌아다니게 될 텐데 수억 개나 되는 IoT 기기들을 제대로 설치할 준비가 되었는지 꼼꼼하게 살펴봐야 할 것이다. 가솔린이나 디젤로 움직이던 차량들이 보통 수소나 전기에너지를 이용해 친환경으로 작동하는 것처럼 현재 활용되는 전력의 원활한 공급 이외 대체할 수 있는 전력도 반드시 필요하겠다.

태양이라는 것이 우주에서 사라질 염려는 없을 테니 테슬라의 일론 머스크가 꿈꾸는 것처럼 태양열을 이용한 전력수급도 고려해보면 좋을 것 같다. 최근에는 가정용 태양광을 설치하는 케이스도 많아졌는데 IoT 기술의 발달과 보급에 따른 전력 수급의 문제 해결책으로 태양광이 끊임없이 나오는 편이다. 내구성이 있어야 하고 유지 보수가 용이하면서도 본래 사용하던 전력만큼 태양에너지가 힘을 발휘해야 한다. 프랑스의 썬 파트너Sun Partner나 일본의 카시오CASIO, MIT대학 등 기업과 학계에서도 태양에너지를 지속 연구하고 있는 중이다.

2019년을 맞아 비로소 5G 시대에 돌입했고 이제 인류는 6G를 넘어 7G 이상을 바라보고 있다. IoT 기술이 더욱 발전하게 되는 그리고 향상

될 수 있는 근거는 이러한 통신속도가 기반이 되기 때문이다. 초저지연성과 초고속 등의 특징을 갖게 된 5G의 기술이라면 데이터를 꾸준히 송수신 하는 IoT 기술의 기본은 충분히 유지될 수 있을 것이라 추측된다.

더불어 클라우드나 대용량 서버를 이용한 빅데이터는 기본적으로 IoT와 잘 묶이는 편이다. 사물인터넷과 빅데이터의 융합은 모든 분야에서 잠재력을 지니고 있어 '활용도' 역시 매우 큰 편이다. 인류가 지향하는 헬스케어 시스템 같은 경우 데이터와 헬스케어 기기가 결합된 형태로 환자를 치유하거나 대처할 수 있게 되며 다양한 분야의 비즈니스나 스마트 팩토리에 도입될 IoT 사례에서는 기기의 유지, 보수, 운영에 관한 데이터를 수집해 활용할 수 있게 된다.

물론 데이터의 보안과 백업 상태를 반드시 유지해야 하고 트래픽이 몰리는 경우 과부하에 대한 문제도 해결해야 할 이슈라고 보인다. 전력과 통신, 데이터에 대한 이슈는 IoT 구축을 위해 지속적으로 언급되고 있지만 우리는 얼마나 준비가 되었는지 주변을 돌아봐야 할 것 같다.

실제로 과학기술정보통신부와 한국인터넷진흥원은 빅데이터에 쏠리는 현상과 사이버 위협을 대처하고 관련된 산업 인프라의 경쟁력을 강화하기 위한 사이버보안 빅데이터 센터를 2018년 12월 개소하기도 했다. 사실 인공지능과 빅데이터의 취약한 부분을 보완하고 강화하기 위한 정책이기는 하지만 ICT 기술이 접목된 IoT 기술력과 그에 따른 장비

나아가 스마트홈까지 확대할 예정이라고 했다.

우리가 처음 언급했던 스마트 가로등 역시 본래의 태생은 빛을 밝혀주는 역할이었으나 이처럼 인터넷과 연결되어 데이터를 수집하고 그 데이터를 정제해 다시 제공하는 형태이니 스마트홈은 물론 스마트시티 산업 인프라를 구현하는데 사물인터넷의 기술과 보급은 우리 삶을 변화시킬 만한 충분한 힘을 지녔다. 인터넷이 탄생하면서 우리의 삶은 충분히 변화했다고 생각했지만 기술은 날로 발전하고 있고 라이프스타일이 변화하는 등 혁신이 일어나고 있는 시대다. 사물인터넷을 넘어 만물이 인터넷과 연결되는 세상이 곧 눈앞에 펼쳐지게 될 것이다.

인류는 초연결사회로 나아간다

IoT 기술은 지금도 세포가 증식하고 나무의 뿌리가 뻗어나가는 것처럼 마치 살아 숨 쉬는 듯한 느낌을 준다. 사물인터넷이라는 기술을 통해 지금 이 순간도 디바이스 간 연결이 이뤄지고 있다. 인터넷이 생긴 이후 PC는 물론 태블릿과 모바일의 무선 통신이 이루어져 하루라도 아니 단 몇 분이라도 사라지게 된다면 일상생활에 무리가 있을 만큼 인류에게 매우 큰 영향을 끼치고 있다.

얼마 전 발생했던 국내 모 통신사의 통신망 화재로 우리가 얼마나 인터넷이라는 것에 의존하고 있는지 직간접적으로 경험할 수 있었을 것이다. 필자 역시 불과 몇 시간이긴 했지만 해당 통신망을 쓰고 있는 곳들로 인해 불편함을 겪었고 '아비규환'이라는 사자성어를 몸소 느낄 수 있었다.

그만큼 우리 인류는 수많은 것들이 연결된 공간에서 살고 있다. 클라우스 슈밥 의장이 이야기한 것처럼 지금의 연결된 사회가 '초연결사회'로 거듭나게 될 것이라고 전망했고 이 키워드는 어쩌면 10년 이내 이루어지게 될 '진짜'일지도 모르겠다. 시간이 흐름에 따라 '연결'은 지속적으로 일어나게 될 것이고 사물인터넷은 만물을 잇는 '만물인터넷'이라는 개념으로 변모하게 될 것이다.

09 빅데이터는 무가치한 정보더미가 될 것인가

일자리 전망 데이터 사이언티스트가 보여줄 '인간의 통찰력'

빅데이터라는 키워드가 생겨나면서 함께 등장했던 단어가 '데이터 사이언티스트'다. 지금 이 시간에도 계속해서 쌓이고 있는 데이터가 양적 혹은 질적으로 '빅데이터'라는 개념으로 거듭나고 있는데 이를 분석하고 분류하며 수집하는 누군가의 힘이 절실하다. 물론 인공지능이나 로봇, 그리고 최첨단 장비들이 알고리즘에 의해 인간을 대신할 수 있다고 하지만 이를 구현하기 위해서라면 인간의 능력은 필수적이다.

인간이 지정한 알고리즘 그리고 로봇으로 인해 단순 분류되는 데이터를 다시 한 번 정제하여 고귀한 정보를 수집하는 것 역시 사람이 해야 할 일로 구분한다면 데이터 과학자의 역할이 대두될 수밖에 없다. 미국의 소프트웨어 기업인 SAS^{Statistical Analysis Software}에서는 데이터 사이언티스트가 수많은 데이터를 수집해 유용한 형식으로 변환하고 데이터 기반 기술을 사용해 비즈니스 이슈를 해결, 데이터의 통계, 분석, 시각화, 데이터를 기반으로 하는 머신러닝 등을 다룰 줄 알아야 한다고 언급했다.

데이터는 산업 분야 어디에나 존재한다. 다양한 산업 분야에서 쌓이는 데이터 모두 엄청난 수준에 이른다. 그런데 이를 분석할 수 없다면 결과적으로 '무용지물'이 될 수밖에 없다. 그러한 측면에서 데이터를 분석하고 수집하며 정제하는 데이터 과학자의 존재는 매우 중요한 것이다.

미국의 컬럼비아 대학에서는 데이터 과학 전문성을 인증하는 시험도 존재한다고 한다. 데이터 과학의 알고리즘 그리고 이를 기반으로 하는 머신 러닝 등에 대한 전문성을 요구한다. 스탠포드 대학에서도 빅데이터를 분석하고 통계 전문가 또는 데이터 마이닝mining, 채굴을 위한 데이터 수집 분석가를 지향하는 사람들을 위한 코스도 마련되어 있다고 한다. 이처럼 세계를 대표하는 대학에서도 빅데이터 관련 코스가 존재하는 만큼 이 분야의 미래는 밝은 편에 속한다.

그런데 반대되는 의견도 있다. 〈포브스〉의 2019년 2월 4일 기사에서는 2029년이 지나면 데이터 과학 분야의 직업은 힘을 잃게 될 것이라고 예측했다. 기본적으로 알고리즘에 의해 기계가 학습을 한다. 데이터를 분석하기 위한 알고리즘은 사람이 구성하고 로봇과 인공지능에 반영한다. 결국 정제된 데이터를 사람들이 분석하고 수집하여 활용하지만 로봇이 고도화 되고 인공지능의 학습이 점차 발달한다면 굳이 사람이 자리할 필요는 없다는 것이다.

그러면서도 이 기사에는 데이터 과학자의 역할이 어느 정도 변화하게 될 것이라는 언급도 있었다. 인공지능이 수행하는 임무를 사람이 대신하게 되면 인공지능과 로봇이 수행할 수 없는, 즉 자동화하기 어려운 분야에 데이터 엔지니어들이 자리하게 된다는 것이다. 쉽게 말하면 인공지능이 수집하고 분석한 자료를 정제하여 사람들이 필요로 하는 데이터를 제공하게 되겠지만 결국 이를 사용 분야에 맞게 정밀하고 세밀한 분석, 그리고 머신러닝을 위한 알고리즘 설계는 모두 인간이 해야 할 임무다.

지금 이 시간에도 이렇게 데이터가 쌓이고 있다. 인공지능 역시 점차 고도화 되고 있다. 아마도 향후 10년간 빅데이터에 대한 매력은 지속될 수 있을 것 같다.

미래 키워드 검색, SNS… 이 모든 활동이 빅데이터를 만들고 있다

구글은 하루 24페타바이트 이상의 데이터를 처리하고 있으며, 트위터에서는 매달 32억 건의 검색이 수행되고 있다. 또한 오늘날 존재하는 전 세계의 데이터 중 90퍼센트가 지난 2년간 생성된 정보이며 2020년에 생산되는 디지털 데이터의 총량은 약 40제타바이트 이상이 될 것이라고 예측된다. 모래알이 쌓여 탑을 이루고 강물이 모여 바다를 이루는 것처럼 개개인이 생산하는 수많은 데이터가 육안으로 확인할 수 없는 어딘가에 쌓여 '빅데이터'를 이루게 되는 것이다. 쉽게 측정할 수 없는 대량의 데이터가 이제는 아주 빠른 속도로 쌓이고 있어 우리가 예상하는 수준을 훨씬 뛰어넘을 수도 있을 것으로 보인다.

'빅'데이터는 크기만 한 것이 아니다

인터넷이 등장한 이후 인류는 모바일과 함께 하는 세상을 살고 있다. 무언가 궁금할 때면 네이버나 구글 검색을 통해 원하는 값을 찾았는데 이제는 동영상 전문 플랫폼인 유튜브를 통해 그 값을 찾는다. 이렇게 트렌드는 또 다시 변했다.

구글 검색 엔진에서 'Youtube'를 입력하고 엔터키를 누르면 등장하는 결과 값이 약 126억 개2019년 7월 기준에 달하고 'big data'라는 키워드를 검색해보면 약 62억 개의 결과 값을 볼 수 있다. 사용자는 기본적으로 몇 십억 개나 되는 웹 페이지의 결과물을 바라지도 않고 등장하는 검색결과에서 원하는 값을 찾을 때까지 수십 번, 수백 번씩 웹페이지를 열어보지도 않는다. 결국 얼마나 정교한 답을 주느냐, 그 답이 상위에 올라와 있느냐가 제일 중요하다. 그렇기에 네이버도 구글도 검색 결과 상위에 노출되는 값을 제일 중요시 여길 수밖에 없다.

그렇다면 수십억 개에 달하는 결과 값은 어디서 가져올까? 전 세계 웹 서버나 웹 사이트 어딘가에 널려 있는 문서들을 수집해 검색 대상이 되는 색인 값에 포함시키는 기술을 크롤링crawling이라고 한다. 그러니 단어 하나만 검색해도 이와 유사한 값을 내놓는 알고리즘에 의해 엄청난 양의 데이터가 등장하는 것이다. 구글 검색 엔진과 같이 데이터를 수집하고 서버에 저장하는 것, 그리고 이러한 데이터를 관리하고 분석하는 행위를 넘어서는 개념이 바로 빅데이터인데 규모면으로만 보면 1천 기가바이트 이상의 데이터를 의미하기도 한다.

조금 더 쉽게 풀어보자. 인터넷을 사용하는 미국의 '빅'이라는 인물이 '데이터'라는 사이트에 접속하기 위해 회원가입을 했다. 당연히 회원가입에 필요한 정보를 기입하고 그 사이트의 회원이 되었을 것이다. 옆에 있던 스마트폰으로 사진을 찍고 아카이브에 전송한 후 그 사진을 끌어다가 텍스트를 붙여 전체 공개로 공유했다. 처음부터 끝까지 인터넷을 이용해 자신의 정보를 그 사이트에 제공하고 자신이 가지고 있던 사진도 어디에 있을지 모를 서버에 저장을 시킨 셈이니 내 정보는 데이터로 변했고 그 데이터는 인터넷망 어딘가에 존재하고 있게 된다.

하루가 멀다 하고 쌓여가는 페이스북의 피드feed나 인스타그램의 사진 정보, 유튜브의 동영상 콘텐츠는 그 규모 자체가 셀 수도 없이 방대하다. 유튜브에 올라와 있는 영상만 해도 인간의 수명보다 훨씬 긴 분량을 차지하고 있다고 했다. 데이터의 형태와 질적 수준에 관계없이 하루하루 쌓이는 수많은 데이터들을 '빅데이터'라고 한다.

1천 기가바이트라고 '용량'의 개념으로 표현하긴 했지만 이렇게 단순하게 해석하기엔 무리가 있다. 전 세계 인터넷 유저 특히나 SNS를 사용하는 사람들로 인해 무엇인가를 전송하고 공유하면서 생기는 행위들은 서버가 부담을 가질 법한 트래픽의 과부하가 생길 정도로 폭증하고 있다. 네이버가 강원도 춘천을 포함해 일부 지역에 서버로 사용하는 대단지가 있을 만큼이니 페이스북이나 유튜브와 같은 글로벌 플랫폼 모두 충분한 서버 용량을 확보하고 있으리라.

이미지가 작고 텍스트로만 존재하는 콘텐츠는 용량면에서 크게 문제가 없겠지만 동영상이나 유저가 방문했던 위치 값들이 방대한 범위의 지도에 새겨지는 케이스들은 데이터의 분량도 매우 크다고 할 수 있다. 이는 모두 빅데이터라는 테두리 안에 포함되는데 이러한 데이터가 딱히 정해진 규격이나 용량, 형태가 없다는 측면에서 데이터를 제한하는 범위 자체가 없다는 걸 알 수 있다. 따라서 빅데이터의 '빅big'은 크다는 의미뿐만 아니라 '확장성expandability'과 '제한 없음limitless'이라는 뜻도 함께 포함하고 있다고 봐야 한다.

미국 의회도서관의 10만 배인 '1엑사바이트' 정보량을 향해서

소프트웨어는 물론 하드웨어 등을 개발하고 있는 미국의 기업 오라클은 빅데이터가 가진 주된 특징인 사이즈volume, 다양성variety, 속도

velocity를 합쳐 이른바 빅데이터의 '3Vs'라고 표현했다. 앞서 언급한 것과 같이 텍스트만 존재하는 메가바이트 수준의 작은 용량의 데이터도 존재하겠지만 기업데이터나 UHD급 고퀄리티의 동영상과 같은 경우들은 우리가 생각한 것보다 규모가 더욱 방대할 수 있다.

가령 1천 기가바이트가 모여 1테라바이트TB로 확장되고 테라바이트가 모여 약 1천 24테라바이트가 되었을 때 페타바이트PB급으로 커지는 케이스라 하겠다. 1페타바이트는 무려 100만 기가바이트GB에 이른다. 하지만 페타바이트라는 규모 자체도 점차 의미가 없어지는 추세다.

생각해보자. 우리가 바라보는 영상들은 점차 고화질로 변모해간다. 4K나 아이맥스, VR과 같은 360도 화면을 꽉 채우는 동영상들이 늘어갈수록 우리의 눈과 귀는 더욱 풍성해질 수 있겠지만 반드시 서버의 용량을 감당해야만 한다. 그 말은 고화질, 고용량의 동영상으로 데이터가 쌓일 경우 1페타바이트의 규모는 다시 1엑사바이트EB, 1천 PB, 그리고 다시 1제타바이트ZB, 1천 EB로 점차 커지게 된다.

1엑사바이트라고 하면 미국 의회도서관에 존재하고 있는 모든 인쇄물의 10만 배 수준이라고 한다. 이런 비유마저도 어느 정도의 수준인지 쉽게 감이 오지 않을 정도니 평범한 사람에게는 떠올리기조차 어려운 정보량이다. 하지만 향후 인류가 쌓아갈 데이터가 언젠가는 분명 이 수준에 이르게 될 것이다.

동영상은 데이터 규모 면에서 텍스트와는 상대가 안 될 만큼 어마어마해질 수밖에 없다. 또한 동영상이 대세라고는 하지만 텍스트라는 것이 사라질 리도 없다. 인스타그램의 사례만 살펴봐도, 동영상으로 게시물이 채워지는 트렌드가 이어지고 있지만 기본적으로 엄청난 양의 이미지들이 올라오고 있으며 여기에는 텍스트로 된 해시태그도 붙는다.

이번에는 커뮤니티 사이트를 떠올려보자. 텍스트와 사진, 또는 동영상이 웹페이지를 채우겠지만 수익을 위한 플래시flash 기반의 배너 광고도 있을 수 있다. 영상부터 이미지, 텍스트, 일러스트 심지어 그래프나 표에 이르기까지 데이터는 무척 다양한 형태로 존재한다. 사물인터넷이나 인공지능 스피커가 인지하는 사람의 음성 또한 빅데이터의 다양성에 존재하는 값들이다.

그렇다면 이렇게 규모가 크고 형태가 정해지지 않은 데이터들을 원활하게 사용하려면 어떻게 해야 할까? 구글이 쓰고 있는 검색엔진에는 반드시 구글이 보유한 서버가 존재할 것이고 네이버의 클라우드 서버를 이용하는 기업들도 존재하고 있을 것이다. 이러한 정보들이 서버나 클라우드에 존재하는 동안에도 새로운 데이터들은 어디선가 다시 생성되고 있다. 주춤할 시간 없이 서버에 데이터를 쌓아야 하고 데이터를 필요로 하는 또 다른 누군가에게 원하는 값을 찾아 제공해야 하니 빅데이터는 늘 바쁠 수밖에 없다. 5G 통신속도가 도래했고 혹자는 6G나

7G를 꿈꾼다고 하니 데이터의 처리 속도는 조금씩 나아질 전망이다. 이러한 측면에서 보면 빅데이터의 처리 '속도'도 꽤 중요한 이슈로 꼽을 수 있겠다.

빅데이터가 가진 주요 요소 세 가지를 살펴봤지만 기본적인 데이터의 개념과 의미를 뛰어넘는 또 다른 요소들도 생겨나는 추세다. 무분별하게 생성되는 데이터가 과연 올바르고 정확한가에 대한 문제를 짚고 넘어가볼 수 있겠다. 사실 쓰이지 않는 데이터, 누구도 찾지 않는 콘텐츠는 무의미하다. 굉장히 유사하고 비슷한 데이터들이 다른 어딘가에 존재하고 있을 텐데 지금 우리 서버에 있는 크고 쓸모없는 데이터가 과연 가치가 있을까 하는 문제다. 데이터는 정제되어야 하고 정확해야 하며 가치가 있는 정보를 효율적으로 제공해야 한다. 이렇게 되면 데이터의 가치value와 정확성veracity도 매우 중요한 요소라 할 수 있다.

내가 검색한 키워드가 광고창에 등장하는 마법

구글은 데이터의 수가 많으면 많을수록 사용자가 찾고자 하는 값을 제공해줄 수 있어 정보의 질이 오히려 좋아질 수 있다고 했다. 물론 정제된 데이터가 필요하겠지만 검색 최적화를 통해 보다 예리한 결과 값을 제공하는 것이 구글의 몫이겠다.

네이버도 마찬가지인데, 인터넷을 쓰는 유저라면 적어도 한 번 이상 쇼핑 키워드를 검색해봤을 것이다. 내가 검색했던 결과를 찾아 또 다른 링크를 타고 들어가는 경우 다시 그 안에서 원하는 상품을 찾는 경우들이라면 캐시cache에 정보가 쌓이게 된다. 캐시 메모리는 로컬메모리라고도 불리는데 임시 저장소이기 때문에 기억할 수 있는 용량은 매우 적은 편이다. 그러나 주기억 장치보다 고속으로 쓰일 수 있고 나중에 다시 링크를 찾아 페이지를 열 때 보다 빠르게 접근할 수 있는 장점이 있다.

웹페이지에서 구글이 심어놓은 배너 광고의 경우 이러한 캐시 값이나 방문 데이터를 활용해 리타게팅이라 불리는 광고 기법을 사용하기도 한다. 유저의 정보를 분석해 다시 방문을 유도할 수 있도록 하는 마케팅 기법 중에 하나다. 미국의 아마존은 소비자의 소비 패턴을 데이터로 축적하고 이 데이터를 분석한 후 소비자가 관심이 있을법한 또는 구매 의사가 있을 아이템이나 관련 쿠폰을 제공하는 경우들이 있는데 빅데이터에 쌓인 정보들을 마케팅으로 활용하는 케이스다.

카카오의 AI 스피커 '카카오미니'나 구글의 '구글 홈'과 같은 인공지능 스피커들 역시 인공지능을 더욱 고도화시키기 위한 데이터를 축적하고 학습한다. 인공지능이야말로 데이터가 많으면 많을수록 더욱 정교한 답을 제시할 수 있다. 빅데이터는 검색은 물론이고 커머스나 마케팅, 인공지능 등에 접목하여 다양한 분야에서 활용되고 있는 것이다.

빅데이터와 기업, 빅데이터와 소비자를 연결하라

구글이나 아마존과 같이 유저들이 데이터를 확보하려면 어마어마한 저장용량이 필요하다. 이른바 데이터 센터라 불리는 저장소는 거대한 규모로 조성이 되는데 서버는 기본이고 네트워크가 연결되어야 하며 저장용량이 풍부한 스토리지 등 IT 서비스 제공에 필요한 인프라로 꾸며진다. 당연히 24시간 하루 온종일 서버가 돌아야 하니 과열될 수 있는 것을 방지하거나 수많은 기기들이 마치 온실 속의 화초처럼 온전하게 유지될 수 있도록 항온과 항습기, 냉각탑 등도 필요하며 서버 속 데이터의 유실을 방지하기 위한 백업 시스템과 보안 시스템도 확보해야 한다.

우리나라 정부에서는 금융, 통신 등 분야별로 존재하는 데이터를 수집하고 이를 제공할 수 있도록 빅데이터 플랫폼 10개와 빅데이터 센터 100개를 구축하겠다고 했다. 또한 국민들이 데이터 활용에 따른 혜택을 체감할 수 있도록 개인데이터를 활용하는 사업도 실시할 예정이라고 했다. 물론 개인데이터는 본인 동의하에 이루어지게 된다. 구글의 자율주행 자동차 '웨이모Waymo'나 스마트폰의 운영체제인 안드로이드 OS, 아마존의 AI 스피커 '아마존 에코Echo' 등 글로벌 IT 기업들이 빅데이터를 지속적으로 축적하고 이를 다양한 인공지능 산업과 연결하면서 시너지 효과를 누리고 있다. 우리나라 정부 역시 이러한 움직임에 대비하고 4차 산업혁명 시대의 새로운 산업 영역을 개척하고자 국가적으로 대책을 마련하고 있는 것이다.

한국 IDC에서는 빅데이터 및 분석 시장이 2022년 약 2조 2천억 원 규모로 성장하게 될 것이라고 전망했다. 참고로 한국 IDCinternational data corporation는 1997년 설립되어 IT 및 통신 등 국내외 시장 정보를 조사하고 제공하는 컨설팅 기관으로, 우리가 익히 알고 있는 서버 컴퓨터와 네트워크 회선을 제공하는 시설 IDCinternet data center와는 다르다.

이처럼 우리가 가진 정보들이 어느 한 곳에 쌓여 '세상을 널리 이롭게' 할 수 있는 데이터로 활용된다면 충분히 동의할 의향이 있다. 좋게 말하면 사회를 돌보며 국가가 '국력'을 가질 수 있는 기회를 맞이할 수 있을 것이고 부정적으로는 수많은 정보들이 어느 한곳에 모여 사회 통제의 수단이 되는 경우 매우 악용될 수 있는 여지도 있는 것이다.

영국의 소설가인 조지 오웰George Orwell의 〈1984〉에 보면 독재자 '빅 브라더'가 등장하는데 이는 정보를 독점하고 사회를 통제하는 절대 권력이었으며 겉으로는 사회를 돌보는 '보호'의 기능이라고 하면서 속으로는 나와 내 주변을 끊임없이 감시하고 침해한다. 빅데이터는 늘 빅브라더와 연결된다. 인터넷을 통해 검색하는 키워드부터 보호 및 감시 기능을 하는 CCTV의 영상들까지도 정보로 축적되므로 '빅브라더'라는 개념에서 보면 이는 '양날의 검'과 같은 것이다.

개인정보에 대한 문제는 몇 번이나 되풀이하고 곱씹어도 모자란다. 특히나 카카오톡과 같이 전파가 빠른 플랫폼의 경우 순식간에 나도 모르는 사람에게 내 정보가 드러날 수 있는 '공유'의 힘을 지녔다. 누군가의 동영상을 유포하거나 개인이 동의하지 않은 사생활에 대한 정보들은 우리나라가 제정한 개인정보보호법이나 정보통신망법, 위치정보보호법에 의거하여 어느 정도 지켜지고 있다고 하는데 정부에서는 엄격한 수준의 개인정보 규제가 오히려 빅데이터 활용을 위축시킬 수 있다고 말한다. 빅데이터를 구매하고 가공하는 거래에 있어 저작권이나 개인 정보 침해에 대한 문제, 지적재산권에 대한 이슈를 논의하고 검토해 법제도를 개선하는 방안도 추진 중이다. 데이터 전문기관 내에 전담팀을 설치해 충분이 있을법한 시나리오를 마련해 법적인 문제를 해결할 수 있도록 하겠다고 했다.

미국 워싱턴에 위치한 전자개인정보센터EPIC에 따르면, 유럽의회에서도 빅데이터에 대한 전망과 산업 분야에 응용할 수 있는 기회에 대해 충분히 인지하고 있으면서도 기본적인 권리를 지킬 수 있도록 했고 빅데이터 기술에 대한 대중들의 신뢰가 보장될 때 실현 가능하다고 강조했다. 미국에서도 인간의 삶, 정부와 시민의 관계, 공공 및 민간 부문의 혁신을 촉진하고 정보의 흐름이 자유롭고 효율적으로 진행될 수 있도록 하되 위험은 최소화하는 방법에 대해 포괄적으로 검토해야 한다고 했다. 미국 정부는 인터넷에 존재하는 개인정보보호에 대한 규칙internet privacy rules을 어떻게 관리하는 것이 바람직하고 올바르며 최선인지 지속적으로 검토하고 있다.

우리나라 정부는 2021년까지 빅데이터 플랫폼과 빅데이터 센터 간 연계와 고도화를 추진할 계획이고 2023년까지 전체 플랫폼체 대한 통합을 추진할 것이라고 전했다. 또한 중소기업이나 벤처기업 대상으로 혁신 서비스 창출을 위한 데이터 구매와 가공에 대한 비용도 지원하겠다고 했다.

빅데이터는 앞으로 국가와 정부, 기업 그리고 개인에 이르기까지 매우 효율적이고 생산적으로 활용될 수 있다. 나라에서는 이 정보를 기반으로 새로운 분야에 진출이 가능해지고 국가의 경쟁력을 키울 수 있으며 기업들이 활용하는 경우 고객 데이터를 이용해 보다 높은 마케팅과 새로운 상품이나 온전히 고객들을 위한 바람직한 서비스를 제공해줄 수도 있겠다. 빅데이터가 날이 갈수록 진화함에 따라 데이터와 개인에 대한 정보 보호, 보안 등 해결해야 할 문제도 그만큼 많아질 수밖에 없다.

빅데이터를 다루는 전문가, 빅데이터와 소비자를 연결해줄 수 있는 관리자 등은 기술 발전에 비해 인력이 부족한 편이며 인력 양성을 위한 예산도 부족한 편이다. 데이터가 넘쳐나는 시대를 살고 있고 통계상으로도 2020년 이후가 되면 지금보다 더욱 많은 정보들이 쌓이게 될 텐데 데이터를 수집하고 분석하는 역량, 이슈가 터졌을 때 대응할 수 있는 해결 능력, 빅데이터에서 정말 중요한 정보를 추출할 수 있는 능력은 점점 중요해질 것이다.

10

화석 연료가 인류 생존을 위협한다

일자리 전망 **미래 유망직업 15선에 오른 '환경·에너지 전문가'**

1994년부터 2019년까지 전 세계 석유 생산국의 변화를 담은 유튜브 동영상을 본 적이 있다. 2019년 미국의 원유 생산량은 어마어마했고 세계적으로 가장 높았다. 우리가 흔히 알고 있는 사우디아라비아 등 중동 국가를 앞지르고 세계 최대 석유 생산국이 되었지만 그렇다고 본격적으로 생산에 돌입한 것도 아니라고 하니 미국 영토에 매장된 석유량은 예상을 뛰어넘는 수준일 것이다.

세상은 환경보호에 대한 심각성을 인지하고 있고 '환경의 날'을 지정해 캠페인을 진행하기도 한다. 플라스틱이 버려져 바다로 흘러들어가게 되면 이는 바다의 생태계를 오염시킬 뿐 아니라 먹이사슬의 상위에 존재하는 인류에게도 반드시 해를 입힐 수 있는 수준에 이른다. 화석 연료로 인한 대기 오염은 물론이고 플라스틱 생산과 폐기로 인한 문제 역시 심각하게 고려해봐야 할 때다.

전기에너지나 수소 연료를 활용하는 자동차가 점차 늘어나고 있고 플라스틱을 재활용하여 에너지로 재생하는 케이스도 있는 것처럼 환경 오염을 오히려 친환경의 기회로 삼는 기업들도 존재하고 있다. 화석 연료에 대한 의존은 일정 기간 이어질 수 있겠지만 신재생에너지의 지속적인 연구가 이어져 본격 생산을 이룰 수 있다면 친환경을 위한 에너지로 대체하는 것 역시 시간문제에 불과하다.

한국고용정보원이 발간한 가이드북 〈4차 산업혁명 시대 내 직업찾기〉에서는 직업세계의 변화, 직업을 선택하는 방법, 미래 유망직업 15선에 대한 인급이 있었다. 신재생에너지 분야에서 유망 직업으로 언급된 직업군은 환경공학자, 신재생에너지 전문가였다. 대기오염, 수질 환경 등 지구상의 다양한 환경 변화와 문제에 대한 연구와 조사를 실시하며 환경 보전을 위한 정책과 계획을 수립하는 역할이 환경공학자의 업무라고 한다.

사실 굉장히 광범위한 느낌이다. 더구나 환경이라는 단어 하나에 너무나 많은 것을 포함하고 있고 오랜 시간동안 축적된 이슈들을 쉽게 해결할 수도 없는 글로벌한 이슈가 아닌가. 그럼에도 불구하고 지구 환경에 대한 위기, 저탄소 친환경에 대한 끊임없는 이슈는 모든 국가들이 인지하고 있는 캠페인이 되고 있다. 많은 나라들이 환경 산업 자체를 각국의 성장동력으로 삼으며 대대적인 프로젝트를 추진하고 있는 실정이라 성장 가능성이 농후한 편이다.

플라스틱, 폐기물은 물론이고 태양열, 풍력, 지열, 수소 등 신재생에너지에 대한 기술을 연구하고 이와 연동되는 시스템이나 모듈, 태양광 패널의 소재 개발, 에너지 축적과 효율적으로 활용할 수 있는 개발 업무도 함께 진행하는 것이 바로 신재생에너지 전문가의 역할이다. 이 안에는 에너지공학 기술자, 에너지 시험 연구원, 태양열이나 풍력, 수력에 대한 발전 연구 및 개발자 등이 포함될 수 있다. 이미 유럽에서는 2050년 우리가 사용하고 있는 에너지의 50퍼센트 이상 재생에너지로 공급할 수 있도록 정책을 마련 중이라고 하니 역시 이와 관련된 연구진, 개발자, 엔지니어에 대한 수요도 크게 늘어나게 될 것이다.

우리는 화석 연료를 언제까지 활용할 수 있게 될까? 신재생에너지를 포함해 수소나 전기에너지를 이용한 자동차들이 늘어나게 되면 우리가 주변에서 쉽게 볼 수 있는 주유소도 '충전소'의 개념으로 변화하게 될 것이다. 지구의 환경을 보호하고 기후 변화에 대처하는 것. 지금부터 지켜낼 수 있다면 지금의 작은 변화가 다음 세대를 위한 혁신이 될지도 모른다.

미래 키워드 태양광, 수력, 풍력 에너지는 모두 '신재생에너지'다

인류가 석탄에 이어 석유를 발견하게 되면서 세상은 매우 큰 변화를 맞이했다. 오랜 시간 동안 화석 연료를 사용하면서 자동차, 기계, 대형 공장이 발전하면서 산업에도 혁명이 일어났다. 땅에 파묻힌 동식물 등이 '화석화'되어 에너지 자원으로 변모한 모든 자원을 일컬어 화석연료라고 한다. 이러한 화석에너지의 고갈 문제나 환경 파괴, 기후 변화에 대한 대책으로 나온 것이 바로 신재생에너지new & renewable energy다. 연료전지라든지 수소에너지는 신에너지에 포함될 수 있고 태양광이나 수력, 풍력, 폐기물에 이르기까지 이를 변환시켜 사용하는 경우를 재생에너지에 포함하여 언급하기도 한다.

록펠러와 만수르를 대부호로 만들어준 '오일머니'

석유는 지하에서 생성된 액체 그리고 기체 상태에 있는 탄화수소 혼합물을 주성분으로 하는 가연성 기름을 의미한다. 자동차나 오토바이 등에 주입되는 기름은 보통 정제refinement라는 과정을 거쳐 불순물 없이 주유하는데 이와 반대로 정체하지 않은 석유를 '원유'라고 표현하기도 한다. 원유를 생산하는 국가라고 하면 보통 중동을 떠올릴 수 있다. 그러나 미국이나 러시아 같은 나라의 넓은 영토에서 어찌 기름 한 방울이 없겠는가? 미국과 러시아 그리고 중동 국가의 주요 유전들이 전 세계에 석유를 공급한 셈이고 미국의 경우는 아직도 매장되어 있는 석유량이 엄청나다고 한다. 중동국가의 원유 생산량을 뛰어넘어 전 세계 최대의 산유국이 미국이 될 것이라는 이야기는 이미 어느 정도 증명된 정설과도 같다. 더구나 첨단 시추 기술을 통한 셰일 오일Shale Oil 생산도 꾸준히 늘어나고 있는 추세다.

1956년 조지 스티븐스George Stevens 감독이 연출한 〈자이언트Giant〉라는 영화에는 우리에게 익히 알려진 엘리자베스 테일러Elizabeth Taylor와 제임스 딘James Dean이 출연한다. 제임스 딘이 연기한 제트 링크라는 캐릭터가 약간의 땅을 상속받아 자신의 목장을 건설하게 되는데, 바로 이 땅에서 석유가 쏟아져 나오기 시작한다. 석유는 말 그대로 돈이었다.

지금으로 따지면 복권에 당첨된 것 이상의 가치를 한다. 제트 링크는 오일머니로 인해 부를 쌓게 된다.

미국과 같은 나라는 1800년대에 이미 석유를 시추할 수 있는 인프라가 구축되어 석유를 생산했지만 중동 국가에서는 그러지 못했다. 하지만 아랍에미리트나 사우디아라비아와 같은 중동국가 지역에서도 점차 석유를 뽑아 올리기 시작하면서 부를 축적한 사람들이 적지 않았다. 세계적인 부호이자 맨체스터 시티 FC의 구단주로 잘 알려진 아랍에미리트의 현 부총리 만수르Mansour의 경우에도 오일머니로 인해 천문학적인 수준의 재정적 능력을 갖게 된 것 역시 익히 알려진 사실이다. 아랍에미리트 지역은 오일머니로 인해 세계에서 가장 급성장한 곳 중 하나라고 할 수 있다. 아랍에미리트와 같은 산유국이 석유를 수출하면서 받는 대금을 일컬어 '오일머니oil money'라고 한다. 중동지역의 경우 세계 석유 생산량의 약 40퍼센트 수준이라고 한다.

1960년 9월에 있었던 바그다드 회의에서는 이란, 이라크, 사우디아라비아, 쿠웨이트, 베네수엘라 등이 자신들의 석유 자본에 대한 발언권 강화를 목적으로 자원카르텔을 형성했는데 이를 석유수출국기구OPEC, organization of the petroleum exporting countries'라고 한다. 2019년 기준으로 아랍에미리트, 나이지리아, 인도네시아 등 14개 국가가 회원국으로 속해 있다.

한때 OPEC의 국제 석유 가격 인상, 원유 생산 제한 등으로 인해 전 세계 각국에서 경제적 혼란이 있기도 했다. 이른 바 석유 파동은 석유에 의존하는 국가들 전체에 불황을 가져다주었고 석유라는 자원이 얼마나 중요한지 그리고 우리가 얼마나 의존하고 있는지 다시 한 번 깨닫게 된 계기가 되었다.

그만큼 우리 인류는 석유로 인해 큰 발전을 이루었고 지금까지도 석유라는 것을 통해 살아가고 있다. 만일 석유가 언젠가는 사라지게 될 한정된 자원이라면 이에 대한 대체에너지와 신재생에너지의 연구는 필수적으로 진행해야 한다. 우리의 후손이 맞이하게 될 새로운 에너지는 무엇일까? 과연 먼 미래에도 지구는 석유라는 자원을 끊임없이 뿜어낼 수 있을까?

석유나 전기가 없었던 시대에 우리 인류는 어떻게 살고 있었을까? 보통 석유와 같은 가연성 기름은 동력을 이끌어 낼 수 있는 에너지의 주원료로 쓰이곤 했지만 석유가 있기 전에 석탄이나 나무 땔감을 활용하기도 했다. 석유라는 것이 전 세계 일부 지역에서 모습을 드러냈고 세상은 바뀌었다. 사실 석유만으로는 다소 불완전할 수밖에 없다. 땅에서 끌어오는 것이기에 불순물이 많을 수밖에 없으니 정제라는 과정을 반드시 거쳐야 각종 기계에 제대로 활용할 수 있었다.

미국의 석유왕이었던 존 데이비슨 록펠러John Davison Rockefeller는 미국에서 생산되는 석유의 약 95퍼센트를 소유하고 있을 만큼 당대 최고의 재벌이었다. 정유사업 뿐 아니라 다양한 비즈니스를 자신의 손에 쥐고 세상을 호령한 것으로 매우 유명하다. 자동차, 오토바이 등 석유를 활용하는 기계들이 세계적으로 점차 늘어났으니 정유 사업은 망할 수 없는 비즈니스이었던 셈이다. 물론 지금도 그러하다. 석유를 정제해 차량의 원료로 쓰는 경우 이외에도 페인트나 잉크, 플라스틱 등 매우 다양한 분야에서 널리 활용되고 있다.

2040년을 목표로 하는 '대한민국 수소경제 로드맵'

인류는 전기에너지를 통해 2차 산업혁명이라는 시기를 맞았다. 어두웠던 세상을 환하게 밝혀주는 백열전구가 전기의 힘으로 작용하기 시작했고 지금 생각해보면 단순하면서 거대했던 기계들도 전력 공급을 통해 보다 월등한 힘을 얻게 되었다. 전기의 힘은 말 그대로 산업혁명을 일으키기에 충분했다.

오늘날 인류는 여전히 전기에너지를 통해 살아가고 있다. 사실 차량의 연료가 되는 가솔린이나 디젤도 전력을 공급하는 차량용 배터리로 대체되고 있는 상황이다. 미국의 테슬라TESLA의 경우 전기자동차만 전문으로 제작하고 있다. 우리나라의 현대자동차도 전기의 힘으로 움직이는 전기차를 제작하고 있는 상황이다. 내연기관 즉 엔진으로 힘을 내는 자동차와 달리 배터리와 모터만으로 차량을 구동시킬 수 있다. 당연히 가솔린 등 화석연료를 전혀 쓰지 않아 '무공해'나 '친환경'이라는 키워드가 붙었다.

환경부에서는 수도권에 발생하고 있는 미세먼지의 30퍼센트 이상이 디젤 차량에서 배출되는 배기가스로 인한 것이라고 언급한다. 일산화탄소는 물론이고 탄화수소나 질소산화물, 미세먼지 등이 여기에 모두 포함된다고 덧붙였다. 전기자동차가 지속적으로 보급이 된다면 대기오염물질이나 미세먼지 등을 크게 줄일 수 있어 대기 질이 크게 개선될 것으로 보고 있다. 환경부에서도 이러한 이유로 2011년부터 전기자동차 구매 시 보조금 지원 및 세제 감경 등 보급사업을 추진하고 있다.

전기차와 달리 수소에너지를 동력으로 하는 자동차도 존재한다. 현대자동차의 넥쏘나 일본 도요타의 미라이Mirai 등의 모델을 포함해 메르세데스 벤츠나 아우디 등도 콘셉트 차량에 수소연료전지를 탑재하기도 했다. 전기차가 배터리와 모터가 있듯 수소자동차FCEV, fuel cell electric vehicle는 배터리, 모터 그리고 수소탱크가 탑재되어 있다.

리서치 조사 기관인 글로벌 마켓 인사이트Global Market Insights의 보고서에서는 2025년 FCEV 시장의 가치가 약 116억 달러라고 전망했다.

기본적으로 주행 가능 거리는 길고 연료 보급 시간은 짧다고 알려져 있으며 배기가스가 배출되지 않아 친환경이라는 측면에서도 매우 긍정적이라는 것이 앞으로도 성장할 수 있는 잠재력이라고 예측하고 있다. 수소차량의 경우 약 5분 이내면 충전이 가능하나 전기차는 20분을 넘긴다. 다만 수소차량은 충전 인프라가 아직 부족한 편이다.

우리나라 정부는 '수소경제 활성화 로드맵'이라는 거대한 그림을 그리고 있다. 수소차량과 연료 전지를 양대 축으로 하여 이른 바 '수소경제'를 신도할 수 있도록 산업생태계를 구축하겠다고 2019년 1월 발표한 바 있다. 수소차 생산량의 경우 2018년 불과 2천 대였지만 2040년까지 약 620만 대로 확대할 예정이라고 했다. 또한 충전 인프라가 매우 부족한 상태이기 때문에 수소충전소 역시 2018년 기준 14개소에서 2040년까지 약 1천 200개 수준으로 늘릴 계획도 있다고 한다. 더불어 수소를 원료로 하는 수소택시 8만 대, 수소버스도 4만 대까지 보급해 대중교통에서도 꽤 많은 수소차량을 볼 수 있을 것 같다.

매년 50퍼센트씩 성장하는 미국 태양광 시장

이와 달리 꽤 오래 전부터 자연의 힘을 에너지로 하는 케이스들이 존재한다. 바람이 될 수도 있고 물의 힘으로 동력을 얻는 경우들도 있으며 태양열을 활용하는 경우도 있다. 미국의 태양광 산업협회SEIA, solar energy industries association는 물론이고 국제 태양에너지 학회라든지 유럽의 태양광 연합과 같은 조직들도 존재하고 있어 태양에너지 산업은 매우 활발하게 연구되고 있는 편이다.

태양에너지는 열에너지 또는 전기에너지로 변환되는데 청정할 뿐 아니라 지속적으로 태양광을 받을 수 있어 매우 풍부한 자원이라고 하겠다. 햇빛으로부터 직접적으로 전기를 생성할 수 있도록 인프라만 갖춘다면 쉽게 활용할 수 있는데 이를테면 도로 표지판, 계산기, 신호등을 떠올리면 이해가 편할 듯하다.

물론 이 장치는 태양광을 받아 에너지를 축적할 수 있도록 프로세스를 갖춰야 하는데 작은 형태라면 가정에서도 사용할 수 있고 이를 광범위하게 구축하면 상업용이나 기업용으로도 전력을 공급할 수 있게 된다. 미국 태양광 산업협회에서는 미국 내 태양광 시장이 2008년부터 매년 평균 50퍼센트씩 성장해왔으며 2018년까지 무려 1천 200만이 넘는 가구에 전력을 공급했다고 한다.

유럽의 태양에너지 연합은 200개가 넘는 회원들이 존재하고 있다. 2030년까지 태양에너지를 글로벌한 주력 에너지로 전환하기 위한 목표를 세워 꾸준히 연구를 지속하고 있는 상황이다. 사실 EU에 포함되어 있는 독일, 프랑스 등 주요 국가들은 '국가 에너지 및 기후 계획 NECPs, National Energy & Climate Plans에 동참하고 있다. 2021년부터 2030년까지 이러한 계획에 대한 초안을 제출하고 실제로 이행하는지에 대해 2년 단위로 이행 과정을 보고하는 것으로 상호 약속을 맺은 상황이다. 회원국들은 2030년까지 약 32퍼센트 수준에 달하는 재생에너지 생산 목표를 세웠고 태양광 발전에 대한 프로젝트도 수립해 꾸준히 모니터링할 계획이다.

바람으로 인해 생기는 에너시를 전기에너지로 바꿔주는 풍력 발전은 날개의 회전력으로 전기를 생산한다. 과거 유럽 지역에서 생겨난 풍차는 낮은 곳에 있는 물을 퍼 올리기 위해 사용되었다. 특히 네덜란드 지역에서 풍차를 많이 볼 수 있는데 이는 네덜란드의 지역이 해수면보다 낮아 원활한 배수 처리가 필요했기 때문이다. 풍차와 풍력발전기의 생김새가 유사한 편이긴 한데 풍차의 모습이 자연 경관과 어우러져 아름다움을 뽐내는 것처럼 우뚝 솟은 풍력발전기의 모습 역시 꽤 웅장하고 청정한 느낌을 선사한다. 태양에너지처럼 풍력발전기의 풍력에너지 역시 대표적인 청정에너지로서 힘을 발휘하고 있다.

이처럼 에너지의 종류는 다양하다. 석탄에서 석유로, 가솔린과 디젤에서 천연가스와 수소, 순수한 전기에너지로 변모하고 있으며 태양에너지처럼 청정한 에너지가 우리 지구의 환경을 지켜줄 자연에너지로 거듭나고 있다.

다음 세대를 위한 에너지는 무엇일까?

석유 생산과 매장량에 대한 이야기는 다소 갈리는 편이다. 혹자들은 석유 생산량이 최고조에 이르렀고 2040년이 되면 고갈될 것이라고도 한다. 그 반대에 서 있는 입장은 완전히 다른 이야기를 한다. 석유 매장량은 꾸준히 늘고 있고 신재생에너지 활용으로 석유 공급에는 전혀 문제가 없다는 이야기다. 이러한 예측은 지구가 살아 숨 쉬고 있다는 증명이고 석유를 대체하는 에너지로도 인류가 살 수 있다는 또 다른 증거이기도 하겠다.

영국의 매체 〈가디언The Guardian〉에서는 지금까지 발견된 석유 이외에도 충분히 있을법한 잠재지역이 있으나 이것은 단지 예측일 뿐이고 발견되지 않은 것이라 확언할 수 없다면서 오일피크는 금방이라도 닥칠 수 있다고 했다. 미국의 지질 조사국 'USGSUnited States Geological Survey'에서는 잠재해 있는 석유 매장량이 약 3조 배럴 수준이라고 전했다. 그렇기에 향후 30년간 오일피크가 없을 것처럼 이야기한다. 주요 석유소비국이 설립한 석유안전보장기구인 국제 에너지 기구

'IEA International Energy Agency'에서는 2037년 이내에 최고조에 달할 것으로 예상하기도 했다.

지구 안에 숨겨져 있는 석유 매장량 그리고 이것이 어디에 존재하는지 지구의 단면을 보지 않는 이상 예측만 가능한 상황에서 온전히 석유에 의존할 순 없는 상황이다. 더구나 석유로 인해 일어나는 환경의 위협은 우리 인류를 위협하는 것과 같다. 또한 다음 세대 그리고 그 이후에 존재하게 될 인류를 위해서라도 대체할 수 있는 에너지는 반드시 필요하다.

우리나라 정부도 친환경 미래에너지를 통한 온실 가스 감축과 기후산업 창출에 이바지할 수 있도록 관련 정책을 세우고 연료전지나 이차전지二次電池에 대한 원천연구에 지원을 추진하겠다고 밝힌 바 있다. 기본적으로 친환경에도 도움을 주면서 고효율의 연료전지에 대한 기술개발을 위해 2018년에만 21억 원을 지원한 바 있다. 특히 국제적인 기후 변화 대응 노력을 위해 우리나라 역시 국가 온실가스 감축 목표를 수립한 바 있다. 2030년 배출전망 값인 BAU business as usaul 대비 37퍼센트로 목표를 세웠다. BAU는 기존 온실가스 감축 기술과 현재 수준의 정책을 유지할시 미래 온실가스 배출량을 의미한다. 앞에서 언급한 이차전지는 전기자동차에 들어가는 배터리로 한 번 충전으로도 서울과 부산을 왕복할 수 있는 고성능 전지인데 자주 충전해야 하는 단점을 해결하기 위한 방안이다.

IT 뉴스를 제공하는 미국의 컴퓨터월드Computerworld from IDG에서는 2027년 신재생에너지가 천연가스를 넘어서게 될 것이라고 전망했다. 풍력이나 태양광, 수력 등 재생에너지에 필요한 발전소만 해도 2040년이면 유럽의 전력 생산량에 약 70퍼센트를 차지하게 될 것이고 미국의 경우는 2015년 14퍼센트에 불과했던 수치를 2040년 약 44퍼센트까지 확대시킬 수 있을 것이라고 예측했다. 또한 전기 자동차의 생산과 공급, 수요가 증가함에 따라 배터리 가격은 어느 정도 자리 잡게 될 것이며 효율성도 높아질 것으로 기대해볼 수 있을 것 같다.

기본적으로 신재생에너지는 기존의 화석 연료를 재활용하거나 재생 가능한 모든 에너지를 변환시켜 이용하는 근본적인 힘, 이를테면 앞에서 언급되었던 태양에너지, 풍력에너지, 지열에너지, 바이오에너지 등을 포괄한다. 여기에는 폐기물을 이용한 에너지 생산도 존재한다. 예를 들면, 자동차에서 사용했던 폐윤활유를 이온정제법이나 열분해 정제법을 통해 새로운 액체 연료로 재생시키거나 폐타이어를 열분해하여 가스로 변환시키는 작업들이다. 어디에도 버리지 못할, 더구나 땅 속 깊숙하게 묻는다고 해도 사라지지 않을 폐기물을 이렇게 재생 또는 재활용하게 되면 폐기물을 자연스럽게 처리할 수 있을뿐더러 에너지를 얻을 수 있기 때문에 매우 효과적이라 하겠다.

영국의 증권형 크라우드펀딩 플랫폼인 크라우드큐브Crowd Cube에 재활용 기술에 대한 펀딩이 올라온 적이 있다. 영국의 리사이클링 테크놀러지스 연구소Recycling technologies가 플라스틱 폐기물을 활용해 생산되는 연료들이 기존의 원유를 대체할 수 있는 실험을 지속해왔는데 이러한 것에 대해 120만 파운드의 목표액을 설정했고 이보다 약 3배나 높은 369만 파운드가 모금되어 화제가 되었다. 이들은 2027년까지 매년 플라스틱 1천만 톤을 재활용할 예정이라고 한다.

화석 연료를 향한 제레미 리프킨의 경고

석탄, 석유 등의 화석 연료를 집중적으로 사용하고 의존하는 형태는 이상기후와도 직결될 수 있어 대체에너지와 기후 변화 대책은 늘 함께 언급이 되고는 한다. 3차 산업혁명을 언급했던 제레미 리프킨Jeremy Rifkin도 화석 연료로 인한 환경 파괴가 인류의 생존을 위협하게 될 것이라고도 했다. 지금까지 지구는 지속적으로 변화해왔고 앞으로 또 어떻게 변하게 될지 감히 예측하기가 어렵다. 전문가들은 지속적으로 연구 중인 신재생에너지가 향후 20년 안에 주요 에너지원으로 거듭나게 될 것이라고도 했다.

영국의 석유 회사인 BP The British Petroleum에서도 2040년 재생에너지가 인류를 위한 주요 원천이 될 것이라고 예측하기도 했다. 누군가에 의한 예측이고 전망일지라도 우리 세대가 의존하는 화석 연료는 분명히 새로운 에너지로 대체가 될 것이고 또 각광을 받게 될 것이다. 대체에너지의 필요성은 아무리 언급해도 모자라지 않다. 인류와 자연 그리고 대대로 이어지게 될 지구의 환경을 위해서라도 우리는 지속적으로 연구하고 행동해야 할 의무가 생긴 것 같다.

지구는 인류에게 오랜 시간 자원을 제공해주었다. 지구 속에 파묻힌 석유가 정말 얼마나 존재하고 있는지 지구의 단면을 보지 않는 이상 알 수 없고 또 이것이 향후 몇 년 내에 고갈될 수도 있다는 전망도 늘 있었다. 반면 지속적으로 생산되고 있어 우리가 필요한 만큼 사용할 수 있다는 이야기도 있었다. 완전히 반대되는 내용이긴 하지만 우리 인류는 석유나 가스를 대체할 수 있는 에너지를 찾아야 한다. 석유의 매장량을 떠나 이를 과도하게 사용하게 되면 리프킨이 언급한 것처럼 환경 파괴와 이상기후는 시간문제다.

앞으로 10년 뒤에도 화석 연료의 활용은 계속해서 이어지게 될 전망이지만 전기에너지나 태양광, 수소에너지 등 이를 대체하는 에너지를 개발하고 활용하게 되면 충분히 대응할 수 있을지도 모르겠다. 앞에서 언급했듯이 국제에너지기구IEA도 화석연료는 향후 20년 뒤 36퍼센트까지 감소하는 반면 신재생에너지는 오히려 확대될 것이라고 했다. 유럽 전역은 물론 미국과 일본 역시도 이에 대한 연구를 지속하고 있는 상황이다. 우리나라의 경우, 유럽 선진국보다 다소 늦은 감은 있지만 신재생에너지 개발 정책을 발표하기도 했고 지속적으로 지원하겠다고 밝혔으니 지난 10년보다 향후 10년을 기대해봐도 좋을 것이다.

3장

상상력이 일하게 하라

11 달 표면에 앉아 지구를 바라본다는 것은

일자리 전망 모험을 좋아하는 당신을 '우주여행 가이드'로 모십니다

닐 암스트롱Neil Armstrong의 '달 착륙'으로 우주개척의 첫 스타트를 끊었을 때 인류는 우주여행을 할 수 있는 날을 손꼽아 기다렸을 것이다. 미국 항공 우주국 나사NASA는 국제우주정거장 ISSInternational Space Station를 민간인에게 개방해 우주여행이 가능할 수 있도록 상업화할 예정이라고 했다. 2020년이면 누군가는 우주라는 공간을 직접 경험할 수 있게 되는 것이다.

나사 이외에도 테슬라의 엘론 머스크Elon Reeve Musk나 버진그룹의 리처드 브랜슨Richard Branson과 같이 우주 개척을 향한 민간 프로젝트를 진행하는 곳들이 늘어나고 있는 추세다. 민간 프로젝트가 현실화 된다고 해서 '누구나' 우주여행을 할 수 있는 수준은 아니겠지만 이와 관련된 우주 산업이 지금의 자율주행 자동차를 연구하는 수준만큼 확대될 가능성도 없지 않다.

호주의 글로벌 교육기업인 크림슨Crimson에서는 2030년 각광을 받을 직업군 중 비행 지도사flight instructor와 상용 우주 조종사commercial space pilot를 리스트에 올리기도 했다. 오랜 비행 경험이 있어도 우주라는 공간 자체는 상황과 환경이 다르기 때문에 지속적인 훈련과 테스트는 반드시 거쳐야 할 과정일 것이다. 더불어 2020년 이후 민간 프로젝트가 성공적으로 진행된다고 하면 향후 우주선을 조종하고 정비하는 인력들은 늘어날 수밖에 없다.

우주선을 조종하는 직업군 이외 또 다른 분야는 무엇이 있을까? 우주선을 제작하는 분야나 항공 기술, 정비, 우주선의 재료가 될 수 있는 신소재 연구, 우주선과 관제탑 사이의 통신 기술을 모두 아우르는 우주 산업 자체로만 보면 매우 광범위하게 느껴진다. OECD에서는 우주 기반 시설 구축, 지구를 포함한 지구 주변의 위성과 행성 관측, 지구의 기후 변화 예측 등에 필요한 응용 프로그램, 우주에서 사용 가능한 제품군과 하드웨어에 이르기까지 현재보다 더욱 고도화할 수 있는 미션을 과제로 삼고 있다. 이 도전과제는 온전히 인류의 우주 개척을 위한 것이겠다.

3D 프린팅 기술을 이용해 우주선을 만드는 시대가 되었다. 그리고 우주여행도 가능해졌다. 항공우주 공학은 물론 신소재공학, 기계공학, 물리학, 컴퓨터 과학 등 우주 산업에 있어 반드시 필요한 분야는 점차 늘어나게 될 것이다. 이러한 의미에서 보면 우주라는 미지의 공간은 인간이 상상할 수 없을 정도로 광범위한 것 같다. 그만큼 여러 의미에서

기회가 될 수 있는 세계이기에 우주개척을 위한 연구가 꾸준히 지속되는 것이 아닐까.

미래 키워드 NASA의 화성 프로젝트 'MARS 2020 미션'

NASA미국 항공우주국, National Aeronautics and Space Administration는 '모두에게 이익을For the benefit of All'이라는 모토로 1958년 설립된 미국 정부 기관이며 우주 개발 활동의 주체가 되는 곳이다. 1915년 설립된 NACA미국 항공자문위원회, National Advisory Committee for Aeronautics라는 곳이 개편되어 미국 항공우주국으로 변모하게 된 것이다. 잘 알다시피 우주를 배경으로 하는 수많은 영화에서 NASA가 언급되곤 했었다. 우주 개척을 향한 위대한 꿈을 꾸었고 달 착륙 성공을 이룬 아폴로 프로젝트에 이어 화성 프로젝트도 추진 중에 있다. 참고로 우주왕복선을 이용해 지구 궤도에 올려놓은 거대한 망원경이 있는데 이는 천체 관측을 위해 지구 주위를 돌고 있다. NASA가 유럽우주국ESA, European Space Agency과 함께 제작한 이 망원경의 이름은 바로 '허블 우주 망원경Hubble space telescope'이다.

NASA에서는 '화성 2020 프로젝트'를 진행하고 있는데, 웹사이트mars.nasa.gov/mars2020를 방문하면 카운트다운 표시를 볼 수 있다. 2020년 7월 발사되는 화성 탐사선 로버Rover는 화성에서 사람이 거주할 수 있을지에 대한 조건과 화성의 생명체 여부, 지질이나 기후 등 화성의 환경을 조사하고 파악하는 임무를 부여받았다. 지구와 다른 지질과 암석들로 가득 찬 화성에서 샘플을 채취하여 로버의 캐시cache에 모아두고 이를 지구로 돌려보내 연구할 수 있도록 도움을 주게 될 것이라고 한다. 2020년 프로젝트 임무를 맡게 된 화성 탐사선은 2012년 큐리오시티Curiosity, 2018년 인사이트Insight의 바통을 잇게 된다. 2020년 발사하게 될 화성 탐사선은 화성 진입부터 변화무쌍한 기후 변화에 대응하고 가장 안전하고 최적화된 착륙 시스템을 구현하게 될 것이다. 나사는 새로운 화성 탐사선이 화성에서 약 687일간 임무를 수행하게 될 예정이라고 전했다.

"인류 전체에 있어 위대한 약진"

영화 〈라라랜드La La Land〉의 데이미언 셔젤Damien Chazelle 감독과 배우 라이언 고슬링Ryan Gosling이 영화 〈퍼스트맨First Man〉에서 다시 호흡을 맞췄다. 영화는 1959년 인류 역사상 처음으로 달에 두 발을 내딛게 된 닐 암스트롱에 대한 이야기다. 닐 암스트롱은 퍼듀 대학교Purdue University에서 항공학을 전공했고 한국전쟁 당시 전투기 조종사로 활약했다. 1962년 그는 마침내 우주 비행사로 선발되었다. 고된 훈련과 우주선 개발 등 우주로 나가기 위한 만반의 준비를 마치고 1969년 아폴로 11호의 선장이 되어 우주선에 오르게 된다. 하늘에서 바라보던 둥근 달을 바로 눈앞에서 볼 수 있다는 것, 그리고 그 미지의 세계에 발자국을 남긴다는 것은 너무도 경이로운 일이 아닐 수 없다. 닐 암스트롱 선장은 달 착륙에 성공한 후, 이렇게 말했다. "인류 전체에 있어 위대한 약진!"

지구와 달의 거리는 무려 38만 4천 킬로미터다. 우주선을 타고 달까지 가려면 약 3~4일 정도 소요된다. 1960년대, 지구와 달을 오가는 왕복 일정은 전혀 중요한 이슈가 아니었다. 우주선에 타고 있는 조종사들이 무사히 살아 돌아오는 것이 최우선 목표였다. 미국의 35대 대통령 존 F. 케네디John F. Kennedy는 1960년대가 마무리되기 이전까지 인간이 달에 착륙했다가 무사 귀환하는 것을 거대한 목표로 삼았다. 냉전시대 구소련현 러시아과 우주 개척에 대한 경쟁을 했었던 미국 그리고 이러한 목표를 삼았던 케네디의 '공언'은 다소 웃음거리가 되기도 했었다. 아폴로 1호는 우주선 화재를 겪었고 이 때문에 우주 비행사가 사망하기도 했다. 당시에는 고가의 장비들을 구한다고 해도 안정성이 떨어져 우주선은 물론 비행사들의 목숨도 위태로웠던 것이다.

우주 비행을 끊임없이 연구하고 있는 미국 기관인 NASA는 1967년 아폴로 프로젝트를 본격화한다. 아폴로 10호의 경우 달 주변까지 우주 비행을 했고 달 착륙에 대한 전략을 세우기 시작했다. 1961년 케네디의 연설 속에서 언급되었던 아폴로의 달 프로젝트는 1969년 닐 암스트롱에 의해 현실이 되었지만 케네디 대통령은 이미 세상에 없었다.

극한의 조건에서 인간을 보호할 신소재

이처럼 과거 미국과 소련은 우주 개척을 향한 수많은 시행착오를 겪어왔다. 1957년 10월 발사된 세계 최초의 인공위성이었던 스푸트니크Sputnik 1호는 다름 아닌 소련의 결과물이었다. 소련은 한 달 뒤 생명체를 태워 2호를 발사하기도 했다. 당시 라이카Laika라는 이름의 개가 우주선에 올라타 논란이 있기도 했다. 혹자들은 우주 역사를 바꾸고 우주 개발에 큰 공헌을 한 생명체였다고 표현하기도 한다. 소련의 스푸트니크는 지금으로부터 60여 년 전의 기술로 구현한 것인데 당시 상황들이나 환경을 고려하면 대단한 결과물이 아닐 수 없다.

과학기술은 물론 국방에 있어서도 자부심에 가득 차 있던 미국은 소련의 성공적 발사로 인해 크게 충격을 받았다. 소위 '스푸트니크 쇼크'라고 하는데 이러한 역사적 사실로부터 생겨난 키워드다. 이 충격으로 미국은 우주 산업에 대해 지속적이고 아낌없는 투자를 말 그대로 '쏟아부었고' 스푸트니크 발사 이후 1년이 지나 NASA를 설립하게 된다. 미국 워싱턴에 위치한 NASA 본부에는 연구소는 물론 비행장, 데이터 분석 및 우주선 추적 시설 등 다양한 시설들이 존재한다. 소련과 미국 그리고 프랑스, 중국, 영국, 인도에 이르기까지 수많은 나라들이 '우주 국가'로서 이름을 올렸다.

우주선이 하늘 위로 솟구쳐 우주 바깥 일정한 궤도에 오르려면 폭발력 강한 추진체와 분사장치 등이 필요하고 지상에 존재하는 본부나 관제소와 커뮤니케이션이 가능한 통신 시설, 산소나 연료를 공급하기 위한 장치, 진공은 물론 온도 격차나 방사능 위험에도 견딜 수 있는 환경을 만들어야 한다. 오랜 시간 버텨야 하는 경우는 더욱 그러하고 우주선이 지구로 귀환할 수 있도록 추가적인 시설도 반드시 탑재해야 한다.

과거 미국의 아폴로 프로젝트에 투입된 아폴로 우주선은 크게 세 가지로 구분될 수 있다. 우주 비행사가 탑승해 지구로 돌아오는 유일한 부분이 사령선command module, 연료나 산소 등을 공급하는 기계선service module, 달 표면에 착륙하기 위한 전용선인 달착륙선lunar module 등이다. 달착륙선의 경우 두 명의 우주 비행사만 탑승이 가능하다고 하는데 이곳에서는 산소가 공급되기 때문에 우주복을 입지 않아도 된다고 한다. 임무를 마치고 돌아오는 사령선은 이미 일부가 떨어져나가 대기권으로 진입하게 된다.

달에서 지구를 향해 진입하는 우주선은 어마어마한 속도를 지녔을 것이고 우주선 외부가 지구의 대기권과 만나 마찰열을 일으키게 된다. 빠른 속도의 비행체가 지구에 존재하는 공기에 의해 발생하는 열을 '공력가열aerodynamic heating'이라고 한다. 비행체의 외부는 공력가열에 의해 부서지고 떨어져나갈 수도 있으며 우리가 상상하기 어려운 높은 온도의 열을 발생시킬 수 있다. 영화에서 보는 것처럼 붉게 달아오를 수도 있겠다.

우주선이 지구로 진입할 때의 속도는 무려 마하 10인데 이를 환산하면 시속 1만 2천 킬로미터 수준에 이른다. 마하는 유체 속에서 움직이는 물체의 속력을 나타내는데 1마하의 속도는 시속 1천 224킬로미터다. 제트기가 마하의 속도를 내뿜게 되면 그 주변으로 수증기 응축 현상이 생겨난다고 한다. '소닉 붐sonic boom'이라고 해서 전투기들이 비행할 때 굉음을 내는 경우들이 있는데 초음속으로 비행해 어느 정도 수준을 돌파하게 되면 엄청난 충격파와 함께 이러한 현상이 생긴다. 그만큼 우주선의 대기권 진입 속도는 어마어마하고 고열을 감당할 만큼 내구성이 상당한 재료가 쓰여야 한다. 중국의 실험용 우주정거장인 톈궁天宮 1호의 잔해물이 지구상에 흩어져 떨어졌을 때 또는 작은 운석의 조각들이 빛을 내며 소멸하는 것도 이러한 이유로 인한 것이다.

앞서 언급했던 것처럼 우주선이 마찰열을 극복하기 위해 단열 복합 재료를 쓰는데 세라믹 타일과 같은 소재를 쓰기도 한다. 세라믹은 열전도율이 낮고 바깥의 고열을 내부로 전달하지 못하도록 막을 수 있을 만큼 강한 편에 속한다. 1960~1970년대에 만들어졌을 우주선에도 단열이 가능한 복합 소재가 있었겠지만 가격은 비싸고 우주선의 무게도 어느 정도 이상이 되었을 법 하다. 또한 지금보다 더욱 뜨거운 열기를 감내해야 했을지도 모른다.

나사에서는 2020년 새로운 기술력이 들어간 오리온Orion이라는 우주선을 지금보다 훨씬 가볍고 내구성도 더욱 강력한 소재를 이용해 제작 중이라고 했다. 외부 열 그리고 쉽게 일어날 수 있는 화학 반응 등에도 더욱 견고하게 만들어졌기에 우주 비행사들을 안전하게 지켜준다. 나사의 우주 왕복선은 1981년부터 2011년까지 약 130여개의 임무를 수행했다고 한다. 위성을 궤도에 진입시켰고 국제 우주 정거장을 세우기 위해 수많은 물품과 장비를 운송했다. 오리온은 아폴로의 우주 역사를 이어나갈 나사의 노력에 대한 결과물로 이미 우주선에 탑재된 컴퓨터나 센서 등 각종 시스템을 테스트한 바 있다. 또한 지구 대기권에 진입할 때 일어나는 고열이나 우주 바깥에서 생길 수 있는 방사선 모두 조금도 안으로 들어올 수 없도록 높은 수준으로 만들어졌다고 한다. 대기권 진입 시 화씨 4천 도를 아무런 문제없이 견딜 수 있다고 했는데 이는 섭씨로 약 2천 도가 넘으며 700도에서 1천 200도 수준의 용암보다 두 배는 높은 수준이니 감히 상상하기 어려운 지경에 이른다.

나사는 이러한 우주선에 우주 비행사를 태워 꾸준히 테스트를 수행하고 있다. 그들의 목표는 2020년 화성 주변 소행성들을 탐사하고 2030년이 되면 화성으로 본격적인 탐사를 진행하는 것이다. 이제 우리는 닐 암스트롱의 달이 아니라 영화 속에서나 등장했던 화성이라는 행성에 두 발을 내딛는 꿈을 꾸게 되었다.

'마션'이 되는 그날까지

화성까지의 거리는 약 5천 600만 킬로미터 이상. 지구도 화성도 모두 태양을 중심으로 공전하고 있는데 공전궤도 중 어디에 위치해 있느냐에 따라서 두 행성 간 거리가 가까워지기도 멀어지기도 한다. 그래서 화성까지 거리는 근일점가까울 때과 원일점멀 때으로 나뉘게 되며 가장 멀리 있을 때는 약 4억 킬로미터 거리가 된다. 근일점과 비교하면 무려 일곱 배 이상 차이가 난다. 빛의 속도로 우주선이 날아간다면 근일점에서는 3분, 원일점에는 22분 정도가 소요되겠지만, 지금까지 화성 주변으로 비행한 우주선의 비행 궤도와 시간을 근거로 하여 실제 걸리는 시간을 계산해보면 대략 200일 정도라고 봐야한다.

천체 망원경을 통해 바라본 화성의 모습은 다소 붉게 보이는 편인데 전쟁의 불길처럼 보인다고 해서 로마 신화 속 전쟁의 신 '마르스Mars'로부터 이 행성의 이름을 따왔다. 〈미션 투 마스Mission To Mars〉, 〈토탈 리콜Total Recall〉 그리고 〈마션The Martian〉에 이르기까지 화성은 수많은 영화와 소설 등의 배경으로 자주 언급된 태양계 주요 행성 중 하나다. 화성의 대기가 급변하기도 하고 표면 온도만 해도 영하 약 80도 수준이기는 하지만 그동안 수집했던 방대한 자료에서 증명하듯 지구가 진화해온 역사와 조건 등과 꽤 유사하다고 알려져 있어 '제2의 지구'라고도 불린다. 그렇기 때문에 화성에 대한 호기심과 개척하고자 하는 욕망이 화성 탐사의 꿈을 키우게 된 것이다.

실제로 나사에서는 '화성 2020 프로젝트2020 Mission Plans'를 수립하고 화성 탐사 프로그램을 시작했다. 화성의 대기에 존재하는 이산화탄소나 암석, 토양 등 핵심 샘플을 수집해 지구로 운반하여 화성 탐사에 필요한 준비가 한창이다. 화성 탐사선이 이곳에 착륙해 우주 비행사들이 온전히 발을 내딛는 것 자체야 말로 인류가 꿈꾸는 미래다. 나사에서는 지구와 화성 사이의 거리가 가장 최적이라고 할 만한 2020년 7월 즈음에 우주선을 쏘아 올릴 예정이라고 전했다. 더불어 2030년대 중반이 되면 화성에 반드시 인간이 도달할 수 있도록 연구와 개발을 늦추지 않을 것이라고 했다.

이는 우주 개척에 있어 매우 의미 있는 단계로 보인다. 화성 탐사에 대한 염원에서 비롯된 태양계 행성들에 대한 지속적인 탐사는 우주 개발에 반드시 필요한 영역이다. 국제 우주 정거장을 넘어 다른 행성에 기지국을 세운다는 것은 화성탐사는 물론 우주 개척의 필수 과정이기 때문이다. 영역을 확장해나간다는 말은 개척이라는 개념과 맞닿아 있다. 달에 기지를 세운다면 지구에서 달로, 다시 달에서 화성을 향한 개척과 개발이 오히려 수월해진다. 다시 화성에 또 다른 기지를 설립하게 된다면 더욱 멀리 있는 행성들과 쉽게 닿을 수 있게 된다.

가장 중요한 문제는 값비싼 우주선의 고도화와 그리고 예산이다. 기본적으로 지금보다 빠른 시간 안에 도달하는 것뿐 아니라 안전하게 복귀할 수 있어야 한다. 행성과의 거리가 가장 짧을법한 태양계 주기를 따라 우주선을 쏘아 올려도 귀환할 때쯤이면 다시 멀어지기 때문에 왕복 시간은 보다 더 소요될 수 있다.

'돈'은 빼놓을 수 없는 문제다. 우주에 존재하는 어느 행성을 방문한다고 생각해보자. 사전 정보를 수도 없이 확보했다고 하더라도 막상 진입해보면 예상치 못한 환경에 부딪히게 된다. 말하자면 화성과 같은 행성에 탐사선을 착륙시켜 정보를 수집하도록 구축한 프로젝트 비용이 일회성으로 끝이 나버릴 수 있다는 것이다. 물론 거기서 얻어낸 정보의 가치는 우주 개척을 위한 투자 행위와 감히 비교할 수 없겠지만 기계가 아닌 사람을 보낸다고 했을 땐 어쩌면 목숨과도 바꿀 수 있는 위험한 모험이 될 수 있겠다.

2030년, 인류는 또 한 번 '위대한 약진'을 꿈꾼다

테슬라의 수장인 일론 머스크는 재산만 무려 20조 원이 넘는다고 한다. 테슬라는 기본적으로 전기와 배터리를 결합한 자동차의 신기술을 보유하고 있으며 기업용이나 공공사업용, 가정용을 모두 아우르는 에너지원을 효율적으로 공급할 수 있는 프로젝트도 진행 중이다. 일론 머스크의 관심의 폭은 꽤 다양한 편이다. 온라인 결제 서비스나 전기 자동차, 에너지, 인공지능 등에도 관심이 있으며 이밖에 우주산업에도 남다른 애정이 있어 민간 우주개발업체인 '스페이스X Space X'를 설립하기도 했다.

2002년 설립된 스페이스X는 화성에 도시를 건설하고 우주 탐사와 우주선 개발을 중점적으로 다루는 곳이다. 또한 재사용이 가능한 로켓으로 우주선 개발을 지속적으로 이어나감에 따라 획기적으로 비용을 줄일 수 있다고 전했다. 일론 머스크는 NASA로부터 지원을 받기도 했고 자신의 재산을 우주 산업에 쏟아부을 정도로 현재의 기술을 더욱 발전시키는데 집중했다. 〈포브스〉에서도 기술보다 예산이 문제가 될 수 있다고도 했다. 어려운 상황 속에서도 스페이스X는 BFR Big Falcon Rocket Ship이라 불리는 우주선 개발과 발사에 대한 계획을 세웠다. 2022년까지 그들이 개발한 로켓을 쏘아올리고 2024년에는 사람을 태운 유인 우주선을, 그리고 2030년이 되면 화성으로 진입할 수 있는 우주선을 개발할 계획이라고 한다.

이쯤 되면 2030년 이후 우주 관광 산업이 현실화될 수도 있겠다는 생각이 든다. 우주국가를 꿈꾸는 나라를 비롯해 기업들에서도 우주선 개발에 박차를 가하고 있으니 오랜 세월동안 시행착오를 겪고 단단해지고 견고해진 우주선 그리고 국제 우주 정거장에 도달해 지구의 아름다운 모습을 바라볼 수 있다는 점만 생각해도 가슴이 뛴다.

그간 우주 공간을 다뤘던 영화들이 수도 없이 존재해왔고 지금도 머나먼 행성, 우주 밖 어느 공간 미지의 별을 찾아 탐사를 떠나는 이야기들이 쓰이고 있다. 지금으로부터 120년 후 개척 행성으로 떠나는 우주선 아발론호의 이야기를 그린 〈패신저스Passengers〉나 인류의 기원을 찾아 외계행성으로 떠나는 〈프로메테우스Prometheus〉와 같은 상상 속의 작품들도 존재한다. 우주 공간에서 어쩌면 있을 수 있는 사고로 인해 허우적거리는 아주 미세하고 작은 '인간'이라는 존재를 다시금 그려낸 〈그래비티Gravity〉도 기억에 남는다. 영화는 상상 속에서 만들어지기도 하지만 사실을 기반으로 하여 정말 실감하고 체험하는 듯한 느낌을 준다. 우주라는 공간이 바로 그런 것 같다. 실제로 존재하고 있는 곳이지만 인류는 상상의 나래를 펼쳤고 꿈을 꾸기 시작했다. 그리고 결국 누군가는 경험하고 있는 공간이다. 우리에게 우주는 미지의 세계였지만 이제는 눈앞에서 그 무궁무진한 아름다움과 찬란함을 느낄 수 있는 날이 결코 멀지 않았다.

우주 개척에 대한 꿈을 꾸던 과거의 인류는 우주선을 만들기 위해 오랜 시간 연구와 개발을 지속했다. 수많은 시행착오를 겪었고 결국 지구 바깥으로 우주선을 날릴 수 있는 기술력을 갖추게 되었다. 1969년 달 프로젝트는 성공했고 2030년 화성 진입을 위해 박차를 가하고 있다. 미국 NASA와 더불어 민간기업인 일론 머스크의 스페이스X 또한 2030

년 화성이라는 행성에 여행할 수 있는 날을 꿈꾸고 있다. 화성 프로젝트를 두고 '여행'이라는 단어를 붙이기엔 다소 무리가 있겠지만 지구의 대기권을 벗어나 우주라는 공간에 정거장을 세우고 달 표면까지 여행할 수 있게 될 것이라는 상상 정도는 해봐도 좋지 않을까?

달 표면에서 우리가 살고 있는 지구를 바라본다는 것은 분명 가슴 뛰는 일일 것이다. 얼마나 많은 사람들이 우주선을 타고 달 여행을 할 수 있게 될지…. 시간이 흐르면 흐를수록 기술력은 분명히 발전하겠지만 그렇다고 해서 우주여행을 하기 위한 비용이 쉽게 낮아질 수 있을까 하는 생각이 든다. 우주선을 안전하게 띄우는 것은 물론 한번 발사하는 데 들어가는 인프라나 비용을 고려하면 마치 비행기에 탑승하듯 쉽게 탈 수 있을 것이라는 생각은 감히 하지 못할 것 같다.

우선은 우주여행이라는 개념보다 인류의 우주 개척이라는 측면에서 화성 프로젝트는 역사에 길이 남을 목표가 될 것이다. 2030년 화성 프로젝트가 성공하게 되면 화성을 중심으로 수많은 인프라가 세워지게 될 것이고 이를 기점으로 더 멀리 있는 행성에 대한 개척이 이뤄지게 될 테니 말이다. 닐 암스트롱이 달 착륙에 성공한 후 "인류에 있어 위대한 약진"이라고 언급했던 것처럼 화성 탐사는 우주를 기록하는 역사에 또 다른 약진이 될 것이다.

12

2차원에서 3차원으로 올라선 프린팅 기술

일자리 전망 3D 인쇄공, 미래를 출력하는 사람들

3D 프린터가 다양한 분야에 자리하게 될 예정이다. 하나의 건축물을 쌓는다고 생각해보자. 얼마나 튼튼하고 견고하게 만들 수 있을지에 대한 면밀한 검토를 위해 3D 프린터를 사용해 모형을 출력하는 경우들이 생겼다. 과거에는 2차원에 불과한 조감도나 설계도면을 보면서 이를 연구했을 것이니 당연히 큰 변화다. 그런데 이제는 3D 프린팅 기술 자체가 실제 제작에 투입되고 있다는 것인데 이는 그야말로 '격세지감'을 느끼게 해준다. 수억 원대에 이르는 자동차 부품에도 3D 프린팅 기술이 적용되었고 우주를 비행하는 우주선의 소재에도 3D 프린터의 결과물이 탑재되고 있는 시대가 되었으니 충분히 각광 받을 수 있는 분야가 아닐까?

미국의 MIT에서도 3D 프린팅 전문가를 준비할 수 있는 과정을 마련하기도 했고 우리나라의 한국산업인력공단에서는 3D 프린터 개발산업기사와 3D 프린터 운영기능사 시험을 통해 자격증을 발급하기도 한다.

혹자는 이 분야에 대해 '미래를 출력하는' 미래 유망 자격증이라고 했다. 실제로 신체의 조직이나 요리, 건축 등 다양한 분야에서 사용할 수 있으니 전혀 무리가 없는 언급이다.

영국의 기업 푸드잉크Food Ink는 3D 프린팅 기술로 음식을 제공한다. 그러니 단순한 요리사가 아니라 3D 프린팅 기술을 다룰 줄 아는 요리사가 생길 수도 있겠다. 3D 프린팅 기술은 의학 분야에도 충분히 활용될 수 있다. 미국의 3D 전문업체인 메이커스 엠파이어Makers Empire에서도 3D 프린터가 생체 조직을 구현할 수 있어 궁극적으로 사람의 생명을 구할 수 있는 가능성이 충분하다고 했다. 물론 100퍼센트 완벽하지 않겠지만 이 기술은 향후 10년 이내 가능할 것이라고 전망된다. 3D 프린터로 인해 기존의 생산 공정은 매우 큰 변화를 맞이하게 되었다. 그렇게 세상은 변하고 있다.

미래 키워드 공간에 그림을 그리는 3D 프린터

본래 프린터의 개념은 종이 위에 글자, 그림, 도면 등을 인쇄하는 기계를 의미한다. 프린터가 2차원 평면에 인쇄하는 기술이었다면 3D 프린터는 말 그대로 3차원의 입체적인 '공간'에 출력하는 장치라 하겠다. 3차원으로 구현된 설계 도면과 여기에 필요한 출력소스를 입력하면 그게 무엇이든 미리 구성한 설계대로 입체적인 '무엇인가'가 생산된다. 출력소스가 층층으로 쌓여 완성품을 이루는 적층형이 있고 본래 커다란 덩어리를 조금씩 깎아 만드는 절삭형도 존재한다.

도트에서 레이저까지, 프린터의 진화

독일 출신의 요하네스 구텐베르크Johannes Gutenberg는 서양 최초로 금속 활자를 발명해 인쇄 기술의 혁명을 일으킨 사람이다. 그가 1440년대에 이러한 기술을 발명한 것이니 이는 수백 년 전의 '산업혁명'과도 같은 것이라 하겠다. 그런데 이는 사실 유네스코가 지정한 세계유산《직지심체요절》보다 약 70여 년 뒤에 만들어진 기술로 알려져 있다. 우리나라 역사에 기록된 통일신라시대의《무구정광대다라니경》이나 고려시대의《팔만대장경》역시 세계를 놀라게 한 인쇄물의 역사라 하겠다.

구텐베르크가 사용한 당시 인쇄기를 보면 꽤 스케일이 큰 편이다. 지금 우리가 흔히 사용하는 프린터를 생각하면 사이즈도 크고 인쇄할 수 있는 분량도 매우 적은 편이었다. 인쇄 기술이 발전하면서 크기는 작아지고 인쇄면에 찍힌 활자는 점점 정교해졌으며 찍어내는 시간도 짧아졌다. 당연히 엄청난 변화를 겪어왔을 것이다. 타자기처럼 종이를 넣고 문자 하나하나 찍어내던 시절도 있긴 했지만 프린터와 같은 정교함도 없었고 더구나 매우 느렸다.

컴퓨터가 생겨나면서 프린터에 집약된 기술도 점차 나아졌다. 기본적으로 프린터는 컴퓨터와 동반하는 구성 요소다. 컴퓨터에서 이미지의 정보나 글씨가 새겨진 문서 정보 등을 종이에 찍어내 눈으로 확인할 수 있도록 했고 오늘날 우리가 과제를 제출하거나 보고서처럼 문서화를 하거나 계약서와 같은 서류를 만들어낼 때 사용하곤 한다. 지금 우리는 사무실은 물론 가정에서도 이와 같은 프린터를 아주 보편적으로 쓰고 있다.

과거에 사용하던 타자기를 생각해보면 활자를 요란하게 찍어내는 기계 중 하나라고 해도 과언은 아니겠다. 어떤 소설가가 담배를 물고 자음과 모음을 하나씩 글자를 찍어 겨우 한 페이지를 완성했음에도 마음에 들지 않아 구겨버리는 모습들을 영화 속에서나 볼 수 있었는데 달리 보면 클래식하고 '엔틱'한 느낌이 묻어나는 기계처럼 느껴지기도 한다.

도트 프린터dot matrix printer 역시 소음이 있는 편에 속한다. 점을 하나씩 찍어내 문자나 그림을 만들어내는데 출력물을 보면 정교하지 않은 것 그리고 인쇄 속도가 느리다는 것도 단점이었다. 도트 프린터 이후로 잉크젯과 레이저를 사용한 프린터가 각광을 받았고 다양한 분야에서 사용되고 있다.

잉크젯ink jet은 컴퓨터에서 정보를 수신한 프린터 내부에서 실제 잉크 방울을 출력면에 뿌리면서 문서를 만드는 구조인데 일정한 신호를 통해 잉크를 분사하는 방식이다. 흑백과 컬러를 병행해서 사용하게 되는데 어느 하나라도 잉크를 모두 사용하게 되면 당연히 재구매를 해야 하고 오랫동안 사용하지 않게 되면 잉크를 분사하는 출구가 막혀 못 쓰게 되는 사례도 있다.

레이저 프린터laser printer는 프린터 내부에 장착된 레이저와 정전기를 사용하는데 토너를 부착해 사용한다. 간혹 토너를 교체하다가 손에 묻어나는 경우들이 있는데 토너 가루가 인쇄면 위로 필요한 정보들만 기록하는 형태이기 때문이다.

몇 년 전만 해도 DSLR이나 미러리스 등 디지털 카메라가 보편화되면서 사진 촬영을 하는 경우들이 매우 흔했다. 물론 지금이야 스마트폰에 탑재된 카메라와 그 기능들이 무거운 카메라를 들고 다니지 않아도 충분히 좋은 사진을 확보할 수 있게 되었다. 디지털 카메라는 물론 스마트폰에 저장된 사진들을 프린터를 이용해 출력하는 경우들도 흔해진 시대다. 굳이 사진관을 찾아가지 않아도 '포토 프린터'를 활용해 사진을 출력하기도 한다. 포토 프린터 전용 용지 위에 특수한 잉크를 뿌리면서 한 장의 사진으로 완성하는데 잉크가 용지 안으로 스며들게 되면서 사진관에서 뽑은 듯한 느낌을 준다.

이제는 3차원으로 출력하는 시대

앞서 설명한 프린팅은 모두 2차원적인 인쇄 결과라 하겠다. 이러한 프린팅 기술을 3차원으로 응용해 평면이 아닌 '물체'를 만들 수 있는 시대를 맞이했다. 프린터는 잉크나 레이저를 활용해 결과물을 만들어 내는데 3D 프린터는 출력을 위한 소스, 즉 재료로서 사용자가 원하는 여러 가지를 사용할 수 있다. 이를테면 플라스틱, 메탈, 고무 심지어 식품용 소재에 이르기까지 다양한 편이다.

3D 프린터를 활용하는데 가장 중요한 요소는 바로 설계 도면이다. 쉽게 말하면 지금 이 글을 '한글' 파일이나 '워드' 문서로 만들어 저장해두고 프린터에 출력 정보를 전달하는 경우와 같이 어떠한 물체를 어떻게 만들 것인가를 미리 설계해두고 그 도면이나 정보를 프린터에 전달해 출력하게 되는 구조다. 설계도면을 제작하는 과정을 모델링modeling이라 하는데 3D 모델링이 적용되는 프로그램을 사용해 도면을 만든다.

예를 들어보자. 자동차 바퀴에 부착되어 있는 브레이크 패드는 대다수 디스크 형태로 되어 있는데 이 디스크에 밀착시켜 브레이크를 잡아주는 유압장치를 일컬어 '캘리퍼caliper'라고 한다. 보통은 어두운 계열의 색인데다가 자동차 휠 안쪽에 있어 잘 보이지 않는 경우가 많다. 스포츠카의 경우 빨간색으로 칠해져 있어 눈에 띄는 경우도 있다.

이탈리아 출신의 에토레 부가티Ettore Bugatti가 프랑스에 설립한 슈퍼카 회사 '부가티'에서 3D 프린팅 기술을 이용해 캘리퍼를 제작해 화제가 된 바 있다. 이 캘리퍼는 티타늄 소재로 만들어져 강도를 한층 높였다. 물론 강도가 높은 티타늄을 사용하는 케이스가 흔해지긴 했지만 이를 3D 프린터로 제작했다는 것이 더욱 놀라운 일이겠다. 부가티에서는 길이 41센티미터, 폭은 21센티미터, 높이는 13.6센티미터로 구성되어 있고 기존 4.9킬로그램에 달하는 무게를 약 40퍼센트 감량해 2.9킬로그램 수준으로 제작되었다고 말한다. 3D 프린팅 기술이 향상되자 부가티는 이 기술을 활용해 캘리퍼를 제작하고자 하는 아이디어를 도출하게 됐고 실제 첫 결과물이 나올 때까지 약 3개월이 소요되었다고 한다.

3D 프린팅을 위한 모델링이 본격적으로 시작되고 티타늄에 해당하는 소재를 넣어 가공을 하는 작업 자체가 '프린팅printing'인데 보통의 3D 프린터가 그러하듯 적층 가공additive manufacturing으로 작업을 하게 된다. 이 캘리퍼가 쌓은 레이어의 수는 무려 2천 213개의 층이라고 한다. 물론 여러 차례의 시뮬레이션과 테스트가 있었고 실제로 자동차 바퀴에 탑재해 시운전을 시작한다고 한다.

그렇다면 3D 프린팅 기술에 적용되는 적층가공이란 무엇일까? 우리가 흔히 사용하는 프린터는 A4지와 같은 용지 위로 좌우나 위아래로 움직이는 x축x-axis과 y축y-axis의 구조인 반면 3D 프린터는 x축과 y축 그리고 상하上下 구조의 z축z-axis이 존재하고 있다. 이러한 축을 기본으로 모델링을 하고 완성된 설계 도면을 3D 프린터에 입력한 후 출력 소스를 넣어 출력 버튼을 누르면 아무것도 없는 바닥에서부터 서서히 재료들이 쌓인다.

뿌려지는 출력소스를 빛이나 공기를 통해 굳히는 경우들도 존재한다. 이렇게 쌓인 소재들이 점차 형태를 만들게 되는데 도면을 구성하고 인쇄를 시작한 이후 적층 가공에 걸리는 시간도 꽤 오랜 시간이 소요되기 때문에 대량 생산을 하기엔 다소 무리가 있을 것 같다. 최근 3D 프린터가 적층 가공 하는 데 걸리는 시간은 시간당 약 3센티미터 수준이라고 한다. 그러니 어떠한 물체를 만드느냐에 따라 몇 시간에서 며칠이 소요될 수도 있겠다.

사실 부가티의 캘리퍼 제작 사례는 극히 드문 케이스에 속하지만 다른 분야에서 바라보면 3D 프린터를 이용한 사례는 너무나도 많다. 또 몇 가지 사례를 들어보자. 3D 프린팅 매거진 〈All3DP〉에서는 3D 프린터로 제작한 재미있는 제품들 쉰 개를 선보인 바 있다. 여기에서 언급된 제품군에는 진짜 사람이 올라탈 수 있는 스케이트보드와 조각칼로 섬세하게 만들어낸 듯한 보석상자, 게임을 즐길 수 있는 주사위부터 펜꽂이, 열쇠고리, 옷걸이까지 매우 다양했다.

가루가 아니라 액체를 뿌리면서 만들어내는 3D 프린터도 있다. '광경화성'이라고 해서 빛을 받으면 그대로 굳어지는 경우를 말하는데 3D 프린팅 업계에서는 이러한 방식은 'SLA stereo lithography apparatus 3D 프린팅 기술'이라고 한다. SLA는 액체 원료에 UV 레이저와 같은 빛을 쏘아 광경화하는 형태를 의미한다.

독일계의 글로벌 종합화학회사인 바스프BASF는 중국의 3D 프린팅 전문 기업인 '프리즘랩Prismlab'에 투자를 진행했다. 인쇄 속도가 빠르고 정밀하게 출력하면서도 비용이 낮은 것이 특징인데 이곳 역시 이러한 SLA 방식에 특허를 보유하고 있다. 바스프는 프리즘랩의 기술력을 통해 의료용에 활용한다고 한다. 눈에 보이지 않는 교정기나 보형물 그리고 의학계 인재 양성을 위한 교육용 자료나 해부학 모델과 같은 경우 등 다양하게 사용될 수 있을 것 같다.

이처럼 의학 분야는 3D 프린팅 기술이 활발하게 사용되고 있는 분야이기도 하다. 서울성모병원의 경우 3D 프린팅 기술이 접목된 임상센터를 오픈하고 안면기형이 있는 환자들을 위해 얼굴뼈를 만들어 생체 이식을 시도하기도 했다. 본래의 보형물 대신 3D 프린팅 기술로 만든 결과물은 환자의 뼈가 다시 자라날 수 있도록 구현되었으며 이식된 보형물은 점차 분해된다고 한다.

환자의 상처 위로 3D 프린터의 출력물이 인쇄되어 치료 목적으로 사용되는 경우도 있다. 이러한 케이스를 통한다면 화상을 입은 환자들에게 매우 유용할 듯하다. 3D 바이오 프린팅 기업인 미국의 오가노보Organovo는 글로벌 코스메틱 기업인 로레알L'Oreal과 함께 인공 피부 세포 조직 개발에 뛰어들기도 했다. 오가노보는 미국 샌디에이고에 위치한 3D 바이오 프린팅 기술의 전문 기업이자 스타트업이다.

"두바이 건물 4개 중 1개는 3D 프린팅으로 세워질 것"

두바이는 우뚝 솟은 마천루들이 즐비한 것으로 유명한 도시로, 지금도 여전히 개발이 진행되고 있다. 바다와 사막 위로 버즈 칼리파Burj Khalifa와 같이 세계에서 가장 높은 빌딩이 지어져 화제가 되기도 했고 이후 중동 지역의 랜드마크로 자리했다. 이처럼 두바이는 여전히 높은 건물들을 세우고 있다.

아랍에미레이트UAE의 부총리는 두바이 건물 중 25퍼센트는 3D 프린팅 기술을 접목해 건립하게 될 것이라고 이야기했다. 이는 두바이 3D 프린팅 전략Dubai 3D Printing Strategy의 일환으로 2030년까지 모든 건물의 4분의 1만큼에 3D 기술을 이용하겠다는 것이다. 두바이는 먼 미래에 우리가 살게 될 집이나 도시, 자동차, 심지어 우리가 입고 있는 옷이나 먹는 음식 모두 3D 프린팅 기술이 꽤 많은 영역을 차지하게 될 것이라고 했다. 환경적으로 봐도 건물을 세우는데 있어 발생되는 폐기물과 인력도 줄이게 될 수 있기 때문에 비용적인 측면으로 봐도 우수하다는 것이다.

두바이가 예상하는 3D 프린팅 기술의 가치는 2025년 약 30억 디르함으로 내다봤다. 30억 디르함은 미국 달러로 환산하면 8억 달러에 이르고 원화로 하면 9천억 원이다. 하지만 전 세계로 뻗어나가게 되면 그 가치는 더욱 달라진다. 앞서 언급한 생활용품, 의학, 건물에 이르기까지 다양한 산업 분야에 수많은 제품들이 지속적으로 개발되면 글로벌 3D 프린팅 시장은 2020년 약 1천 200억 달러, 2025년이면 3천억 달러로 예상되며 이미 미국과 일본, 독일, 영국 등 어마어마한 예산을 지원하고 있다고 한다.

몇 년 전만 해도 3D 프린팅 기술이 만들어내는 결과물은 제한적이었다. 또한 생산 속도가 느리고 단가 역시 높았었는데 이는 점차 보완되고 있고 분야 역시 확장되고 있는 상황이다. 그만큼 잠재력이 높으면서 그 잠재력을 깨우면 3D 프린팅 기술을 활용한 산업 인프라 조성이 가능하다는 것이다. 미국도 독일도 3D 프린팅 기술을 융합하여 생산 과정의 자동화와 최적화가 가능한 스마트 팩토리를 추진 중이라고 한다.

NASA는 오리온이라 불리는 우주선을 제작하는 데 3D 프린팅 기술을 접목시켜 약 100개 이상의 소재나 부품을 만들 것이라고 했다. 이 우주선은 실제로 2020년대에 가까운 소행성, 2030년대에는 화성으로 떠날 계획을 갖고 있다. NASA는 3D 프린팅 기술을 활용한 재미있는 대회를 2014년부터 개최하고 있는데, 이른바 우주에서 비행사들이 살 수 있는 기지를 설계하는 것이다. 어마어마한 건설 중장비나 기계 하나 없이 우주에서 조달한 재료를 활용해 온전히 3D 프린터로 기지를 만들면 성공이다. 우주라는 환경에서 일어날 수 있는 반응에 대비해야 하고 내구성, 강도 등도 탄탄해야 하겠다. 2019년 '3D 프린팅 우주 기지 경연대회'에서는 미국 뉴욕의 '서치플러스SEArch+'와 러시아의 '아피스코어Apis Cor'가 중간평가에서 우승을 차지하기도 했다. 아피스코어의 경우 건설 현장에서 건물 전체를 3D 프린터를 이용해 인쇄할 수 있다고 한다. 실제로 2018년 단 24시간 동안 집 한 채를 구현했다고 하니 놀랍다.

우후죽순 늘어나는 자격증…
3D 프린팅 산업의 잠재력은?

우리나라 정부도 '3D 프린팅 산업 진흥 기본계획'을 마련해 3D 프린팅 시장 수요 창출은 물론 경쟁력 확보, 산업 확산을 위해 박차를 가하고 있는 중이다. 정부부처가 발표한 자료에 따르면 2017년 3D 프린팅 세계 시장 규모는 약 73억 수준이라고 했지만 2023년까지 273억 달러로 급성장하게 될 것이라고 했다. 기술력을 보유하고 있는 나라 중 미국과 독일은 범접할 수 없는 수준이다.

우리나라의 경우는 국가별 시장 점유율의 약 4퍼센트 수준으로 전체 국가 중 여덟 번째 수준이라고 한다. 그만큼 글로벌한 기업들은 이미 잠재력을 넘어 확장성과 미래 가능성을 보고 지속적으로 예산을 투입하고 있다는 것이다. 국내에서는 광주과학기술원, 한국건설생활환경시험연구원 등에서도 3D 프린팅을 이용한 모델링과 안전장치 등을 개발한 바 있고 과거와 달리 시장 규모나 기업들의 지원 역시 확대되었거나 크게 증가하기도 했다. 3D 프린팅 마스터나 3D 프린터 조립 전문가, 개발 산업기사, 운용사 등의 국가공인 및 민간 자격증도 우후죽순 늘어났다.

우리나라는 2019년부터 국방, 의료, 항공 등 수요가 많은 산업 분야의 3D 프린팅 기술 개발과 실증 사업 등에 지속적으로 지원하겠다고 밝혔고 자동차, 기계 등 특화된 기술이 필요한 분야에도 개발을 시작할 예정이라고 했다. 더불어 글로벌 전문기업과 같이 국내 중소기업들의 잠재력과 가능성을 키우고자 컨설팅 지원도 아끼지 않을 전망이다.

넷플릭스 전용으로 상영되었던 영화 〈클로버필드: 패러독스The Cloverfield Paradox〉를 보면 우주선 내에서 3D 프린팅을 이용해 베이글을 먹거나 필요한 장비를 출력하는 장면들이 등장한다. 등장인물 중 하나가 이를 이용해 권총을 인쇄하는 장면이 나왔고 실제 총탄을 장착해 누군가를 위협했다. 이처럼 이론적으론 무엇이든 만들어낼 수 있는 마법 같은 장비다. 현실적으로도 크게 불가능한 것은 없는 듯하니 권총 하나쯤은 완벽한 설계도면과 출력 소스만 있으면 누구나 손에 쥘 수 있는 시대가 되어버렸다.

2013년 〈포브스〉에서도 3D 프린터로 권총을 만들어냈다는 기사가 실리기도 했다. 이 말은 3D 프린팅 기술이 우리 산업에 필요한 무언가를 만들어줄 수 있는 마법사인 반면 권총이나 예리한 칼을 만드는 것처럼 악용될 수 있는 여지가 있어 '양날의 검'이 될 수도 있다는 것을 일깨워준다. 악용될 수 있는 사례들을 모아 제도적인 규제와 법이 올바르게 시행되어야 하고 불법적으로 쓰이지 않도록 경계할 필요도 있겠다. 우리나라를 넘어 전 세계적으로 투자가 끊이지 않는 분야이기 때문에 멀지 않은 미래에 인류는 3D 프린터의 혁명을 일상생활에서 느낄 수 있게 될 것이다.

3D 프린터가 생기면서 이미 다양한 산업분야에서 이를 활용하고 있다. 이미 예상한 것보다 훨씬 많은 산업 환경에서 그 결과물을 확인할 수도 있다. 영화에서 볼법한 장면들도 딱히 이상하지 않은 현실이다. 이론적으로 설계도면과 출력소스만 있으면 가능한 것이니 무엇이든 만들어낼 수 있는 궁극의 기계가 아닌가. 단순한 모형이 아니라 섬세하게

이뤄진 '작품'도 생산할 수 있고 자동차의 부품이 되는 '캘리퍼'도 만드는 시대가 되었으며 이를 우주선의 부품으로도 활용할 수 있다는 점에서 3D 프린터는 마법과도 같은 것이다.

이미 언론에서 이야기하고 전문적인 리서치 기업들이 예상한 것처럼 3D 프린팅 산업 환경과 관련 시장은 앞으로 10년 뒤 더욱 성장하게 될 전망이다. 그간 무겁고 비쌌던 소재들도 3D 프린터를 활용해 단가는 낮추고 무게도 줄일 수 있게 되니 쓰지 않을 이유가 없다. 홍콩에 존재하는 HSBC 은행은 영국의 유명 건축가인 노먼 포스터가 설계했다고 하는데 강철과 유리로 건설해 당시 가장 비싼 건축물이라고 했다. 하이테크 양식의 이 건물의 부품들을 외국에서 수입한 케이스도 있지만 3D 프린터가 있었다면 또 어떻게 달라졌을까? 심지어 거대한 대리석도 3D 프린팅 기술이라면 조금씩 깎아내 원하는 형태를 만들 수 있는 수준에 있지 않은가? 두바이의 건축 프로젝트처럼 향후 10년 뒤 건설업에서도 3D 프린팅 기술이 적용될 가능성이 농후하다. 우주선이나 자동차의 부품도 만드는 세상, 그리고 건설업에도 적용될 전망이니 이제 이 마법 같은 존재를 어느 분야에서 '올바르게' 쓰일 수 있게 될지 고민해봐도 좋을 것 같다.

13

세상이 바뀐다 해도 배달 음식은 살아남는다

일자리 전망 '어떻게 먹을 것인가'부터 '무엇을 먹을 것인가'까지

미래의 먹거리를 연구한다는 것은 무슨 의미일까? 식당은 물론 편의점, 마트에만 가도 먹을 것이 널려 있는데 미래를 위한 먹거리를 대비하기 위해 연구를 한다는 것 자체를 매우 의아해할 수 있을 것 같다. 하지만 지구상에는 100억 명이나 되는 인구가 존재하게 될 전망이고 그렇다면 먹거리에 대한 문제는 심각해질 수 있다.

더구나 100세 시대에 접어들면서 우리는 건강과 친환경에 대해 더욱 관심을 갖게 되었다. 몇 년 전만 해도 웰빙 시대라고 하면서 샐러드를 비롯한 건강음식을 소비하는 트렌드도 있었다. 일부 식당에서는 콩으로 요리한 고기를 판매하기도 했다. 지금은 유튜버들의 '먹방'이 트렌드로 자리 잡으며 기름진 음식을 잔뜩 먹는 대식가에 대한 관심이 높아졌다고 하지만, 30년이 지난 미래에도 과연 그럴까?

뉴질랜드는 매우 청정한 나라였지만 낙농업으로 인한 수질오염으로 인해 골머리를 앓고 있다. 환경오염이 지속되면 먹이사슬의 상위에 있는 인간에게 돌아오는 먹거리는 줄어들 수밖에 없다. 그러한 이유에서라도 푸드테크는 미래를 위해 매우 중요한 분야로 부각될 것이다.

푸드테크 분야는 현존하는 먹거리의 대안을 찾는 것, 건강한 음식을 제공하기 위한 식재료를 연구하는 것, 친환경 낙농업 기술, 레스토랑과 사용자를 잇는 기술 등 역시 다양한 분야를 포괄하고 있다. 무엇보다 인류에게 먹거리는 결코 사라질 수 없는 존재이기에 미래의 먹거리를 연구하는 직군 자체도 새롭게 늘어날 수 있을 것이다.

다양한 음식을 편리하게 소비할 수 있는 창구는 어느 정도 마련되어 자리 잡은 상태다. '배달의민족'의 경우 2019년 4월 월간 사용자 1천만 명을 넘어섰다. 주문건수만 해도 약 3천만 건이라고 한다. '푸드플라이'나 '요기요', 심지어 '우버 이츠'도 경쟁 시장에 뛰어들어 소비자들을 유혹한다. 소비자들의 지갑을 열기 위한 마케팅 역시 공격적인 편이다. 보통 '펀슈머fun-sumer' 마케팅이라고 하는데 제품이나 브랜드를 선택하는데 있어 맛도 중요하지만 재미와 즐거움을 동시에 선택하는 경우들이 있고 이러한 마케팅을 SNS 등을 통해 전파하는 사례들도 생겼다. 대표적인 것은 '배달의민족'이 꾸준히 밀고 있는 '배민신춘문예' 같은 것이다.

푸드테크 정보를 제공하는 온라인 매체 〈더 스푼the spoon〉에서는 푸드 테크놀로지를 지향하는 업체들을 소개한 바 있다. 음식물 쓰레기를 줄이고 유통기한은 연장시키면서 충분한 신선함을 제공하는 이필Apeel 이라는 기업이나 IBM과 파트너십을 맺고 빅데이터를 기반으로 새로운 향미료를 연구하는 맥코믹McCormick 같은 곳이 이에 속한다. 맥코믹의 경우 100년의 전통을 자랑하는 곳인데 오랜 역사와 경험을 바탕으로 미래를 준비하고 있는 셈이다. 아마존 역시 아마존고Amazon Go라는 프랜차이즈 사업을 통해 소비자를 공략하고 있는데 소비자가 원하는 식사 키트를 로봇으로 배송할 예정이라고 한다. 아마존과 같은 거대기업들도 푸드 테크에 뛰어든 셈이니 인류에게 있어 먹거리는 매우 필수적인 것이며 푸드테크는 미래를 위해 반드시 준비해야 할 분야라 하겠다.

미래 키워드 식재료는 물론 배달, 외식도 '푸드테크'의 영역

푸드테크는 말 그대로 식품food과 기술technology이라는 키워드를 합쳐 만든 단어다. 식품, 식재료, 먹거리와 관련된 모든 산업 분야에 식품과 관련된 테크놀로지를 적용해 새로운 시장을 개척한다는 개념의 신기술이다. 지금 우리 식탁에 올라오는 먹거리들의 신선도를 유지하거나 새로운 먹거리를 창출, 지금까지 경험해왔던 음식들을 대체하는 기술을 모두 포함하고 있으며 이로 인해 식량 문제와 환경 문제를 극복하고 부가가치를 창출하는 데 그 목적을 두고 있다. 배달음식, 외식산업,

정밀농업에 이르기까지 다양한 산업분야에도 적용되고 있고 지속적으로 연구, 개발, 투자가 이뤄지고 있는 기술이다.

온라인으로 주문하고, 오프라인으로 배달받고

인간이 생활하는 데 있어 가장 중요한 역할을 하는 것은 바로 의식주다. '의복'의 경우 과거에는 모두 한복을 입었지만 서양문물이 들어오면서 양복과 같은 정장을 입게 되었고 트렌드가 변화하면서 정장은 물론 청바지, 스웨터 등 수많은 종류의 옷들이 탄생했다. 각자의 스타일이나 상황에 맞게 옷을 입고 생활하지만 패션 트렌드라는 것은 간과할 수도 무시할 수도 없는 수준이 되었다. 그렇다면 우리가 살고 있는 집은 어떨까? 최근에는 아파트나 빌라와 같은 공동주택이 우후죽순 늘어났고 단독주택이라 하더라도 모두 서양식의 '양옥洋屋'이 주를 이루고 있는 상황이다. 한옥집의 스타일과 서양식의 디자인을 아주 아름답게 접목시킨 인테리어가 각광을 받는 것은 전통적인 느낌을 되살리면서도 모던한 느낌을 주기 때문인지도 모르겠다.

오늘날 우리의 음식 문화 역시 매우 크게 달라졌다. 쌀밥과 따끈한 국 그리고 발효가 잘된 김치만 있어도 밥을 먹던 시절이 있었겠지만 외국의 음식 문화가 들어오게 되면서 커피, 피자, 햄버거를 먹는 소비 형태에도 충분히 익숙해진 상태다. 사실 먹을거리는 넘쳐난다. 사람마다 음식에 대한 호불호는 분명하겠지만 회사 주변 어디를 가도 한식, 양식, 일식 등 천차만별의 음식점이 즐비하다. 다만 어떠한 방식을 통해 음식을 마주하게 되는지, 그 소비 형태의 변화는 매우 크게 달라졌다.

아이를 키우는 집이라면 이유식을 만들기 위해 얼마나 많은 정성이 들어가는지 알 것이다. 깨끗하게 씻은 재료를 단정하게 손질하고 아이가 잘 먹고 잘 소화시킬 수 있도록 시간과 노력을 쏟아붓는다. 그런데 트렌드가 변화하면서 이미 만들어진 이유식을 주문하는 경우도 꽤 있다. 흔히 말해 'O2O 서비스Online to Offline'라고 하는데 단순하게 이야기하면 이는 '온라인Online과 오프라인Offline이 결합되어 있는 형태'를 말한다. 이유식과 같이 음식을 주문해 문 앞에서 받아보는 형태 역시 O2O의 전형적인 사례라고 할 수 있다.

누구나 손에 쥐고 있는 스마트폰에서 애플리케이션을 다운로드 받아 백화점식으로 배열되어 있는 상품을 고르고 결제를 한다. 상품 선택과 주문, 결제는 온라인 기반의 시스템 상에서 모두 완료되지만 실제 상품은 다시 유통과 배송 작업 등 오프라인 절차를 걸쳐 상품을 요청한 사람에게 전달된다. 이렇게 온라인에서 오프라인으로 물품 구매가 가능해진 상태고 지금은 누구나 이를 이용한다. 과거에는 마트에서 물건을 고르고 백화점에서 상품을 사는 오프라인 기반의 소비 형태가 대다수였지만 이젠 달라졌다.

사실 음식을 파는 식당이나 의류를 파는 상점 모두 오프라인에 존재한다. 이들은 소비자들을 매장으로 이끌기 위한 공격적인 마케팅에 열을 올린다. 기본적으로 상점을 꾸미고 마케팅을 위한 비용을 소비하지만 실제 수익과 바로 연결될 수는 없다. 그만큼 투자 대비 이익을 뽑아내기가 쉽지 않다는 것이다. 그런 면에서 O2O 서비스는 이러한 투자 비용을 줄일 수 있어 판매자에게 매우 매력적이고 이 비용을 오히려 상품의 퀄리티를 높이고 저렴하게 공급할 수 있는 용도로 활용할 수 있게 되니 소비자에게도 이득인 셈이다.

O2O 서비스는 티몬이나 쿠팡 같은 소셜커머스social commerce가 나타나면서 더욱 활활 타올랐다. 상품 구매를 원하는 사람들이 하나 둘씩 모여 어느 정도 수준을 넘어서면 본래의 가격에서 할인율이 적용되는 경우들이 있는데 이처럼 공동구매 형태의 비즈니스 모델이 소셜커머스를 키운 셈이다. 페이스북이나 트위터와 같은 소셜미디어를 통해 상품에 대한 이야기들이 전파되어 입소문을 타면 있는 그대로 마케팅 효과를 볼 수 있다. 판매자는 상품을 판매함으로서 수익을 얻고 소셜커머스 플랫폼은 소비자와 판매자를 잇는 중개가 역할이니 중개 수수료를 갖게 된다.

시간이 지나면서 소셜커머스라는 키워드 자체도 이제 어느 정도 퇴색이 되었다. 쿠팡이나 위메프도 태생은 소셜커머스이지만 지금은 11번가, G마켓과 어깨를 나란히 하는 우리나라의 대표적인 온라인 쇼핑 사이트가 되었다. 쿠팡의 경우, 일본 소프트뱅크의 투자를 받으면서 더욱 몸집을 키웠다. 이렇게 쿠팡이 승승장구 하는 동안에도 모바일 애플리케이션의 변화는 지속되었다.

맛있는 음식을 어디에서나 먹을 수 있다는 것

쿠팡은 2010년 8월 오픈하여 꽤 오랜 시간 위기와 기회를 모두 맞이했다. 모든 비즈니스라는 것이 그러하듯 쿠팡 역시 적자 속의 위기가 있었지만 소프트뱅크의 시선은 달랐고 약 20억 달러의 투자가 이어지기도 했다.

2010년 6월에는 쇼핑 사이트와 전혀 성격이 다른 배달앱이 출시되었다. '배달의민족'이라는 배달 전문 애플리케이션은 엄청난 화제가 되었고 이 곳 역시 TV CF 등 공격적인 마케팅을 진행하면서 사용자를 늘려갔다. 과거 우리가 어땠는지 생각해보면 배달의민족은 그야말로 발상의 전환이다.

과거 필자는 이삿짐센터에서 잠시 아르바이트를 했었다. 무거운 이삿짐을 옮겨 나르는 데 가장 중요한 것은 단순함 힘이 아닌 노련함이다. 나이 드신 분들의 경륜은 결코 무시할 수 없다. '금강산도 식후경'이라며 점심시간에 먹던 자장면이 생각난다. 보통 전화를 통해 이런 배달 음식을 주문하곤 했었는데 이제 우리는 전화가 아니라 애플리케이션을 이용한다. 모바일을 통한 식사 주문은 트렌드 변화에 따른 매우 당연한 소비습관이 되어버린 것이다.

배달의민족이나 요기요, 푸드플라이 같은 배달 서비스는 맛있는 음식들을 어디에서나 먹을 수 있도록 해준다. 우리에게 음식은 하루를 살아가는데 있어 얼마나 중요한가? 그것은 인류가 살았던 과거에도, 우리가 살고 있는 현재에도, 우리가 맞이하게 될 미래라는 시간 속에서도 매우 중요한 문제다.

그래서 탄생한 키워드가 바로 푸드테크다. 말 그대로 식품과 기술이라는 영단어를 합쳐서 만들어진 키워드이지만 이 안에는 앞서 언급했던 O2O 서비스나 배달 앱과 같은 서비스들도 존재할 수 있다. 푸드테크라는 키워드 자체가 워낙 포괄적이라 식품과 관련된 산업분야라면 모두 아울러 표현해볼 수 있을 것 같다. 식품의 생산이나 대체 식품은 물론 외식 산업, 배달 서비스, 친환경 문제까지도 푸드테크에서 다룬다.

그렇다면 푸드테크의 의미는 무엇인가? 인류가 4차 산업혁명으로 진입하면서 드러나고 있는 주변의 신기술, 이를테면 빅데이터나 로봇과 같은 기술력들이 식품 분야와 결합하면서 생길 수 있는 새로운 비즈니스 모델이라고도 한다. 예를 들어 새로운 식재료의 개발과 제품의 설계, 로봇에 의한 식품 생산, 식품들의 원활한 유통과 공급, 이를 구매하는 소비자들의 성향 등 기존의 트렌드를 조금씩 바꾸어 혁신을 이루게 되는 것이다.

이와 더불어 배달을 전문으로 하는 식품 유통 회사나 배달 서비스, 식당을 예약하거나 리뷰를 남길 수 있는 플랫폼도 푸드테크라는 테두리 안에서 언급될 수 있다. 영국의 한 푸드 매거진에서도 이와 유사한 언급을 했다. "푸드테크는 재료의 생산, 운송과 저장, 식재료의 가공, 식품 마케팅과 유통, 소비 그리고 폐기에 이르기까지 공급자 위치에 있는 농장이나 공장에서부터 소비자 위치에 있는 가정이나 식당을 전체적으로 잇는 사슬구조의 혁신"이라는 것이다.

'식물성 재료만으로 버거를 만들 수 없을까?'

기본적으로 푸드테크라는 범주 안에서 생산과 유통에 포함되는 과정에 팜봇farm bot이나 자동화 로봇 같은 기계가 투입될 수 있겠다. 물론 대량으로 생산하는 공장에서 이러한 로봇의 배치는 필수적이다. 식품의 생산성과 효율성을 높이고 비용을 절감시키면서도 양질의 제품을 제공하는 것이니 공급자, 소비자 모두 충분히 납득할만하다.

이는 우리가 푸드테크라는 키워드를 들었을 때 바로 상상할 수 있는 부분일 것 같다. 하지만 푸드테크의 기본 중 하나는 고령화 사회와 인구 증가율의 지속으로 인한 식량 해결에 대한 이슈다. UN에서는 2050년 전세계 인구는 약 97억 명에 이를 것이라고 예상했다. 2030년 85억, 2100년이 되면 무려 112억 명이라고 예측하면서 식량 문제에 대한 이슈도 끊임없이 나오고 있는 상황이다.

자, 그렇다면 푸드테크가 어떻게 해결할 수 있을까? 본래 육류를 좋아하던 사람이 바로 야채만 섭취할 수도 없고 알레르기가 있는 사람들이나 중증환자들, 치아가 약한 실버세대, 소화력이 약한 아이들을 모두 고려해야 할 것이다.

한 가지 사례를 들어보자. 푸드테크 제품이라고 하면 보통 콩으로 만든 고기처럼 가짜고기fake meat를 이야기해볼 수 있다. 구글이 인수를 제안했지만 인수 가격이 너무 적다고 하면서 이를 거절한 미국의 푸드테크 기업이 있다. 식물로 고기를 만들어 100퍼센트 식물성 고기 패티를 만들어내는 '임파서블 푸드Impossible Food'가 바로 그곳이다. 2011년 설립된 이 회사는 많은 벤처투자사VC로부터 여러 차례 투자를 받기도 했다. 진짜 고기로 패티를 만들지 않았음에도 진짜 고기를 먹는 듯한 느낌을 줄 수 있다는 것 자체가 혁신인 셈이다. 또한 완두콩, 코코넛 오일 등을 이용해 재료를 만들어 식물을 기본으로 하고 있으니 육류를 대체할 수 있는 대체식품으로도 매우 훌륭한 위치를 확보한 것이다.

세계적으로 유명한 패스트푸드 업체인 버거킹은 그간 소고기 패티를 넣은 와퍼를 제공해왔는데 임파서블 푸드와 만나면서 식물성 버거인 '임파서블 와퍼'를 출시하기도 했다. 칼로리와 콜레스테롤은 낮고 트랜스지방도 없으며 고기 섭취 대신 식물성 원료를 소화시키는 것이니 매우 건강하다는 느낌을 준다. 이렇게 되면 고기를 대체할 수 있는 대체식품이 될 뿐 아니라 온실가스 감축 효과도 있어 환경에도 도움을 준다. 보통 축산업이 세계 온실가스의 50퍼센트 이상 방출된다고 알려져 있고 인류가 소비하는 물 역시 가축을 기르는 데 대량으로 사용되곤 한다.

프랑스 파리에 위치한 디지털푸드랩Digital FoodLab은 유럽 최초의 푸드 테크 플랫폼으로 알려져 있다. 이곳에서는 프랑스의 푸드테크 산업이 지속적으로 확대되고 있다고 언급한 바 있다. 푸드 테크의 활성화를 위해 지속적으로 투자하고 있고 그 결과 푸드테크의 스타트를 끊었던 2013년과 비교하면 투자액도, 푸드테크 분야도 모두 두 배 이상 성장했다고 한다. 우리나라와 같이 배달 서비스가 각광을 받고 있고 식당을 예약하는 플랫폼이나 새로운 식품을 개발하는 형태에 투자가 이뤄지고 있는 상황이다. 앞서 언급한 것처럼 콩으로 만든 고기나 채소를 원료로 하는 식품들에 대한 끊임없는 개발로 친환경적이고 건강한 상품을 개발 그리고 공급하는데 집중하고 있는 추세다.

다우존스 그룹 산하의 미디어그룹인 주식회사 마켓워치market watch의 보고서에 따르면 푸드테크 시장은 2018년 약 3억 5천만 달러 수준이며, 지속적으로 성장해 2025년이 되면 무려 1천 500억 달러 수준이 될 것이라고 한다. 그도 그럴 것이 인구는 점차 늘어나고 있고 고령화가 지속되고 있으며 인구 증가율에 따라 식품 소비 역시 증가할 수밖에 없다. 아무리 먼 미래라고 해도 식품이 사라질 일은 없겠지만 2050년 100억 명에 달하는 인류의 먹거리를 위해서라면 생산량, 수확량이 뒷받침되어야 하겠다.

팜봇을 이용한 정밀농업이나 로봇을 활용한 식품 생산 등은 푸드테크 하위에 존재하는 '어그테크agtech'라는 키워드에 포함될 수 있는데, 어그테크란 말 그대로 농업agriculture과 기술technology을 합쳐 만들어진 단어다. 이 안에서는 정밀농업, 대체식품, 생명공학 기술 등 언급해볼 수 있는데 로봇과 ICT 기술을 접목시켜 양질의 재료를 대량으로 생산하게 되고 비용도 절감하면서 친환경적으로 접근할 수 있기 때문에 이 시장 역시 점차 확대될 것으로 보인다.

구글벤처스도 어그테크 분야에 약 1천 500만 달러를 투자하기도 했다. 이렇게 보면 농업이라는 것 자체가 더 이상 사양산업이 아니라 곧 있을 미래에 반드시 필요한 필수적인 산업이면서 꽤 유망한 산업이 될 수도 있을 것이다.

우리 세대의 건강뿐 아니라 우리의 후손들에게 이어질 친환경을 고려하면 푸드테크의 지속적인 연구와 기업들의 참여와 경쟁은 매우 긍정적이라고 여겨진다. 앞으로 10년 뒤에도 인류는 똑같이 식사를 하게 될 것이다. 그리고 20년이 지나고 '미래'라는 순간이 도래하게 되면 식탁에 올라오는 먹거리들은 크게 달라질 것이다. 이것이야말로 매우 큰 변화가 아닐까? 결국에는 이 분야에 있어 아니 이 분야를 중심으로 또 다른 산업혁명을 맞이하게 될지도 모르겠다. 지금도 그러하지만 미래에도 먹거리는 너무나도 중요하다.

그렇다. 2030년, 2040년 아니 그보다 먼 미래에도 인류에게 먹거리는 반드시 필요하다. 집이나 옷이 없어도 살 수 있지만 인류에게 있어 '먹을 것'은 매우 필연적인 요소다. UN 보고서에서도 언급했듯 2030년 지구의 인구는 약 85억 명에 이른다. 현존하는 인류에게 먹거리는 어느 정도 충분하다고 볼 수 있겠으나 향후 10년 뒤 그리고 지구상에 100억 명 이상의 인구가 존재하게 될 먼 미래에 먹거리 고갈에 대한 문제는 매우 심각할 수밖에 없다.

건강이나 친환경을 위한 대체식품을 연구하고 있거나 실제 우리 식탁에 놓이고 있지만 대체식품의 궁극적인 존재 이유는 식품 고갈에 대한 문제일 수도 있다. 미래를 배경으로 한 SF 영화에서도 '대체식품'으로 끼니를 때우는 경우들을 볼 수 있었다. 지금처럼 식전 빵부터 메인 식사까지 나오는 경우도 없었고 우리나라에서 흔히 있을 법한 품격 있는 '한 상 차림'도 없었다. 그게 무엇이든 먹을 수 있는 것이라면 모두 소중했다.

먹거리는 먼 미래에서도 매우 중요하다. 지금도 활발하게 연구 중인 푸드테크 분야는 여기서 언급한 내용 이외에도 꽤 광범위한 편이다. 썩지 않는 식재료를 연구 중이기도 하고 시들지 않는 과일이나 채소의 신선도 유지에 대한 연구도 지속되고 있다. 수많은 인류에게 공급하게 될 그리고 결코 고갈되지 않을 식재료를 연구하고 개발하는 것은 배고픔을 채우기 위한 단순한 '먹거리'를 떠나 인류의 건강과 친환경, 지구 보존이라는 측면에서도 매우 중요하다는 것을 지금 우리 세대가 다음 세대들에게 꾸준히 일깨워주어야 할 것이다.

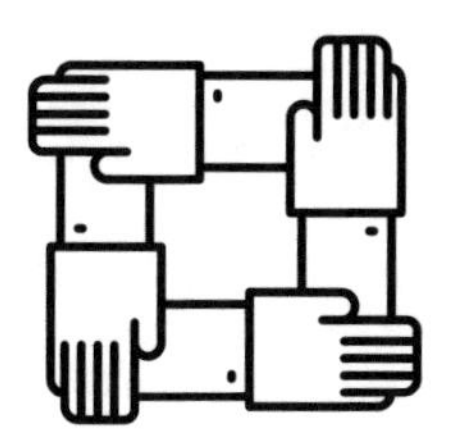

14

안경만큼이나 일상품이 될 웨어러블 디바이스

일자리 전망 피트니스 트래커부터 아이언맨 슈트까지

웨어러블wearable 디바이스는 단순한 피트니스 트래커fitness tracker의 성격을 벗어난 지 오래다. 샤오미의 미밴드 1세대 역시 걸음 수나 수면을 측정해 애플리케이션과 연동하는 피트니스 트래커였으나 시간이 지나면서 걸음 수의 효과를 세분화해 측정하고 심박 수도 체크할 수 있도록 했다. 이렇게 보면 본 글에서 언급한 것처럼 웨어러블의 기능이 헬스케어와 전혀 무관하지 않는 것으로 보인다.

병원에 가지 않아도, 굳이 고가의 장비를 활용하지 않아도 웨어러블 하나로 간편하게 만성질환의 정도를 측정하고 이에 대응할 수 있다는 것은 꽤 매력적이다. 그러나 웨어러블의 한계는 여기에서 그치지 않는다. ETRI한국전자통신연구원의 연구원이 공동 집필한 《청소년이 꼭 알아야 할 IT 미래직업》에서 웨어러블 공학자가 언급되기도 했다. 웨어러블은 헬스케어 분야와 더불어 사물인터넷이나 증강인간 기술에도 충분히 접목될 수 있으며 감히 말해 아이언맨의 슈트와 같은 형태 또한 웨어러블에 포함된다고 할 수 있다.

웨어러블 공학자에 의한 웨어러블 기술력이 진화되면 사실 이 분야의 잠재력도 무궁무진할 수 있겠다. 인간의 능력을 배가시켜줄 수 있는 웨어러블 로봇이나 VR에 활용되고 있는 HMD 장비를 대신할 수 있는 콘택트렌즈 등이 그러한 경우다. 간혹 영화 속에서 사람들이 지니고 있는 신분증을 생체 조직처럼 '삽입'을 하는 케이스들이 있는데 다소 거부감이 있긴 하지만 아주 불가능한 이야기도 아니다.

결국에 웨어러블이라는 개념이 이를 포괄하고 있기 때문이다. 이제는 웨어러블 디바이스와 연결되는 직관적인 애플리케이션으로 진화가 필요한 때이고 무엇보다 저전력이나 태양광과 같은 효율적인 에너지를 활용할 수 있어야 한다. 웨어러블은 이미 웨어러블의 한계를 벗어났으며 그 한계를 넘어 진화하고 있다 해도 과언이 아니다.

미래 키워드 내 몸에 입는 전자장치, 웨어러블

웨어러블이란 '착용이 가능한' 디바이스를 뜻한다. 시계처럼 생긴 스마트 워치smart watch나 피트니스 트래커가 가장 보편적이지만 착용하는 방법과 형태는 매우 다양한 편이다. 휴대라는 개념보다 입거나 부착한다는 의미로 보면 의류나 신발이 될 수도 있다. 사용자의 운동량을 측정해주는 경우들도 있고 신체의 변화나 질환에 대한 수치를 제공하는 헬스케어 웨어러블도 존재한다.

인류의 첫 번째 웨어러블, 시계의 탄생

사람은 태어나면서 아무 것도 걸치지 않고 세상과 마주한다. 누구나 그러하다. 세월이 흐르고 나이를 먹으면서 안경을 쓰거나 시간을 확인하기 위한 시계를 지니거나 차고 다니는 경우들이 생겼다. 어렸을 때만 해도 디지털로 구현된 전자시계가 마냥 부러웠다. 초 단위까지 정확하게 보여줄 뿐 아니라 원하는 시간에 알람을 지정할 수도 있고 타이머 설정도 가능해졌으니 작은 기계 안에서 작동하는 기능들이 매우 편리하게 느껴졌다. 그런데 어디 그뿐인가? 물에 들어가도 아무런 문제없었던 '방수 기능waterproof function'이나 어두운 밤에도 야광이라든지 작은 불빛이 켜지는 기능도 있었다. 국내 기업인 한독 시계 사업부에서 1984년 런칭한 돌핀 시계는 이 모든 것을 탑재했고 당시에 엄청난 인기를 모았으며 일본의 카시오나 미국의 타이멕스 시계 제품과 어깨를 나란히 하기도 했다. 모바일 시대에 접어들면서 스마트폰은 남녀노소 구분 없이 거의 모든 국민들이 사용하기에 이르러 손목시계는 패션을 완성하는 액세서리처럼 변해가고 있다.

시간을 알려주는 시계clock 또는 watch를 두고 '웨어러블'이라고 표현해도 되는 것일까? 사실 시계는 시각을 알려주고 시간을 재는 기계에 불과하지만 최근에는 사람을 돋보이게 해주는 '액세서리'의 역할을 하기도 한다. 고대 이집트에서도 그러했고 우리나라 조선시대에서도 세종대왕 시절에 만들어진 해시계가 존재하기도 한다. 인류가 처음 시각을 측정하기 위해 만든 장치가 바로 언급했던 '해시계'다. 태양빛으로 만들어지는 그림자를 이용해 시각을 표시하는데 그림자의 길이나 방향을 측정해 시각을 알아내는 방식이다.

인류는 기계를 맞이하게 되면서 편리한 삶을 구축하기도 했는데 시계 또한 기계식이 적용되면서 구름에 해가 가려지는 그 순간에서도 시각을 알 수 있게 되었다. 톱니바퀴와 긴 막대를 이용해 시간을 표현하는 경우인데 영국의 빅벤Big ben에 달려 있는 시계처럼 거대한 경우들이 있었다. 빅벤의 시계는 거대한 시계바늘과 시계추 등이 설치되어 있고 자명종이 달려 있어 매 15분이 되면 시간을 알리도록 종이 울리기도 했다. 무려 160년의 역사를 지닌 빅벤의 시계탑은 노후문제로 2021년까지 보수가 이뤄진다.

시계는 점차 변화했고 회중시계에 이어 손목시계처럼 휴대가 가능해졌다. 특히 스위스 제네바의 시계 기술은 매우 정교하고 예리하여 시계를 제조하는 전문적인 나라로 잘 알려져 있다. 오메가Omega나 롤렉스Rolex가 전 세계를 대표하는 스위스의 시계 브랜드다. 오랜 역사와 전통을 자랑하고 자신의 기계식 제조 기술을 고집하는 명품 브랜드라 시계 브랜드에서는 타의 추종을 불허한다.

스위스와 더불어 일본의 시계 제조 기술 역시 남다른 편인데 일본의 세이코Seiko 는 스위스 기술력과 어깨를 나란히 하고 있다는 이야기도 있다. 일본에는 세이코 이외 카시오라는 전자제품 제조 회사가 있는데 사실 카시오는 시계 뿐 아니라 전자계산기, 전자사전, 디지털카메라 등을 제조하기도 한다.

기계식에 이어 전자의 움직임으로 시간을 표시하는 전자시계가 각광을 받으면서 큰 변화가 있기도 했다. 앞서 언급한 롤렉스나 빅벤의 시계가 기계식이라고 하면 카시오와 같이 전자 장치와 액정에 의한 숫자 표시 장치로 시간을 알려주는 전자식도 있다. 단순히 시간만 알려줄 뿐 아니라 타이머와 알람 기능도 존재하고 최근에 볼 수 있는 시계들은 고도, 기압, 온도까지도 알려준다. 그럼에도 불구하고 롤렉스처럼 전통적이고 디자인면에서도 크게 변함이 없는 기계식 브랜드를 선호하는 사람들도 있고 카시오의 지샥G-Shock이나 핀란드 브랜드인 순토suunto처럼 디지털식을 좋아하는 사람들도 분명히 존재하고 있다.

디지털 시계를 선호하는 사람들에게 스마트 워치의 탄생은 매우 혁신적이었을 것이다. 디지털로 구현되는 시계들이 다양한 기능을 탑재해 선보일 뿐 아니라 디자인면에서도 '잇템꼭 필요하거나 갖고 싶은 아이템'의 수준까지 왔는데 여기에 통신도 가능하고 앱을 구동할 수 있는 시계라면 거부할 이유가 없을 것이다.

점점 치열해지는 스마트 워치 경쟁

디지털로 숫자를 구현하고 여러 가지 기능이 탑재되어 있는 시계들은 건전지만 있으면 무리 없이 작동한다. 기계식의 경우는 태엽을 감는 형태나 시계 내부의 회전 추를 이용한 진동에너지로 구동하는 경우들이 있어 배터리를 교환하지 않는 형태도 존재한다. 사실 기계식 브랜드 중 시간과 날짜를 알려주는 형태에 국한되어 있어 스마트폰을 자주 사용하는 일부 사람들에게는 오히려 패션을 위한 아이템으로서의 기능을 하고 있는지도 모르겠다. 적게는 100만원부터 수천만 원을 호가하는 명품 브랜드 시계가 등장하는 것은 그들의 전통과 역사에 대한 브랜드 가치 그리고 오랜 세월을 쓰더라도 그 시간만큼 희귀성을 발휘하기 때문이다. 명품이라는 것의 의미가 바로 그런 개념이었다.

그런데 손목시계와 함께 손목 위를 휘어 감는 또 다른 아이템들이 등장했다. 그간 현존해왔던 시계들은 스마트폰의 안착에도 불구하고 변함없이 유지되어 왔는데 스마트 워치나 피트니스 트래커 등이 탄생하면서 손목 아이템이 변모하게 되었다. 저전력으로 구동이 가능하고 스마트폰과 블루투스 등 근거리 무선 통신으로 연결이 가능하며 일상생활에서 쉽게 사용할 수 있는 착용 가능한 형태의 디바이스를 말한다. 이는 이 글에서 말하고자 하는 '웨어러블'의 궁극적인 개념이다. 웨어러블이란 말 그대로 '착용이 가능한' 그 무언가의 의미를 뜻하는데 손목에 착용하는 시계는 물론이고 반지나 안경도 포함될 수 있다. 최근에는 콘택트렌즈 중에도 웨어러블 디바이스가 등장해 인간의 몸에 '탑재'되는 범위가 꽤 넓어진 편이다.

우선 스마트워치와 피트니스 트래커를 기준으로 살펴보자. 스마트워치는 착용이 가능한 컴퓨팅 디바이스로 터치로 작동하는 스크린을 탑재해 간단한 계산은 물론 게임, 메시지 송수신 등의 기능을 활용할 수 있다. 더불어 모바일과 블루투스로 연동하게 되면서 모바일에서 운영되는 OSoperationg system, 운영체제를 활용하기도 한다. 스마트폰과 연동하고 있기에 스마트 워치의 기능도 얼마든지 추가가 가능한 편이다. 이를테면 카메라, 걸음 수를 측정하는 만보계, 심박수 측정, 기압이나 고도를 측정하는 앱, 멀티 미디어 등의 다양한 앱을 사용할 수 있다.

미국의 타이멕스TIMEX에서 개발한 데이터링크data link는 일반적인 기능을 구현함에 있어 컴퓨터와 시계를 연결할 수 있도록 했다. 여기에서 '연결'이라는 의미는 무선으로 데이터를 송수신하는 것인데 이 기능을 구현했던 시기는 1994년이었다. 아무런 저장장치도 없이 무선으로 정보를 주고받는 케이스야말로 매우 혁신적인 기술이었다. 이후 타이멕스는 무선 통신의 최강자인 미국의 퀄컴Qualcomm 그리고 AT&T과 함께 공동으로 'GPS One+'라는 제품을 개발해 본격적인 스마트 워치 시장에 뛰어들기도 했다.

2010년 전후로 제대로 만들어진 스마트워치가 선을 보이기 시작했다. 예를 들면, 삼성전자의 갤럭시 기어나 애플의 애플워치 같은 것이다. 이 두 가지만 놓고 보면 기본적으로 스마트폰과 연동되리라는 것을 짐작할 수 있을 것이다. 삼성전자의 스마트폰 갤럭시와 연동되어 안드로이드 운영체제를 활용하는 갤럭시 기어의 첫 모델은 2013년 유럽의 최대 가전 박람회인 IFA Internationale FunkAusstellung Berlin에서 처음 공개가 되었다. 갤럭시 기어는 스마트폰의 기능들을 웨어러블 기기에서 어느 정도 활용할 수 있도록 구현했고 음성으로 명령할 수 있는 기능도 삽입했다. 삼성 측에서는 스타일리시 stylish 하면서도 일상생활에 필요한 맞춤형 기술을 탑재했다고 설명한 바 있다. 갤럭시 기어는 2013년 9월에 이어 2014년 4월에 후속작인 갤럭시 기어2를 선보이기도 했다.

반면 스마트폰 업계에서 삼성과 경쟁을 하고 있는 애플에서는 애플의 스마트 워치인 '애플워치 apple watch'를 2014년에 첫 공개하고 2015년에 출시했다. 보통의 시계들은 오른쪽에 태엽을 감는 크라운 즉 용두 stem of watch 가 존재했는데 애플 워치도 이와 유사한 장치가 달려 이를 활용할 수 있게 했다. 애플 워치는 출시 초기에 기본적인 형태의 스마트 워치와 더불어 애플워치 스포츠, 애플워치 에디션을 선보였고 프랑스 명품 브랜드인 에르메스 HERMES 와 협업을 맺고 스페셜 에디션도 공개한 바 있다. 사실 디자인보다 중요한 것은 기능. 2016년 애플워치의 두 번째 제품이 등장했고 GPS 시스템과 심박 센서, 방수기능 등 웨어러블의 기본이라 할 수 있는 기능을 부여했고 애플워치 나이키 플러스NIKE+처럼 조깅, 마라톤 등 달리기 운동에 최적화된 제품도 생산한 바 있다.

애플워치 나이키 플러스 같은 형태는 건강과 운동에 관심이 많은 사람들에게 동기 부여가 가능해 의지만 있다면 이를 잘 활용해볼 수 있을 것 같다. 사실 피트니스 트래커 같은 웨어러블은 스마트폰과 연동해 자신의 운동량을 체크해보고 이를 기록하는 것이기 때문에 업무 중에도, 운동 중에도 크게 불편함 없이 손목에 찰 수 있다. 시계 기능을 하면서 자신의 트레이닝을 기록하고 측정하는 것이니 '피트니스 트래커'의 기능과 '웨어러블'의 개념이 부합된다고 할 수 있다.

지난 4월, 〈포춘FORTUNE〉에서는 애플의 헬스케어 서비스가 2027년에 이르면 최소 150억 달러에서 3천 130억 달러 수준까지 규모를 확장시킬 수 있을 것이라고 전했다. 이 내용은 모건 스탠리의 전문 분석가들이 추산한 결과인데 여기에서 말하는 궁극적인 의미는 애플의 사용자 그리고 건강에 관심이 있는 수많은 사람들이 애플이 멀지 않은 미래에 생산하고 제조하게 될 헬스케어 분야의 웨어러블 디바이스에 거는 기대감이자 애플의 잠재력이다. 구글이나 아마존 역시 애플과 비교되는 경쟁사인데 기본적으로 애플의 디바이스를 사용하는 유저들의 충성도와 그 숫자가 바로 이러한 예상을 낳게 하는 셈이다.

글로벌 웨어러블 브랜드인 핏비트fitbit나 중국 샤오미Xiaomi의 미밴드 등이 가장 각광을 받았던 웨어러블 기기들이라 할 수 있는데 사실 에버라스트Everlast나 화웨이HUAWEI, 렘포LEMFO 등 웨어러블 디바이스를 생산하는 회사들은 넘쳐난다. 걸음 수, 수면 형태, 심박 수 측정 등 일반적인 기능은 대다수 비슷할 수 있지만 외부 디자인이나 애플리케이션의 사용자 인터페이스UI 등 세부적으로는 상이하다는 걸 알 수 있다.

건강 정보와 관련 콘텐츠를 제공하는 미국의 ACSMAmerican College of Sports Medicine에서는 2019년 가장 주목해야 할 피트니스 트렌드 중 웨어러블 테크놀로지를 꼽았다. 앞서 언급한 것처럼 걸음 수나 심박 수를 모니터링 하고 하루간 있었던 건강 정보를 수집해 자신의 몸을 꼼꼼하게 살펴볼 수 있는 기능을 제공하는 것으로 수집된 데이터를 활용해 보다 건강한 라이프스타일을 꾀할 수 있다고 전했다. 일상생활 또는 운동을 즐겨하는 사람들 혹은 운동을 하고자 하는 사람들에게 이와 같은 웨어러블 기기의 기능들은 점차 필수적인 요소로 자리하고 있다. 특히 작심삼일이 될 수 있는 다이어트의 경우 웨어러블은 '동기부여'라는 측면에서 긍정적일수도 있다.

마켓 워치 사에서는 피트니스 트래커의 성장세가 지속적으로 이어질 것이라고 전망했고 2023년까지 연평균 20퍼센트 가까이 증가할 수 있으리라고 내다봤다. 미국이나 일본, 한국, 중국에 이르기까지 다양한 제조사들이 생산하는 출하량이 많고 건강에 대한 관심들이 지속적으로 늘어나고 있으며 이러한 디바이스를 요구하는 잠재국가가 많기 때문인데 이와 더불어 헬스케어 기기, 병원의 장비나 시설과도 연동하거나 응용할 수 있다는 분석이 있기도 했다.

현재 가장 충실한 기능은 '피트니스 트래킹'

스마트워치나 피트니스 트래커 등 웨어러블 디바이스는 비단 손목형 밴드만 존재하는 것은 아니다. 다만 시계처럼 손목 위를 감싸는 밴드형의 제품군이 가장 많을 뿐이고 최근에는 슬림형으로도 제작되어 전혀 불편함이 없을 정도이며 액세서리처럼 보일 수 있어 제조사들이 디자인에도 꽤 신경을 쓰는 편이라 선택의 폭은 넓다. 더불어 배터리 용량도 크게 신경 쓰지 않아도 되며 모바일과 잘 연동이 되기 때문에 기본 기능만 잘 갖춰져 있다면 충분히 사용할 수 있을 것이다.

자, 이제 우리는 웨어러블 디바이스가 측정하고 수집하는 데이터를 신뢰할 수 있어야 한다. 그 말을 달리 표현하면 세상에 등장한 천차만

별의 디바이스들의 기능이 정밀하고 깊이가 있어야 한다는 것이니 모바일과 연동을 구현하는 통신, GPS 신호를 활용한 위치 정보, 심박 수나 걸음 수를 체크하는 센서, 수면 활동을 감지하는 케이스까지 고도화가 되어야 한다는 것이다. 최근의 디바이스들은 수면 무호흡에 대해서도 체크하고 심장 박동에 대한 정확한 자료를 수집할 수 있도록 센서를 강화하고 있다.

웨어러블 디바이스의 종류는 스마트워치나 피트니스 트래커로 시작해 점차 다양한 종류로 뻗어나갔다. 웨어러블의 다양한 정보를 제공하는 매체 〈Wareable〉에서는 애플워치나 갤럭시 기어의 추가적이고 섬세한 기능을 언급하면서 VR 기기나 스마트 글라스, 스마트슈즈, 스마트 패치 등도 언급했다. 또한 여성의 건강과 신체정보를 관리 또는 수집할 수 있는 장치들도 이야기했다. 이를테면 생리주기나 임신 가능성에 대한 정보를 제공하는 AVA와 같은 디바이스는 아직까지 초기 단계에 있긴 하지만 편리하게 착용이 가능하고 임신을 준비하는 여성들을 위해 심박 수, 체온 등 생리적 변화에 대한 특화된 정보 제공을 위해 취리히 대학 병원과 함께 임상실험을 진행 중이라고 한다. 스위스의 의료 기기 제조 회사인 아바AVA는 배란 추적 밴드와 같은 헬스케어 웨어러블을 제조하는 스타트업이다.

미국의 스포츠용품 회사인 언더아머Under Armor에서는 달리기를 하는 사람들의 다양한 정보를 수집할 수 있도록 신발에 센서를 내장해 스마트폰과 연동할 수 있도록 했다. 샤오미 역시 신발을 신은 사람의 체중을 감지하고 달리는 속도와 거리, 칼로리 등을 측정할 수 있는 스마트 슈즈를 인텔과 함께 개발하기도 했다. 인텔의 IP 코어칩은 운동화 밑창에 설치되어 모션을 측정한다. 비가 오는 경우 반드시 물과 맞닿기 때문에 IP67 등급으로 제조되었다. 스마트 슈즈와 같은 웨어러블은 2022년까지 꾸준히 성장할 것으로 예상되고 있으며 성장률은 연평균 약 23퍼센트 수준이라고 했다. 글로벌 브랜드인 아디다스adidas나 살로몬salomon, 퓨마Puma 등도 이 시장에 뛰어들어 개발을 진행 중이라고 전했다.

국내에서도 개발 중인 특수목적 웨어러블

미국의 리서치 전문기관인 트랙티카tractica는 웨어러블 디바이스의 트렌드에 대해 긍정과 부정을 한꺼번에 이야기했다. 앞서 언급한 내용으로만 보면 웨어러블의 기능과 디자인, 제품군의 다양성으로 꽤 많은 사람들이 이를 활용하게 될 것이며 성장세도 꾸준하기 때문에 향후 4~5년이 지나도 사용자의 선택과 활용도는 크게 변함이 없을 것이라고 했다. 사실 웨어러블 디바이스의 종류는 매우 다양한데 그 중에서도 피트니스 트래커와 같이 목적이 뚜렷한 제품은 규모가 큰 기업으로 흡수되어 버릴 여지가 있어 이 상품만 제조하고 연구하는 곳들은 한계에 도달하게 될 것이라고 했다.

크라우드 펀딩 사이트인 킥스타터kickstarter에 2014년 페블pebble이라는 이름의 스마트워치 상품이 올라왔고 많은 사람들의 기대 속에 목표액을 완성한 바 있다. 펀딩 기간이 종료된 후의 금액은 무려 1천만 달러 이상이었다. 기술은 진보하고 있고 제조사들은 기능과 디자인을 한꺼번에 잡았으며 애플과 같은 대기업들은 자본과 더불어 수많은 사용자들을 확보하고 있어 페블과 같은 업체들은 망하거나 어딘가에 인수될 수밖에 없는 구조이기도 하다. 실제로 페블은 웨어러블 전문기업인 핏빗fitbit에 2016년 인수되었다.

이처럼 피트니스 트래커는 꾸준히 사랑받을 법 하지만 트랙티카의 보고서에서는 2022년이 되었을 때 현재보다 절반 수준의 생산량을 보이게 될 것이라고 했다. 그럼에도 불구하고 헬스케어 시장의 성장세에 맞물려 있는 웨어러블은 오히려 기대해볼 수 있다고 전했다. 건강에 대한 관심은 누구에게나 있는 것이라 심장박동, 당뇨, 생리주기 등을 측정할 수 있는 기기들은 생산을 확대할 전망이다.

네덜란드의 시장 조사 기관인 마켓 포캐스트Market Forecast에서는 웨어러블 디바이스를 군사 및 상업용으로 접목시킬 수 있고 이미 연구가 진행되고 있어 이 시장에 대한 전망을 긍정적으로 언급했다. 향후 10년 동안 상업용, 군사용 웨어러블 시장은 물론 기술력도 꾸준하게 성장할 것이라고 덧붙였다.

군사용 웨어러블이라 하면 무거운 전투 장비를 어깨에 짊어지고도 빠른 속도로 이동할 수 있는 웨어러블 로봇 같은 것인데 미국의 방위산업체인 록히드마틴Lockheed Martin이 헐크HULC, human universal load carrier라 불리는 제품을 연구해 세상에 내놓기도 했다. 사실 헐크와 같은 웨어러블은 운반을 위한 캐리어 장비 같은 것이라 경계가 모호할 순 있지만 몸에 착용한다는 의미에서 보면 웨어러블이라 해도 무리는 없을 것 같다. 이와 같이 해외에서는 군사용 웨어러블이 지속적으로 개발되고 있는 편이다.

국내에서는 현대자동차의 엑소스켈레톤H-CEX, Exoskeleton이 록히드마틴의 헐크와 유사한 웨어러블을 개발하고 있는데 이는 공장에서 무거운 짐을 나르는 노동자들을 위한 연구에 속하기 때문에 출시만 된다면 큰 변화가 있을지도 모르겠다. 또한 경상북도 포항에 위치한 주식회사 FRTField Robot Technology는 소방관들이 화재, 재난 등 사고 현장에서 원활하게 임무를 수행할 수 있도록 근력 지원 웨어러블 로봇을 선보이기도 했다. 주식회사 FRT는 한국생산기술연구원의 로봇 벤처기업이다.

웨어러블이 '가성비'의 한계를 넘으려면

보통의 시계가 모바일 시대에 진입하게 되면서 스마트워치로 변모했고 인간의 건강을 체크하고 측정해주는 피트니스 트래커로 거듭나기도 했지만 하루가 다르게 변하는 시장 상황과 환경에 따라 또 다시 변화를 지속하고 있다. 사실 앞서 언급된 웨어러블 제작 사례는 보다 더 많다. 콘택트렌즈처럼 눈에 삽입해 혈당과 안압을 체크해주는 웨어러블도 있고 반지처럼 손가락에 끼워 건강 정보를 측정해주는 액세서리형 웨어러블도 존재한다. 혹자들은 몸에 '걸치는' 수준의 웨어러블에서 몸속으로 이식 또는 삽입하는 형태의 웨어러블이 탄생하게 될지도 모른다고 했다. 그러나 이는 웨어러블 자체에서 이상이 생기게 되면 사람의 건강을 자칫 위협할 수도 있는 것이기에 수많은 과정과 임상실험을 거쳐야 하겠다.

한쪽에서는 웨어러블 시장의 감소 요인도 언급하고 있지만 폭넓게 보면 다양한 시장에 적용될 수 있기 때문에 오히려 증가 추세를 보일 것이라는 이야기도 있다. 인간이 꿈꾸는 건강은 물론 산업 환경에서도 웨어러블을 활용할 수 있게 되면 향후 국내외 시장은 또 다시 변화를 맞이하게 될 것이다.

'웨어러블'이라는 키워드를 생각하면 통상 갤럭시 워치나 애플 워치

만을 떠올리는 경우가 있다. 때론 샤오미의 미밴드나 핏빗과 같은 피트니스 트래커를 생각할 수도 있겠다. 웨어러블의 개념을 폭넓게 보면 다양한 산업 분야에 적용될 수 있다. 단지 스마트 워치나 피트니스 트래커라는 단순한 개념으로만 보면 감히 말해 향후 10년 뒤 웨어러블 시장에서 무너지게 될 한 축이 될 수도 있다. 그 말은 디자인이 우수하고 다양한 기능을 넣어도 피트니스 트래커의 주요 기능 이상 성능을 발휘하지 못한다면 가성비가 떨어진다는 것이다.

물론 스마트 워치에 탑재된 다양한 기능을 제대로 사용하는 사람들도 있겠지만 그 '일부'의 사용자들을 위해 이를 지속하긴 어려울 것 같다. 하지만 웨어러블이 피트니스 트래커 이상의 기능 즉 실질적으로 헬스케어 또는 산업분야에 도움을 줄 수 있다면 또 다른 이야기가 될 수도 있다. 헬스케어는 꾸준히 성장하게 될 시장이고 이를 웨어러블과 적절하게 접목시켜 사용자 니즈를 이끌어낼 수 있다면 웨어러블 시장도 충분히 성장할 수 있는 가능성이 있다. 그만큼 건강에 대한 사람들의 관심은 결코 줄어들지 않는다. 당뇨병이나 심장질환 등 고질적이고 만성적인 케이스인 경우 지속적인 관찰이 요구되고 있으니 웨어러블이 수행하는 기능들로 인해 철저하고 뚜렷하게 트래킹해줄 수 있다면 향후 10년 뒤에도 무너지지 않을 가능성이 있다는 것이다.

사실 '헬스케어×웨어러블'의 시대는 10년 뒤가 아니라 현재 시점에 충분히 고려되고 있거나 이미 세상에 존재하는 기기들도 있다. 손목에 차는 시계형부터 반지나 콘택트렌즈, 벨트나 신발에 적용되는 경우들도 있는데 형태는 매우 다양한 편이다. 다만 의료, 군사, 산업을 넘어 어떠한 기능을 부여할 수 있을지 그리고 어떻게 변화할 수 있을지를 고려해야 할 시기다. 앞으로 10년 뒤, 톰 크루즈 주연의 타임루프 영화 〈엣지 오브 투모로우Edge of Tomorrow〉처럼 군인들의 능력을 배가시키기 위한 웨어러블 로봇이 정말로 등장하게 될지도 모를 일이다.

15

1기·2기·3기 신도시, 그 다음은?

일자리 전망 21세기는 새로운 도시공학을 원한다

스마트시티라는 개념을 반드시 유토피아와 연결시킬 수는 없다. 누구나 살기 좋은 환경을 꿈꾸고 있고 모두가 편리하고 안락한 삶을 살 수 있도록 스마트시티라는 개념이 탄생했지만 다양한 ICT 인프라가 주거 환경을 감싸고 있어야 하고 현존하는 기반 시설들의 대대적인 개선도 요구되며 무엇보다 범죄는 낮추고 보안은 강화할 수 있어야 한다. 산업 인프라와 더불어 스마트시티 구축에 있어 정치적인 이슈, 나아가 신도시와 노후 지역의 격차 해소도 고려해야 한다.

생각해보면 수많은 사람들이 살고 있는 도시 전체가 바뀌는 것이니 그리 쉽게 해결될 문제는 처음부터 아니었다. 달동네라고 불리는 곳이나 재개발이 요구되는 노후 지역들이 단숨에 사라질 수도 없는 노릇이다. 스마트시티를 구축하기 위해 반드시 필요한 것은 첨단 ICT 기술이 아니라 시간이다. 중국의 경우에도 1980년대 허름했던 동네 하나를 빠른 시간 안에 신도시로 탈바꿈 시킨 사례가 있다. 중국이기에 가능한 이야기일지도 모르겠다.

우리나라의 경우 '난지도'라는 이름의 쓰레기 매립지가 있었지만 지금은 하늘공원과 같은 생태공원을 비롯해 월드컵경기장과 수많은 아파트, 복합시설 등이 도시를 이루게 되었다. 1978년 쓰레기 매립장으로 지정되어 약 9천만 톤이 넘는 쓰레기가 쌓여 심각한 수준에 이르렀다가 1993년 폐쇄한 후 생태복원 사업이 진행된 사례다.

세상은 도시로 점차 변모하고 있으며 그 도시는 다시 스마트시티의 개념으로 진화하고 있는 추세다. 5G 시대를 맞이했고 4차 산업혁명 시대에 살고 있는 인류에게 이러한 변화는 어쩌면 당연하다. 글로벌 IT 전문 테크리퍼블릭Tech Republic에서는 스마트시티를 이룩하기 위한 다양한 기술을 소개하면서 여기에 존재하게 될 직업군 몇 가지를 소개하기도 했다. 모든 것을 연결하는 IoT 기술, 시간이 지남에 따라 쌓이고 있는 데이터에 대한 보안의 필요성이 대두되면서 사이버 보안 전문가와 데이터 사이언티스트 등을 언급하기도 했다. 도시 건설을 위한 도시 혁신 전문가, 비즈니스 혁신 전문가, 통신 네트워크 엔지니어 등도 필수적인 역할을 하게 될 전망이다. 세계가 도시화 되면서 인구의 약 60퍼센트 이상이 2050년이면 모두 도시에서 살게 될 것이라고 덧붙였다. 이제는 드론이 물건을 배송하고 자율주행 자동차가 도로를 누비게 될 것이다. 인류는 스마트시티라는 거대한 변화를 통해 새로운 개념의 상전벽해를 경험하게 될 것이다.

미래 키워드 도시에 지능을 부여하다

스마트시티Smart City란 우리가 살고 있는 지역에 ICT 기술이 접목되어 새로운 도시 유형으로 거듭나게 되는 것을 의미한다. 도시 구성원을 포함해 주거 지역에 필요한 인프라, 교통망, 커뮤니케이션을 위한 네트워크를 구성해 효율적으로 연결함으로서 '똑똑한' 도시를 이루는 것이지만 ICT 기술 측면으로만 보게 되면 기존 유비쿼터스 시티U-City의 틀에서 벗어날 수 없다. 스마트시티는 U-city와 더불어 경제, 사회, 에너지, 환경적 이슈까지 모두 포함하고 있어 스마트시티를 이루는 인프라와 함께 거버넌스라는 개념이 매우 중요시되고 있다.

10년이면 강산도 변하고 도시도 변한다

과거 필자가 살던 동네는 거의 시골이었지만 1시간 남짓 '직행버스'를 타면 서울 끝자락에 닿을 수 있었다. 서울로 달려가는 버스 위에서 차 창밖을 바라보고 있으면 달라지는 풍경을 두 눈으로 확인할 수 있었다. 좁았던 도로는 조금씩 넓어졌고 수많은 차량들이 서울을 향해 질주를 하고 있었다. 어린 시절이긴 했지만 문득 그 때의 잔상들이 머리 위를 스쳐지나간다. 아이들과 실컷 뛰어놀고 집에 들어갈 때쯤이면 집에서는 찌개 끓는 소리와 향긋한 향이 짙은 노을 위를 가득 메웠다. 어둑해진 저녁이면 동네도 한산했다. 무엇보다 가로등 하나 제대로 있지 않아 동네 슈퍼에서 우리 집까지 얼마 되지 않은 그 골목을 뛰어다녔던 기억도 있다. 버스 정류장에서도 딱히 정해지지 않은 시간에 들어오는 버스를 타기 위해 마구 뛰어난 적도 있다. 지하철을 탔을 땐 정기권을 끊고 잘 들고 다녀야만 했다.

지금은 어떻게 바뀌었나? 동네가 환할 정도로 여러 개의 가로등이 있을 뿐 아니라 주변 상황을 감지하는 CCTV도 존재하고 있다. 버스 정류장에서도 내가 탈 버스가 어디쯤에 있는지 몇 분에 들어오는지 정확해졌다. 지하철 매표소는 사라지다시피 했고 대다수 신용카드를 활용하고 있다. 사물인터넷을 주제로 다뤘을 때도 이제 이러한 가로등이 스마트하게 변하고 있다고 언급한 것처럼 세상은 변했다. 인공지능과 인터넷에 연결되어 있는 수많은 사물들이 사물인터넷을 이룩하고 나아가 스마트홈으로 거듭나는 세상. 이제 우리는 그 범위를 넘어 스마트시티가 도래하는 시대를 맞이하게 되었다.

'10년이면 강산도 변한다'고 했다. 과거 필자가 살던 동네 역시 많은 발전이 있었다. 고작 왕복 2차선이었던 도로는 광활하게 변했고 높은 건물은 물론 대형 마트, 백화점, 경전철까지 들어왔다. 그렇게 상권이 형성되었고 주변 동네는 그야말로 상전벽해를 이루었다. 그렇다면 우리가 살고 있는 도심은 '스마트시티'를 이룩한 것일까?

세상이 말하는 스마트시티의 개념은 다음과 같다. 우리가 살고 있는 도시의 대다수 시스템에 정보통신기술이 접목되어 스마트 플랫폼을 구축하고 시민들의 세금으로 이루어진 도시의 자산이 온전히 시민들을 위해 안전하고 편리하며 윤택할 수 있도록 꾀하는 '유비쿼터스 시티U-City'의 지속과 '스마트시티'의 창출이라는 의미를 포괄한다. IT 기술 용어와 정보를 제공하는 웹사이트 테코피디아techopedia.com에서는 도시 곳곳에 설치된 수많은 장비나 센서들이 인터넷과 연결되어 IoT 인프라로 구축되고 이를 통해 수집된 빅데이터나 도시에 투입된 수많은 자원과 예산이 시민들의 안전과 보다 나은 환경을 만들 수 있도록 효율적으로 활용될 것 그리고 이것이 스마트시티의 궁극적인 개념이라고 했다.

또한 도시에 살고 있는 시민과 도시의 인프라를 구축하는 정부 간 커뮤니케이션이 원활하게 이뤄질 수 있도록 창구를 마련하게 되며 좋은 환경을 만들 수 있도록 끊임없이 이뤄지는 소통 자체가 '스마트시티'를 구현하는데 크게 이바지하게 된다는 의미를 포함하고 있었다.

4차 산업혁명 시대를 맞이하게 되면서 지금의 도시 지역이 미래형의 스마트시티로 거듭날 준비를 우리나라 뿐 아니라 세계 각국에서 진행하고 있거나 또 계획 중인 상황이다. 우리나라의 경우, 스마트시티 조성을 위해 2018년 시범도시를 선정하고 시행계획을 수립했으며 공공, 민간 등 약 3조 원 이상을 투자한다고 했다. 스마트시티 국가 시범도시는 세종시와 부산 에코델타시티였다. 시행 계획에는 2019년부터 스마트시티 융합 얼라이언스를 구성해 모빌리티, 헬스케어 등 세부적인 비즈니스 모델을 진행한다고 했다. 또한 이러한 비즈니스 모델을 통해 보다 혁신적인 서비스를 구축하고 제공할 수 있도록 2021년까지 세종시에는 약 5천 400억 원, 부산에는 7천 500억 원 규모의 투자를 유도할 계획이라고도 했다.

스마트시티 융합 얼라이언스에 포함되는 세부적인 구성 요소는 앞서 언급했던 모빌리티와 헬스케어, 친환경 또는 대체에너지 사업, 그리고 스마트시티의 핵심이라 할 수 있는 거버넌스governance 등을 모두 포괄하고 있다. 실제 주민들이 입주하게 되는 2021년 이후에도 이러한 시스템이 지속적으로 유지될 수 있도록 정부, 지자체, 민간기업 등 민관공동의 SPC특수목적법인, special purpose company 구성도 추진한다고 했다. 계획으로만 보면 엄청난 스마트시티의 구축이지만 사실 스마트시티의 안착과 주민들의 불편함 해소를 위한 소통은 지속적으로 이뤄져야 할 것이고 민관합동으로 구성하게 되는 SPC 역시 제동이 걸리지 않도록 꾸준하게 선순환 되어야겠다.

스마트시티가 갖춰야 할 인프라

스마트시티에 대한 개념으로만 보면 다소 이해가 되지 않거나 피부로 와 닿지 않는 부분들이 더욱 많을 것이라 여겨진다. 미래를 배경으로 한 SF 영화 속의 한 장면처럼 곳곳에 하늘을 찌를 듯한 마천루가 생겨나고 자기부상열차가 주변을 돌아다니며 로봇이 길거리에서 청소도 해주고 CCTV 역할도 하는 유토피아적 측면으로만 보면 이론적으로 기술된 내용과 괴리감이 있을 수밖에 없다. 어쩌면 우리 세대가 상상하는 모습의 미래형 도시를 우리의 다음 세대가 이어받아 보다 나은 환경을 조성할 수도 있지 않을까하는 상상을 해본다.

과거로부터 이어져온 우리 문화의 엔틱한 양식들이 현대적이고 미래지향적인 인테리어와 접목이 되는 경우들도 종종 볼 수 있으니 우리의 모습은 지속적으로 유지하되 이와 연결된 수많은 인프라가 잘 갖춰지고 이를 구축한 정부나 민간기업들 나아가 시민들과 함께 도시를 가꾸는 정책 소통이 잘 이뤄질 수 있다면 그것이 올바른 스마트시티라 할 수 있다. 자, 그럼 어떠한 요소들이 스마트시티를 만들게 될까?

우선 도시 속에 존재하는, 그리고 도시를 이룩하는 자원들과 자산이 효율적으로 관리되어야 하겠다. 시민들을 위해 존재하고 있는 인프라 중 가장 기본이 되는 것은 시민의 발이 되어주는 교통수단, 전력을 공급하는 발전소, 급수에 필요한 네트워크, 쓰레기나 폐기물을 처리할 수 있는 시스템 등이다.

스마트시티 속의 교통수단 그리고 시스템은 어떠한 형태로 변하게 될까? 자율주행 자동차는 물론 최근 각 기업들이 연구하는 전기 자동차나 서울시의 공공자전거 서비스 '따릉이'와 같은 스마트한 이동수단, 타다나 우버와 같은 택시 서비스가 지속적으로 확대될 예정이라고 한다. 다만 왕복 2차선 도로에 이러한 교통수단이 있다 해도 차량이 몰리는 러쉬아워를 맞이하게 되면 답답하기 마련이다.

하지만 스마트시티에 구축될 지능형 교통 시스템ITS, intelligent transport system은 차량에 설치된 내비게이션이나 인공지능이 교통 인프라와 상호 연동이 되어 무선통신 기술을 통해 교통에 관한 데이터를 송수신한다. 차량의 흐름이 원활할 수 있도록 신호등을 제어하고 속도 제한 구역으로 정해진 곳에서도 교통 상황에 따라 가변적으로 변할 수 있도록 한다. 도심을 벗어나 고속도로 위를 달리게 되는 경우에도 보통은 하이패스를 이용해 원활하게 주행할 수 있도록 하는 RFID 방식의 시스템이 존재하지만 스마트 톨링 시스템smart tolling system과 같은 인프라도 매우 효율적일 수 있다. 스마트 톨링 시스템은 차량이 정차하지 않고도 통행료를 측정해 최종 목적지에 존재하는 요금소에서 정산하는 방식인데 2016년 11월부터 이 시스템이 적용되었고 천안논산고속도로와 같이 일부 구간에서 이를 확인해볼 수 있다. 요금소에서 벌어지는 차량 정체나 교통사고의 위험을 줄일 수 있어 매우 효과적이다. 천안논산고속도로 주식회사에 따르면 이러한 시스템 도입으로 인해 사회적 편익이 약 9천 300억 원에 달한다고도 했다.

더불어 눈이나 비가 오게 되는 경우 빈번하게 발생하는 결빙 구간 또는 수막현상에 대한 정보들을 수집해 차량이 진입하기 전 미리 경고해줄 수 있는 시스템도 이 안에 포함될 수 있겠다. 네트워크 인프라를 활용해 원활한 흐름의 교통량을 유지하면서 사고는 최대한 줄일 수 있는 시스템이 구축될 수 있다면 도시는 충분히 똑똑해질 수 있겠다. 미국의 미디어기업인 BNP미디어 산하의 B2B 매거진 〈Autonomous Vehicle Technology〉에서는 전 세계 교통 관리 시스템이 2018년 이후

10년간 18.2퍼센트 성장하게 될 것이라고 전했다. 물론 여기에는 도로나 철도, 항공, 항만이 모두 포함되고 앞서 언급했던 지능형 교통 시스템의 구축도 언급되고 있다.

다만 스마트시티를 구축하는데 있어 현존하는 인프라를 개선하고 개편하는 비용으로 꽤 많은 예산이 들어가게 될 것이라는 이야기도 존재한다. 그럼에도 도시의 교통 혼잡을 해소하고 차량과 도심의 연결, 사고의 방지 등 스마트시티라는 개념에서 이룩하게 될 시민들의 편의와 환경 조성을 위해서라면 오히려 구축되어 할 이유는 적지 않다.

스마트그리드smart grid와 수자원에 대한 관리는 스마트시티에서 자주 언급되는 부분 중 하나다. 스마트그리드란 쉽게 말해 차세대 전력망이자 지능형 전력 네트워크를 뜻한다. 전력을 공급하는 공급자나 전력을 생산하는 발전소 등이 ICT 기술이 융합된 네트워크를 활용해 전력을 소비하는 사용자들에게 전력을 지원하되 에너지 효율을 극대화하는 기술이다. 사용자들이 에너지를 효율적으로 그리고 최대한 절약하며 사용할 수 있도록 참여를 유도하고 전력을 소비하는 가정이나 도시의 전력량과 같은 데이터를 실시간으로 측정하고 수집해 전력낭비를 최소화하기도 한다.

스마트 계량기나 에너지 관리 시스템은 물론 에너지를 저장해 전력량이 극대화되는 계절에도 효율적으로 공급할 수 있도록 한다. 또한 정전이 일어나더라도 빠른 시간 안에 복구할 수 있으며 관리 비용 역시 절감할 수 있는 첨단 시스템이기에 무더운 여름 에어컨 사용량이 급증하는 도심의 과열을 해소할 수 있는 인프라가 아닐까 생각해보게 된다.

우리가 사용하고 있는 전력망은 1890년대 시작이 되어 매 10년마다 기술의 발전과 함께 성장해왔다. 이러한 전력망 공급과 수급이 쌍방향으로 이뤄지게 되어 '효율'을 극대화하면 도시는 보다 더 똑똑해질 수 있는 것이다. 다만 지금의 전력 생산이 태양에너지나 풍력 발전으로 확대되어 보다 친환경적으로 대체할 수 있어야 지속 가능한 스마트시티를 건설할 수 있을 것이다.

사실 전력과 함께 수자원의 관리나 공급 역시도 이처럼 양방향 소통이 이뤄져야 한다. 물이라는 것 역시 전기에너지와 더불어 수많은 사람들이 소비하는 자원이기에 품질은 물론 원활한 공급과 똑똑한 사용이 뒷받침 되어야한다.

도시가 똑똑해진다고 범죄나 화재 등 사건이 일어나지 않을 순 없다. 시민들의 안전과 보안에 대한 시스템 확보는 매우 중요한 영역이다. 도시 개발이 지속적으로 이뤄지면서 보안에 대한 시스템도 강화되고 있는 추세인데 아파트 현관문에 설치된 도어락이 비밀번호를 입력하는 수준을 넘어 안면 인식 기능이 추가된 사례들도 존재한다. 스마트홈에 구축된 보안 시스템이 그 안에서 거주하는 주민들의 스마트폰과 연결되어 있는 것도 이젠 전혀 어색하지 않은 모양새다.

더불어 과거에는 거의 없었던 동네 주변의 CCTV도 한층 더 고도화되어 실시간으로 모니터링 된다면 소방시설이나 방범 시스템, 병원 시설로 바로 연결되어 이 또한 안전한 도시를 이룩할 수 있는 인프라가 될 것이다. 무엇보다 이러한 시스템에 사이버 테러나 해킹에 대한 위협을 우선적으로 막아야 하겠다. 실시간으로 연결되는 인프라는 기본적으로 네트워크를 활용하게 되는데 데이터를 수집하고 모니터링하는 시스템에 대한 근본적인 방어체계도 구축해야 할 것이다.

한국인터넷진흥원KISA은 스마트시티 구축에 필요한 융합보안 대응 조직을 신설하는 조직개편도 진행한 바 있다. 스마트시티를 이룩하는 ICT 융합서비스 개발이 지속적으로 이어지고 있고 보다 빠르게 성장하고 있는 추세이기 때문에 취약할 수 있는 분야에 대한 예방과 대응 등 사이버 안전망을 구축하겠다고 했다. 영국의 기술 정보 웹사이트인 'ITproPortal'에서는 2025년 스마트시티에 대한 개념이 우리 사회에 자리 잡게 될 것이며 데이터를 기반으로 하는 스마트시티가 도시의 표준이 될 것이라고 했다. 데이터는 스마트시티를 확보하는데 있어 매우 중요하니 보안에 대한 문제는 지속적으로 언급해도 모자라다.

스마트시티를 이룩하는 네트워크나 시설 등의 인프라와 더불어 거버넌스라는 개념은 지나칠 수 없다. 행정학에서 바라보는 '거버넌스'의 의미는 공공경영이라는 사전적 의미를 넘어 도시 행정 자체라는 개념으로도 해석해볼 수 있다. 보통 영어 단어인 'government'는 정부나 정권, 통치라는 의미를 가지며, 프랑스어에서도 'gouvernement'는 '정부'라는 말로 쓰인다.

그러나 스마트시티에서의 거버넌스는 스마트시티를 구현하는 정부, 기관, 시민들이 참여하여 의사와 정책을 결정하고 상호 협력하는 데 의의를 두는 편이다. 이는 사회 전체의 발전을 도모하고 삶의 질을 향상시키는데 목적을 두고 있어 문제를 해결하고 혁신적인 변화를 이끌 수 있는 장치로 작용한다. 말 그대로 모두가 협력하여 살기 좋은 도시를 창조한다는 것, 그것이 바로 거버넌스의 필요성이다.

도시는 결국 사람을 위한 공간이어야 한다

싱가포르 소재의 에덴전략연구소Eden Strategy Institute는 스마트시티 개발에 대한 각 나라와 도시의 접근 방식을 설계와 엔지니어링, 프로젝트 관리를 전문으로 하고 있는 OXDONG & ONG Experience Design와 협력해 조사했고 그들이 선정한 50개 도시를 웹사이트smartcitygovt.com에 소개했다. 조사는 해당 도시의 비전, 예산, 지원 정책 등을 고려했는데 런던,

싱가포르에 이어 서울이 세 번째에 랭크되었다. 그 뒤로 뉴욕, 헬싱키, 몬트리올, 보스턴, 멜버른, 바르셀로나, 상해 등이 전체 상위 열 개 도시로 선정되었다.

런던의 경우, 스마트시티 전략으로 '스마트 런던 2.0Smart London 2.0' 이라는 비전과 스마트한 런던을 함께 이뤄나가자는 의미의 'Smarter London Together'라는 혁신 보고서도 나와 있는 상태다. 여기에는 새로운 도시 구축이 아니라 기존의 런던을 스마트한 도시로 발전시킬 수 있는 의미와 계획을 담았다. 런던의 중심에서 흐르는 템즈 강 주변이나 주요 거리의 관광 산업 활성화에 필요한 디자인 혁신, 5G 네트워크나 IoT 시설을 통한 데이터 공유, 시민과 인프라의 연결, 기술과 협업 등에 대한 계획을 통해 스마트시티를 이룩할 계획이라고 했다.

스마트시티의 대표적 사례로 자주 언급되는 도시 중 하나는 네덜란드의 암스테르담인데 2009년 '암스테르담 스마트시티Amsterdam Smart City'라는 이름의 플랫폼을 구축해 여러 분야의 프로젝트를 추진하고 있는 상황이다. 디지털시티, 에너지, 거버넌스 등 다양한 테마 속의 이야기들을 수많은 사람들이 주고받으며 협력하고 있어 꾸준히 높은 평가를 받고 있는 곳 중 하나다.

스페인 바르셀로나는 상당 부분 노후화된 도심 지역을 재개발하고 곳곳에 사물인터넷 인프라를 설비해 스마트시티 솔루션을 시범적으로 운영하기도 했다. LED 기반의 거리 조명을 크게 개선해 에너지 절약을 이끌어냈고 주차장에서도 운전자들을 위한 센서를 구축해 주차 공간 식별과 안내 서비스를 제공하고 있다.

스마트에너지 인터내셔널Smart Energy International은 스마트시티에 접목되고 있는 ICT 기술의 성장률이 2023년 약 15.8퍼센트 수준 증가해 약 9천 900억 달러에 달할 것이라고 전망했다. 2018년과 비교하면 거의 두 배 이상 차이를 보인다. 이는 도시화가 급속도로 이뤄지고 있다는 증명과도 같다. 이것이 단순한 도시화가 아니라 스마트한 도시를 이룩하는데 필요한 '첨단 기술의 급성장'이라는 측면에서 보면 어쩌면 우린 스마트시티를 생각보다 더 빠르게 만나게 될 수도 있을 것 같다.

〈포브스〉에서도 스마트시티의 시장 잠재력을 약 1조 달러 수준으로 내다봤다. 기사에서 언급한 스마트시티의 컨셉은 이미 언급한 것처럼 거버넌스를 포함해, 헬스케어healthcare, 스마트빌딩smart building, 모빌리티mobility, 스마트 인프라smart infrastructure, 스마트테크놀로지smart technology, 스마트에너지smart energy, 스마트 시민 서비스smart citizen service 등 모두 여덟 가지였다. 또한 2025년이 되면 최소 다섯 개 이상의 개념으로 구성된 글로벌 스마트시티가 스물여섯 곳 이상 탄생하게 되리라고 전망했다. 영국과 네덜란드 등 이미 유럽에서는 스마트시티에 대한 정책과 프로젝트가 꾸준하게 이뤄지고 있고 미국이나 중국도 스마트시티 지원을 아끼지 않는 편이다.

건축 전문 웹진인 〈아키데일리Archdaily〉에서는 인도 역시 2020년까지 100개의 스마트시티 개발을 계획하고 있다고 전했다. 인도는 약 70억 달러에 달하는 규모로 전력 인프라 구축, 교통과 건강, 보안 등의 스마트시티의 핵심적인 영역을 개발해 시민들의 삶을 한층 향상시키는데 집중하고 있다고 한다. 13억 명이 살고 있는 나라 인도는 인구수 측면에서 중국에 이어 세계 2위인 나라지만 2030년이 되면 인도의 인구는 중국을 뛰어넘는 수준에 이를 것이라는 예측도 있었다. 사실 인구 정책과 더불어 그들이 살고 있는 주거에 대한 문제나 도시와 빈민가의 격차 등의 이슈는 끊임없이 언급되고 있는 편이다. 물론 '스마트시티'라는 개념 그리고 여기에 투입되는 예산들이 엄청난 수준이라 하더라도 이러한 문제를 바로 해결해 줄 수 있는 것도 아니기 때문에 대책 없이 도시화를 진행할 수도 없는 노릇이다. 주요 도시의 스마트시티 개발은 물론 농촌이나 빈민가, 도심 외곽 지역의 개발에는 많은 부분들을 고려해야만 한다. 이러한 문제 해결을 위해서라도 정부와 기관, 각 지역별 자치단체 그리고 시민들이 머리를 맞대어 풀어나갈 수 있는 '거버넌스'는 늘 필요하다.

분당, 일산, 판교… 우리의 신도시들을 떠올리며

스마트시티는 많은 장점을 가지고 있지만 다수의 인구가 도심에 집중되면 도시와 개발되지 않은 지방의 격차가 더욱 벌어질 우려도 있다. 또한 스마트시티에서 모든 것이 연결되는 '초연결사회'로 진입하게 되면 모든 행동을 감시하고 데이터를 가져가는 빅브라더 국가에 대한 불안감도 있을 것이다. 좋게 말하면 데이터를 '공유'하고 시민들의 안전을 위한 '보안'이라는 측면일 수 있지만 이면에는 '불안'과 '우려'가 자리 잡을 수도 있다.

아일랜드에서 글로벌 기술 동향 정보를 제공하고 있는 실리콘리퍼블릭siliconrepublic에서도 이와 유사한 언급을 했다. 런던이나 암스테르담과 같이 이미 스마트시티에 진입한 주요도시가 에너지 효율성을 극대화하고 도심 지역의 데이터를 수집해 사용자들에게 제공하는 케이스들은 매우 바람직한 이상향이다. 또한 위험상황이나 긴급한 사고, 사건이 일어날 경우를 대비한 범죄 데이터 분석과 예방도 매우 '스마트'한 인프라가 될 수 있다.

진정한 스마트시티를 구현하고 유토피아를 맞이하려면 인간 중심으로 접근해야 하고 시민들의 라이프스타일을 고려해야 하며 스마트시티를 구축하는 인프라가 우리 삶에 어떠한 영향을 미치게 될지에 대한 예측 그리고 대비가 있어야 하겠다. 궁극적으로 스마트시티도 사람이 사는 곳이고 사람에 의해 만들어진 인프라로 도시를 가꾸는 것, 돈이 있는 사람들만 주거하는 것이 아닌 모두를 위한 이상적인 유토피아가 되었으면 한다.

맹자의 어머니가 자식을 위해 세 번을 이사했다는 '맹모삼천지교孟母三遷之教'라는 옛말처럼 인간에게 환경은 매우 중요하다. 세상은 점차 변화하고 있지만 그렇다고 역사적인 '옛 것'을 무너뜨릴 순 없다. 최근 을지로 일대를 개선한다는 발표도 있었다. 2003년에는 청계천 복원 사업이 진행되기도 했었다. 10년이면 강산도 변한다는 말은 결코 틀린 말이 아니었다. 앞으로 10년 뒤, 우리가 살고 있는 지금 이 세상이 어떻게 변화하게 될지 아무도 모른다.

분당, 일산, 산본 등 1기 신도시 이후로 판교, 광교, 동탄 등 2기 신도시가 생겼고 남양주 왕숙, 인천 계양, 고양 창릉 등 3기 신도시 계획이 발표되기도 했다. 서울에 집중된 수요를 수도권에 분산시켜 과열된 집값을 안정시키겠다는 목적으로 이처럼 신도시 계획이 대안으로 나온 것이다. 교통 인프라가 제대로 구축이 되어야 하는 것도 이슈이긴 하나 이러한 신도시들이 전형적인 베드타운bed town으로 몰락해버리면 문제는 더욱 심각해질 수 있다.

스마트시티를 형성하는 것 역시 여러 지역은 물론 환경과 교통 인프라도 고려해야 할 문제다. 모두를 위한 스마트시티를 구축하려면 도시와 빈민가의 격차를 한 번에 해결할 순 없어도 최소화하는 것이 우선이 되어야 할 것이다. 물론 스페인이나 네덜란드, 영국 등 유럽에서도 대도시를 중심으로 스마트시티가 구축된 사례가 있기는 하나 이를 중심으로 뻗어나갈 전망이다.

우리나라의 경우, 서울이나 수도권에 집중되었던 정부 부처나 국가기관을 세종시는 물론 각 지역으로 본사를 배치하는 사례들이 있고 대전이나 여수 등 엑스포를 개최하면서 지역을 활성화 하는 케이스들도 분명히 존재하고 있는 만큼 서울뿐 아니라 전국에 있는 각 지역들이 보다 활발하게 성장했으면 하는 바람이 있다. 필자의 고향인 지역도 10년 그리고 20년이 지나 상전벽해를 이루었다. 앞으로 10년이면 또 다시 강산은 변하고 우리가 살고 있는 지금의 환경도 분명히 변화하게 될 것이다. 그 변화가 모두에게 긍정적으로 다가갈 수 있는, 바로 그런 스마트시티의 세상이 도래했으면 좋겠다.

4장

인간 대신 로봇이 출근한다면

16

'대량 실업'은 이미 예고되어 왔다

일자리 전망 누군가에게는 기회, 누군가에게는 위협

어린 시절, 2020년 이후가 되면 첨단 시스템이 탑재된 수많은 마천루들이 세상에 즐비할 것이라고 생각했다. 만화나 영화에서 볼법한 자율주행 자동차는 물론이고 하늘을 날아다니는 다양한 운송 수단도 목격할 수 있을 것이라는 상상도 해봤다. "그래, 저 미래가 도래한다면 충분히 가능한 이야기가 될지도 몰라." 실제로 아랍에미레이트UAE 두바이에는 세상에서 가장 높다고 알려진 828미터 높이의 버즈 칼리파Burj Khalifa가 생겼고 우리나라에도 잠실 롯데월드타워처럼 500미터 이상의 높이를 자랑하는 마천루가 생기기도 했다.

사람이 핸들을 조작하지 않아도 알아서 움직이는 자율주행 자동차도 조만간 만날 수 있는 '진짜 현실'이 되어가고 있다. 드론과 같이 날개가 달린 비행체는 존재하지만 아직 상용화된 항공 운송 수단은 존재하지 않는다. 그럼 영화니까 가능했던 것일까? 아니, 그렇지 않다. 세계 최대의 항공 우주 회사인 보잉Boeing에서 항공 택시의 프로토 타입을 개발해 시범 운행을 펼치기도 했고 오스트리아의 항공업체인 FACCFischer Advanced Composite Components 중국의 스타트업 이항EHang이 손을 잡고 에어 택시Air Taxi를 하늘에 띄운 사례도 존재한다.

어린 시절 상상했던 일들이 어른이 된 내게 점차 현실로 다가오고 있다. 수많은 SF 영화 속에 등장한 첨단 테크놀로지는 상상력에서 가능성으로, 픽션에서 현실로 바뀌고 있는 추세다. '영화이니까 가능한 일'이라고 생각했던 것들이 눈앞에서 펼쳐지게 된다면 경이로운 사건이 될 것이다. 그러나 마냥 흥분할 수만은 없다. 점차 현실화를 이루는 첨단 기술은 분명히 산업 분야에 영향을 끼치게 될 것이고 이로 인해 누군가는 일자리를 잃을 수도 있기 때문이다. 어떤 기업은 자신들의 정체성이 사라져버리는 위기를 맞이할 지도 모른다. 그러니 우리는 인류가 산업혁명을 맞이하면서 겪었던 과거의 사건들을 거울삼아 미래를 대비할 수 있어야겠다.

미래 키워드 인간은 아무 쓸모없다… 무용계급

산업혁명을 맞이하고 기술의 혁신을 이룩한 지금 이 시대의 첨단 테크놀로지를 과거 인류가 마주한다면 어떠한 느낌이 들까? 현실 속에 존재하는 산업과 기술의 변화 그리고 IT 트렌드의 혁신은 지금까지 어떻게 변화해왔을까? 다음 세대가 맞이하게 될 지금의 작은 변화들이 미래에는 어떠한 혁명으로 변모하게 될지 문득 궁금해진다.

어쩌면 이러한 변화들이 모든 인류에게 반드시 긍정적일 수는 없을 것 같다. 맷 데이먼 주연의 영화 〈엘리시움Elysium〉에서 지구는 인구 폭증, 환경오염, 무산계급, 인간소외, 빈부격차로 인한 디스토피아로 그려졌다. 지구 바깥에 존재하는 행성 '엘리시움'은 가진 자들의 유토피아가 되었고 정치, 사회, 경제적으로 모자랄 것이 없는 하나의 거대한 국가 같은 느낌이었다. 컴퓨터 그래픽CG과 영화적 상상력이 빚은 소설 같지만 우리 앞에 나타나게 될 미래의 숨겨진 모습들이 감춰져 있는지도 모른다.

멀지 않은 미래, 우리가 어쩌면 경험하게 될지 모르는 키워드 중 하나는 바로 무용계급無用階級, useless class이다. 이는 무산계급이자 하위 임금노동자를 의미하는 프롤레타리아트proletariat와 또 다른 개념이다. 인공지능과 로봇 등 첨단 테크놀로지의 발전이 산업혁명을 이루게 되면 그 후폭풍으로 인해 막대한 무용계급이 생길 수 있다고 하는데, 미래를 대비하지 않은 인류, 즉 '그 어디에도 활용할 수 없는 자원'을 의미하는 말이다.

이는 굉장히 공포스러운 개념이다. 인류가 살고 있는 지구가 디스토피아로 변모하지 않으려면 국가와 정부는 물론이고 인류 개개인이 올바르게 대비할 필요가 있다. 트렌드가 변화하면서 기술도 함께 발전하는 법이다. 결국 세상은 그렇게 변화한다. 완벽한 미래의 그림을 그릴 필요는 없다. 지속 가능한 미래를 위해 변화의 흐름을 읽고 대비한다면 우리가 꿈꾸는 미래가 조금씩 그려질 수 있을 것 같다. 첨단 기술은 인류와 함께 가야 할 운명이다.

자동차의 등장으로 사라진 직업 '마부'

지금까지 우리는 1~3장을 통해 미래에 생길 직업들과 산업들에 대해 알아봤다. 하지만 자동차의 등장이 마부라는 직업을 세상에서 사라지게 했듯이, 앞으로 일어나게 될 산업혁명도 누군가의 일자리를 사라지게 만드는 위협으로 다가올 수 있다. 5G, 빅데이터, 인공지능, 자율주행 자동차와 같은 첨단 기술은 그 분야에서 제각각 발전하고 있지만 서로 밀접한 연관성을 가지고 있다. 각 분야의 테크놀로지를 개별적으로 살펴보는 것 그리고 각 키워드와 연결되는 '연관성'을 찾는 것 역시 매우 중요한 일이겠다. 이번 장에서는 '미래산업'의 핵심이 되리라 여겨지는 키워드들을 종합적으로 조망해보고, 쇠퇴하게 될지 모르는 직업 또는 산업분야에 대해 생각해보도록 하자.

우리가 살고 있는 세상은 아주 오래 전, 그러니까 원시적 시대부터 수많은 변화와 깊은 역사를 기록하면서 현재에 이르렀다. 인류는 '현재'라는 시간부터 다가올 미래의 특정하지 않은 어느 시점까지 또 다른 역사와 혁명을 기록하기 위해 준비 태세를 갖추고 있다. 어디선가 벌어지고 있는 지각변동이 산업의 혁신으로 이어진다면 우린 그저 현재에 충실하면 될 것인가?

1700년대 첫 번째 산업혁명 이후로 기계라는 것이 도입되면서 분명히 사람의 일자리는 변화를 맞이했다. 예를 들어 네 바퀴로 굴러가는 자동차가 생긴 이후 마차를 끄는 마부들은 그대로 존재할 수 있었을까? 물건을 대량으로 생산하는 공장에서 기계화와 자동화를 동시에 이루게 된 후 그 자리에 있었던 수많은 사람들은 무엇을 했을까? 앞으로 또 다른 산업혁명의 물결이 쓰나미처럼 밀려오게 된다면 일부 또는 대거 직장을 잃게 될 수도 있다는 우려의 목소리들이 있다. 그러나 이를 단언할 수는 없을 것 같다.

직업군이 사라지는 것과 사람이 일자리를 잃게 되는 것은 다른 문제다. 인공지능이 발달하고 로봇이 진화하면서 이를 접목해 운영하는 경우라면 로봇이 그 자리에서 근무했던 사람들을 대체할 순 있다. 그렇다면 이 직업군은 향후에도 로봇이 대신하게 되지만 로봇을 유지 · 보수한다거나 인공지능 모듈을 고도화 시키는 작업을 위한 새로운 직업군이 탄생할 수도 있는 것이다.

자율주행 자동차가 각광을 받게 되고 교통 인프라에 본격 투입이 될 것이라는 예측에 비추어볼 때 멀지 않은 미래에는 택시 기사라는 직업군이 사라질 수 있다는 이야기도 분명히 존재한다. 택시 면허를 취득하고 기사를 채용해 사업을 운영하는 것에 대한 예산이 자율주행 자동차로 대체하게 되면 비용을 절감할 수 있는 효과를 가져올 수 있다고 한다. 그러나 자율주행 자동차에 탑재되는 첨단 센서를 연구하고 개발하는 인력은 급증할 수 있다고도 했다.

사라지는 직업군이 존재하면 새로운 직종도 생겨날 수 있다는 점으로 바라본다면 감히 긍정적이라 할 수 있겠다. 그러나 택시 사업을 하는 회사 입장에서 자율주행 자동차를 도입한 후 수많은 택시 기사들을 단숨에 해고할 수도 없는 노릇. 결국 정책적인 이슈도 반드시 고려해야 한다는 것이다. 새로운 기술이 등장하면서 산업혁명을 이루게 되면 앞에서도 언급한 것처럼 일부 직업군이나 일자리는 사라질 수밖에 없다. 그것은 부정할 수 없는 현실이다. 그럼에도 불구하고 새로운 기술을 둘러싸고 있는 또 다른 일자리는 반드시 생겨나게 마련이다. 지금까지 있었던 산업혁명의 역사만 봐도 충분히 그러하다. 다음 세대를 위해 지금의 세대가 산업적으로, 정책적으로 미리 대비하지 않는다면 일자리가 사라지는 것에 대한 문제를 고스란히 떠안아야 할 것이다.

2025년 이룩하게 될 우리의 미래

4차 산업혁명 시대를 맞이하면서 다양한 분야의 키워드를 접했다. 대다수 IT 트렌드와 직접적으로 연결되며 실제로 세상은 그 키워드를 중심으로 변모하고 있음을 온 몸으로 느낄 수 있었다. 일단 우리가 손에 들고 있는 스마트폰의 통신 속도가 5G로 변화해 지각 변동을 일으켰고 이와 연결된 수많은 테크놀로지 그리고 산업 분야에서도 변화를 꾀하고 있는 상황이다.

5G라는 키워드 하나만으로도 산업 분야에서는 큰 변화가 있을 전망이다. 고화질로 제작된 고용량, 고스펙의 VR이나 AR 콘텐츠를 체험하고 즐기기 위해서는 5G 통신 네트워크가 필수적이며 자율주행 자동차, 사물인터넷이 이 세상에 안정적으로 자리할 수 있는 것도 5G의 힘이라 하겠다. 자율주행 자동차가 도로 위를 달릴 수 있게 하는 것은 최첨단 센서를 탑재하는 것뿐만 아니라 5G가 '초저지연성Low Latency'이라는 특징을 가졌기 때문이다. 2019년 5G를 맞이한 우리 인류는 앞으로 20년 뒤 7G라는 상위개념의 네트워크를 맞이하게 될 것이다.

자율주행 자동차는 기본적으로 안전하게 주행할 수 있어야 하며 그와 동시에 효율적인 운행이 자율주행의 궁극적인 목적이라 하겠다. 향후 10년 뒤 무인으로 운영되는 택시가 도로 위를 달리게 될지도 모르겠다. 2035년 무인택시를 비롯해 완벽하게 구현된 '자율주행 자동차'가 꽤 많은 비중을 차지하게 된다고 하는데 '완벽함'을 구현하려면 도로 위에 설치되어 있는 신호등이나 표지판은 물론 출발지에서 목적지까지 수많은 정보트래픽를 받아야 한다. 5G 역시 이러한 정보를 아무런 장애 없이 송수신할 수 있도록 가능성을 열어주지만 데이터가 많으면 많을

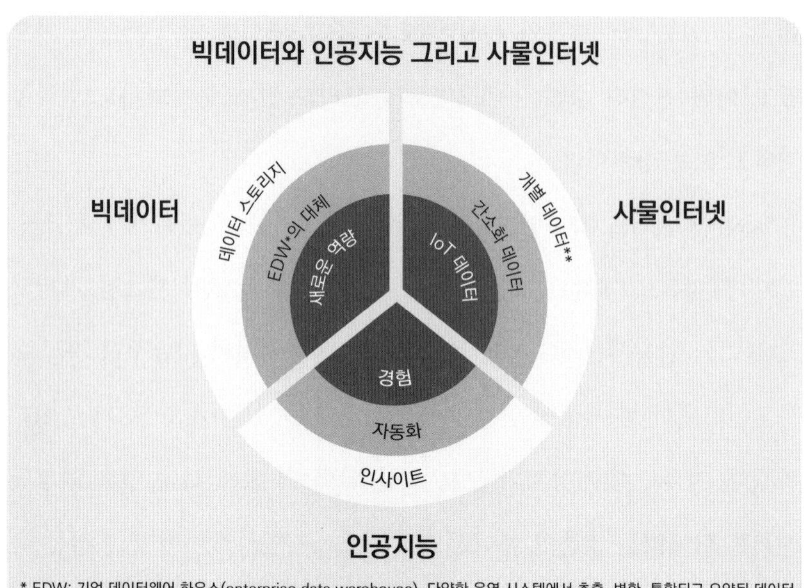

* EDW: 기업 데이터웨어 하우스(enterprise data warehouse). 다양한 운영 시스템에서 추출, 변환, 통합되고 요약된 데이터베이스를 말한다. 다시 설명하자면, 기업 내에서 생성되는 정보(데이터)를 체계적으로 분류하고 저장해서 회사 내 모든 조직과 응용 프로그램이 아무런 기술적 제약 없이 정보를 공유할 수 있도록 하는 데이터의 통합 저장소, 즉 서버 같은 개념이다.

** 개별 데이터: 가장 기본이 될 수 있는 데이터 값을 말한다.

출처: novarica.com

수록 보다 광활한 용량의 클라우드를 확보해야 할 것이다.

보통 클라우드에는 우리가 상상할 수 없을 만큼 방대한 데이터가 쌓이게 되는데 이를 '빅데이터'라 부르며 자율주행 자동차는 물론 사물인터넷, 스마트홈, 인공지능을 구축하는데 활용되기도 한다. 데이터가 갑자기 증발하는 경우는 극히 드물 테니 앞으로 10년이 지나고 20년이 지나 다음 세대가 활용하게 될 '빅데이터'의 양은 꾸준하게 쌓일 것이고 우리가 상상할 수 없을 만큼 방대한 수준이 될 것이다. 빅데이터를 활용하는 분야 역시 더욱 늘어날 것으로 예측되고 있는 상황이다.

빅데이터와 연결된 인공지능은 어떨까? 인공지능 역시 4차 산업혁명 시대를 맞이하게 되면서 기업들이 가장 주력하는 분야 중 하나다. 네이버, 구글 등 국내외 대기업들이 자체적인 인공지능을 개발하여 인공지능의 기본적인 능력을 시험할 수 있는 AI 스피커를 출시하기도 했다. 혹자는 AI 스피커의 주된 목적이 '스마트홈을 실현하는 허브 역할이 될 것'이라고 생각해보았을지 모른다. 음악을 듣고 날씨나 뉴스 정보를 듣는 것은 너무 일반적이고 평범하다. 그렇다고 기계를 팔아서 ROI투자 자본수익율, return on investment를 쉽게 맞출 수도 없는 노릇이니 AI 스피커의 탄생에는 뭔가 다른 이유가 있을 것이라는 판단 때문이다.

그렇다. AI가 탑재된 스피커는 어쩌면 스마트홈을 이룩하는 프로토타입의 개념이 될 수 있다. 인공지능이 스피커가 아니라 온전히 가정이나 회사, 공공장소 등에 탑재될 수 있다면? 우리는 영화 〈아이언맨〉처럼 인공지능 자비스를 이 세상에서 만날 수 있게 되는 것이다. 인공지능과 데이터, 인터넷의 연결로 구현된 자비스는 사물인터넷의 '집합체' 같기도 하다. 사물이라고 불리는 '무엇인가things'에 통신이 연결되어 데이터를 송수신하는 경우가 사물인터넷의 근본적인 의미라고 한다면 더욱 그러하다.

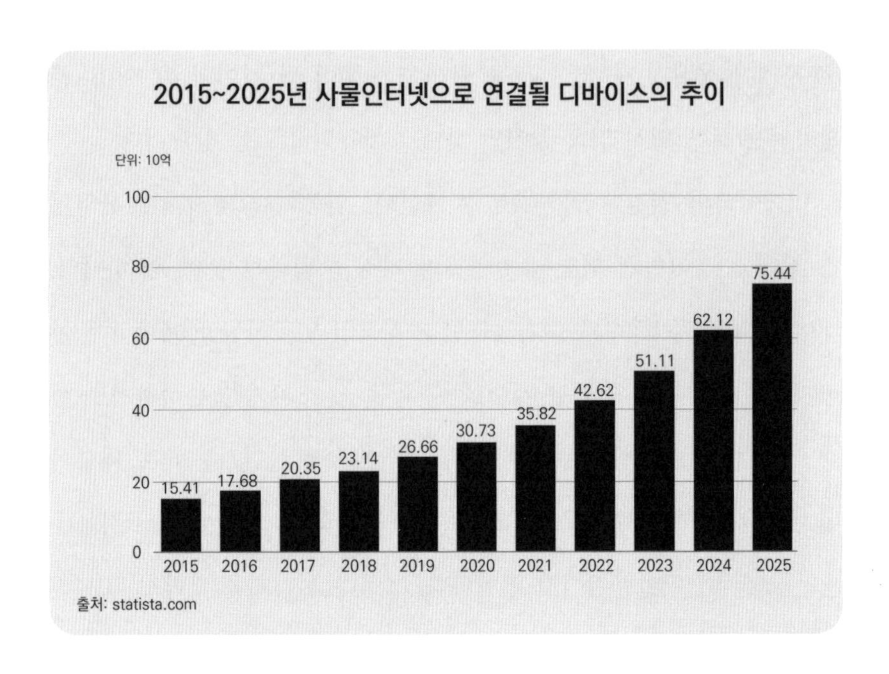

2025년 약 750억 개에 달하는 수많은 기기들이 보급되고 연결되면서 사물인터넷이라는 개념은 만물인터넷으로 진화하고 급기야 '초연결사회'를 이룩하게 될 것이다. 마찬가지로 스마트홈이라는 키워드가 가정이나 회사라는 공간에 닿을 수 있는 수준이라면 이를 뛰어넘는 개념은 스마트시티Smart City가 될 수도 있겠다. 개인이 사용하는 디바이스, 집에서 흔히 활용되는 가전, 스마트 오피스를 이룩하게 될 기업이나 회사로 국한된 범위를 넘어 스마트시티가 이룩하게 될 인프라는 훨씬 광범위하다. 각 가정의 홈오토메이션은 물론이고 스마트 그리드Smart Grid를 포함해 모빌리티, 스마트 빌딩과 스마트 오피스, 교통 인프라 구축,

보안 시설이나 시스템에 이르기까지 모든 것을 포괄하는 개념이야말로 4차 산업혁명에서 말하는 '초연결사회'가 아닐까?

우리의 미래는 긍정적인 의미에서 모든 것을 연결하는 사회로 변모하게 되어 '유토피아'를 이룩할 수 있는 토대를 마련할 수 있게 된 셈이다. 다만 우리는 긍정이라고 쓰인 동전의 뒷면도 제대로 살펴야 한다. 불안하고 위협적인 요소에 대해 반드시 면밀하게 검토하고 그에 맞는 대비를 해야 한다는 것이다. 유토피아를 이룩하려면 새로운 테크놀로지에 대한 개발과 연구도 중요하겠지만 자칫 디스토피아로 추락하게 될 요소부터 검증해볼 필요가 있지 않을까? 예로부터 "돌다리도 두들겨보고 건너라Look before you leap"고 했다. 겉보기에 완벽해 보이는 세상을 맞이했지만 불안요소는 존재하기 마련이다. 오랜 시간 공을 들여 돌다리를 완성했다면 이제 두드려 볼 때다.

5G와 연결되는 테크놀로지

인류가 맞이하게 된 5세대 이동통신은 산업적으로 매우 큰 변화를 가져오고 있다. 스마트폰에서 재생되는 동영상의 로딩에 대한 이슈는 5G에서 언급하기에 매우 작은 영역에 불과하다. 그 말은 5G가 영향을 끼치게 될 산업 분야가 훨씬 더 많다는 의미다. AI스피커를 넘어 스마트 홈을 구축하는데 반드시 필요한 통신 네트워크이고 클라우드 기반으로 제작된 브레인리스 로봇의 두뇌 역할에도 5G 통신망이 필요하며 자율주행 자동차가 도로 위를 운행할 때도 수많은 데이터를 원활하게 받을 수 있어야 하기 때문에 초저지연성을 특징으로 하는 5G 통신이 필수요소로 언급되고 있다.

5G 시대에 진입한 인류는 지금 5G를 넘어 6G와 7G까지 이룩할 수 있는 테크놀로지를 연구하고 있는 상황이다. 향후 10년 뒤 6G 통신이 구축되어 3D 입체영상을 통한 커뮤니케이션이 이뤄지게 될 것이고 VR 산업이 진보되어 스마트 오피스를 구축하거나 가상회의가 가능하게 될지도 모르겠다. 그리고 2040년 도래하게 될 7G는 보다 광범위한 통신은 물론 모든 것을 잇는 초연결사회를 이루게 될 것이다. 참고로 우리나라는 2019년 4월 '5G 세계 최초'라는 타이틀을 붙여 상용화를 시작했다. 미국 통신사 버라이즌Verizon과 눈치 싸움을 펼치다 최종적으로 두 시간 앞선 결과였다.

5G 시대를 맞아 가장 활발하게 연구가 진행되는 분야는 다름 아닌 자율주행 자동차다. 자동차에 앉아있는 사람이 직접 스티어링 휠핸들이나 기어Gear를 조작하지 않아도 알아서 움직이는 자동차는 이제 영화가 아니라 현실에서 마주할 수 있게 되었다. 자율주행 자동차에 탑재된 시

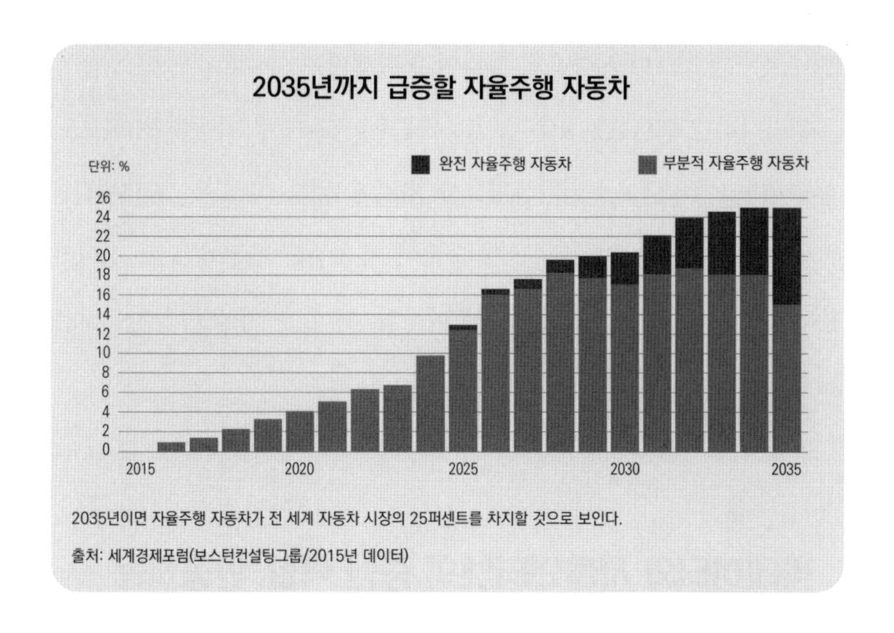

2035년이면 자율주행 자동차가 전 세계 자동차 시장의 25퍼센트를 차지할 것으로 보인다.

출처: 세계경제포럼(보스턴컨설팅그룹/2015년 데이터)

스템은 모두가 필수적인 요소이겠지만 수많은 데이터를 원활하게 주고 받을 수 있는 5G 통신망도 매우 중요하다.

세계경제포럼 자료에 따르면 자율주행자동차가 주행하는 동안 4테라바이트 이상의 정보를 생성하고 소비할 수 있다고 한다. 4테라바이트를 단순 계산할 경우 약 120만 장 이상의 사진을 저장하는 데 필요한 공간이며 1기가바이트의 동영상 4천개를 담을 수 있는 용량이다. 사실 정보가 많으면 많을수록 자율주행 자동차가 송수신하는 데이터양은 4테라바이트 이상이 될 수도 있다. 더구나 빠르고 정확하게 대응해야 하는 시스템이니 5G와 연결되는 자율주행 자동차의 CPU central processing unit, 중앙처리장치도 매우 중요한 영역이라 하겠다.

우리나라는 2030년 궁극적으로 완벽한 자율주행 자동차를 선보일 계획이라고 했다. 보스턴컨설팅그룹 자료에서 볼 수 있듯 2035년, 전 세계 자동차 판매량의 25퍼센트 수준이 자율주행 자동차가 될 것이라 전하기도 했다. 실제 도로 위에서 마주할 수 있는 자율주행 자동차는 2035년 약 2천만 대가 넘을 전망이다.

빅데이터와 사물인터넷의 중심 역할, 인공지능

자율주행 자동차의 핵심은 사람이 작동하지 않아도 알아서 움직인다는 것보다 얼마나 안전하게 주행할 수 있을지가 관건이다. 전후방과 좌우에 탑재되어 있는 센서들이 차량 주변으로 사람이나 장애물은 없는지 확인하게 되고 신호등과 표지판을 인지할 수 있는 능력까지 갖춰 빨간 불빛의 신호등에서는 브레이크가 작동하여 멈추고 혹시 모를 장애물이 있는 경우 피할 수 있도록 구현되어 있다. 자율주행 자동차의 핵심이 되는 시스템 중 손에 꼽는 것이 이처럼 피사체를 판단하고 인지하는 라이다LiDAR 센서다.

라이다 센서가 차량을 안전하게 움직이는 데 가장 필요한 센서라면 차량이 효율적으로 움직일 수 있도록 돕는 것은 바로 빅데이터다. 5G 시대에 이르러 자율주행 자동차가 각광을 받게 되면 엄청난 용량의 데이터를 수신하게 된다. 교통량, 신호등, 표지판, 사고나 날씨에 관한 정보에 이르기까지 다양한 정보를 담게 되는데 이때 필요한 것은 '초고속'과 '초저지연성'이라는 특징을 가진 5G 통신망은 물론이고 빅데이터를 담을 수 있는 클라우드라 하겠다. 주변 차량은 물론 교통 인프라에서 수집된 수많은 정보들이 교통 인프라와 자동차와 연결된 클라우드에 쌓이고 이를 자율주행 자동차에 탑재된 모듈에 전송한다. 이 데이터를 기반으로 내가 타고 있는 차량이 원활하고 안전하게 그리고 효율적으로 운행할 수 있게 되는 것이다.

자율주행 자동차에 탑재되어 있는 민감한 센서들이나 송수신 정보들은 인공지능의 딥러닝을 위한 요소들로 작용한다. 자율주행 자동차가 운행을 하면서 자체적으로 수집한 교통 정보와 각양각색인 차량의 형태를 인지하고 파악하는 것은 주행할 때마다 쌓이는 정보들로서 온전히 인공지능의 학습도구가 된다. 인공지능은 꾸준히 학습을 하고 오랜 시간 데이터를 쌓게 되면 보다 월등한 학습 효과를 보일 수 있게 되어 전문성은 물론 '노련함'까지 갖출 수 있게 될 것이다.

구글 딥마인드Deepmind의 알파고Alpha Go는 이미 세상에 익히 알려진 인공지능 프로그램인데 정책망Policy network과 가치망Value network이라는

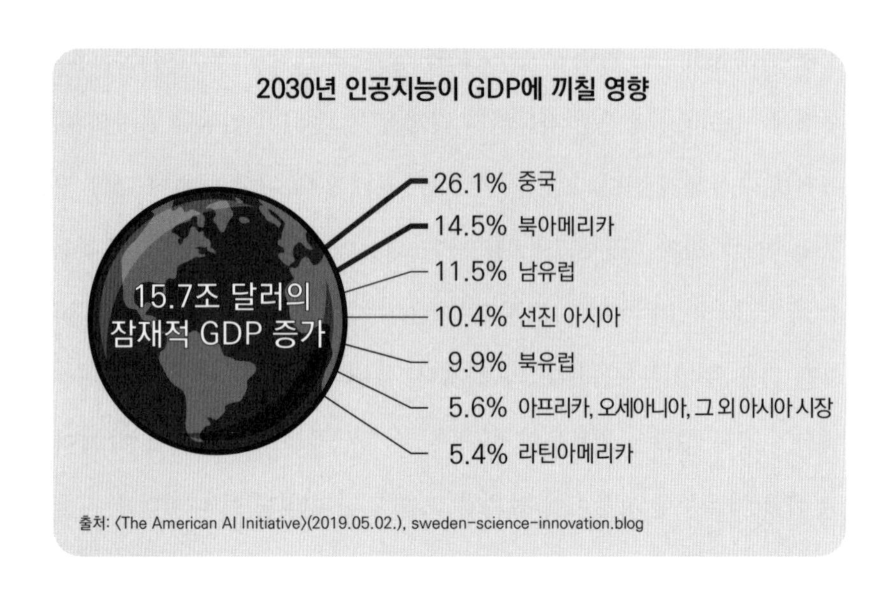

두 개의 신경망이 결합해 마치 사람의 두뇌처럼 움직인다. 알파고의 인공지능은 머신러닝을 통해 스스로 학습하는 기능을 가졌다. 2030년 인공지능으로 인한 세계 경제는 어떻게 바뀌게 될 것인가? 영국 런던의 회계컨설팅기업 PwC[Pricewaterhouse Coopers]에서는 전 세계 GDP 약 15조 원 이상이 인공지능을 통해 상승할 수 있는 잠재력을 지녔다고 했다. 이 중 중국이 26.1퍼센트, 북미가 14.5퍼센트 수준으로 예측되었다. 현재는 구글의 알파고와 같은 인공지능이 월등한 수준에 이르지만 그림에도 나와 있는 것처럼 중국의 인공지능 성장 속도가 가파르기 때문에 향후 10년 뒤라면 중국이 인공지능 시장을 장악하게 될 수도 있겠다.

인공지능 개발을 위한 기업들의 투자는 공격적이다. 그만큼 성장할 수 있는 토대가 충분히 마련된 셈이다. 인터넷이 생기면서 세상에는 많은 변화가 생겼다. 이제는 인공지능이라는 것이 과학 분야는 물론이고 가정, 도시, 사회, 경제, 문화에 이르기까지 전체를 바꿀 수 있는 파워를 지녔다고 해도 과언은 아닌 것 같다. 인공지능이 접목된 자율주행 자동차나 로봇, 스마트홈이 인간의 일자리를 빼앗는다는 개념을 넘어서는 혁신이 도래하게 될 것이다.

구글과 테슬라의 동상이몽

앞서 언급한 것처럼 구글은 딥마인드에서 '알파고'를 지속적으로 연구와 개발을 진행했다. 하여 바둑계를 평정했다. 알파고의 학습능력은 무서울 정도였다. 2016년 3월, 이세돌 9단과 알파고가 바둑 대결을 펼쳐 4대 1이라는 결과가 나왔다. 승리는 알파고였다. 사실 이세돌이라는 인간의 두뇌를 예측할 수 없으리라는 생각을 해봤다. 그래봤자 인간이 만든 기계가 아닌가. 그런데 알파고의 바둑 알고리즘은 예상을 뛰어넘었다.

알파고의 두뇌라고 할 수 있는 심층신경망DNN, deep neural network은 정책망과 가치망으로 나뉘는데 간단히 말하면 정책망은 공격 위치를 계산하고 가치망은 확률적으로 승부수가 높은 수를 판별한다. 물론 이 두 가지의 신경망이 서로 움직인다. 알파고를 머신러닝을 통해 꾸준히 학습한다. 인간이 학습을 하고 모의고사를 본 뒤 틀린 문제를 복습하는 것과 같다. 알파고의 알고리즘도 실패한 경우의 수를 반복학습하여 유사한 상황이 와도 다시는 틀리지 않도록 대응하는 것과 같다.

알파고는 사실 구글이 추구하는 것 중 '일부'다. 구글은 본래 검색 엔진을 다루는 IT 기업이었지만 이제는 인공지능[알파고], 자율주행 자동차[웨이모], 무선 인터넷 공급[프로젝트 룬], 드론 배송[프로젝트 윙] 등 다양한 임무를 수행하기 위한 연구 조직도 존재한다. 구글은 2030년 자신이 수행하는 무인 택시가 무려 100조 원 이상의 수익을 거둘 수 있을 것이라고 예측하기도 했다.

전기 자동차로 잘 알려진 테슬라 역시 2020년 무인으로 운행되는 자율주행 택시가 도로 위를 달리게 될 것이라고 전했다. 테슬라의 자율주행 자동차는 카메라, 초음파를 통해 작동하는 센서 등이 하나의 신경망을 이룬 '뉴럴 네트워크'가 탑재되었고 2020년 이후 100만 대 이상이 세상에 등장할 것이라고 덧붙였다. 테슬라는 2003년 창립해 전기 자동차 제조는 물론 에너지 사업도 병행하고 있다. 테슬라의 CEO 엘론 머스크를 영화 〈아이언맨〉의 토니 스타크와 비교하기도 한다. 엘론 머스크는 테슬라 이외에도 민간 우주기업인 스페이스 X를 설립하여 인공위성 발사는 물론 화성을 향한 '프로젝트'도 추진 중이다. 구글이나 테슬라 모두 출발선은 각기 다르지만 추구하고자 하는 목표는 유사한 듯하다. 결국엔 '동상이몽'이 아니라 같은 생각, 같은 꿈을 꾸고 있는지도 모르겠다.

미래를 대비하는 첫걸음

글로벌 기업인 구글이나 애플 모두 자율주행 자동차 분야에 몸소 뛰어들었고 우리나라의 네이버 역시 자율주행 자동차는 물론 로봇 산업에도 투자를 아끼지 않고 있다. 구글과 네이버만 봐도 검색 엔진과 포털 부문에서 비즈니스를 시작했지만 지금은 새로운 산업에서도 그들의 브랜드를 수많은 사람들에게 각인시키고 있다. 말 그대로 주력 사업이 점차 변모하고 있는 셈이다. 애플의 경우에도 매킨토시라는 컴퓨터부터 우리가 손에 쥐고 있는 디바이스로 점차 변화해왔듯 산업 트렌드에 발을 맞추고 있다. 모바일 산업 분야는 물론이고 넷플릭스와 같은 스트리밍 서비스에 이어 자율주행 자동차 분야까지 그들이 할 수 있는 능력을 더욱 확장시키고 있다.

국가적으로 보면 어떨까? 물론 미국이라는 거대한 국가에서 일어나는 산업적 변화는 어마어마하다. 자율주행 자동차나 로보틱스, 우주를 향한 거대한 개척도 미국 땅에서 벌어지고 있는 이야기다. 중국 역시 마찬가지. 사실 여러 분야에서 미국과 대등한 수준으로 경쟁력을 갖춘 나라 중 하나다. 인공지능이나 드론 산업에 있어 중국만큼 성장 가속화를 이룬 나라도 없을 것 같다. 아랍에미리트의 두바이는 오일머니로 급성장한 국가 중 하나인데 3D 프린팅 기술로 건축물을 세우고 하늘을 날아다니는 플라잉 택시, 로봇 경찰에 대한 지속적인 연구로 경찰관을 대신하는 사례들이 점차 생겨나고 있는 추세다. 물론 모두 프로토타입 즉 초기 단계에 있긴 하지만 국가의 경쟁력을 키울 수 있는 주력 산업으로 탈바꿈할 가능성이 충분하다.

우리나라의 경쟁력은 어디쯤일까? 오래 전부터 반도체 산업이나 인터넷 분야에 있어 다른 국가에 비해 월등한 기술력을 갖추기도 했다. 무엇보다 전 세계 최초로 5G 통신망을 구축했다. 정부 차원에서도 4차 산업혁명 속에 존재하는 기술 키워드에 예산을 아끼지 않고 있다. 그에 따른 정책과 규제는 사실 또 다른 문제이지만 미래를 위한 경쟁력을 확보해야 한다면 연구와 개발을 위한 투자와 인력 양성은 반드시 수행되어야 할 과제다. 헬스케어, 빅데이터, 3D 프린팅 기술, 블록체인에 이르기까지 정부 부처의 노력은 꾸준히 이뤄지고 있는 편이다. 그러나 다른 국가에 비해 주력이 될 수 있을만한 경쟁력을 갖추고 있는 것일까?

연구에 대한 니즈가 있고 그에 따른 개발이 지속될 수 있으려면 여기에 맞는 예산 확보와 투자도 함께 이어져야 한다. 문제 인식은 있으나 이를 해결하는데 오랜 시간이 걸린다면 결국 도태될 수밖에 없는 법이다. 쉽게 말해 발맞추기에는 너무 늦다는 것이다.

사실 5G 최초 도입에도 많은 이야기들이 있었다. 2019년 4월 5G 상용화 서비스가 시작된 뒤 세계 최초라고 환호했지만 두 시간이 지나 미국에서도 5G 상용화를 선언했다. 그런데 본격적인 상용화라고 언급하기에 모자람이 있다. 4G 통신 속도에 비해 더욱 월등한 규격이긴 하지만 이를 대중적으로 체감하려면 5G에 맞는 환경이 뒷받침되어야 한다. 상용화와 대중화는 결코 다른 문제라는 것이다.

5G를 기반으로 자율주행 자동차나 사물인터넷, VR 등이 원활하게 구동될 수 있어 일반인들보다 산업적으로 활용하게 될 가능성이 더욱 높을 수도 있겠다. 이는 한 가지 사례에 불과하다. '세계 최초'라는 타이틀을 부여받아 전 세계가 인정할 수 있을 만큼 저력을 가진다면 금상첨화겠지만 그 저력, 즉 경쟁력을 가지려면 기술을 뛰어넘는 환경과 정책도 마련해야 하겠다.

앞으로 몇 년 뒤 실제로 사라지는 직업군은 반드시 존재한다. 물론 새롭게 탄생하는 직업군 그리고 그 직업군에서 우리가 한 번도 들어보지 못한 직종을 마주하게 될 수도 있다. 더구나 이를 양성하는 대학이나 기관도 점차 늘어날 가능성도 충분하다. 다음 세대를 위한 미래를 대비하기 위해서라면 산업에 필요한 기술력도 중요하지만 그에 대한 관심도 중요한 법이다. 미래를 대비하는 첫 걸음을 위해 귀를 기울여야 할 때다.

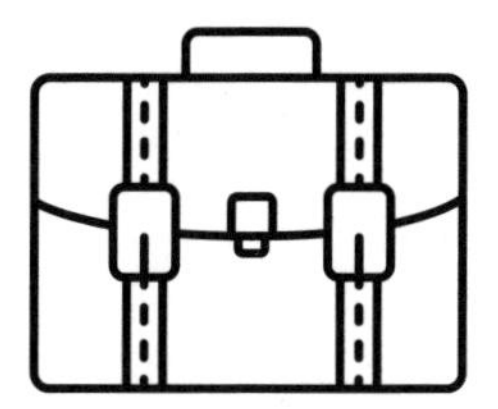

17

인간 없는 공장

일자리 전망 로봇과 취업 경쟁을 벌이지 마라

"로봇이 산업에 투입되면 인간의 설 자리는 어디인가?" 로봇 기술이 발달하게 되면서 가장 많이 언급되는 질문은 바로 이것이다. 인간의 일자리를 빼앗는다는 측면에서 누군가는 '로봇의 공격'으로 해석하기도 하지만 로봇의 등장은 우리가 거부한다고 해서 막을 수 있는 일이 아니다. 미국의 IT 매체 〈씨넷CNET〉은 2030년 미국 내 직업군의 약 25퍼센트를 로봇이 대체할 수 있다고 전했다. 로봇이 공장과 같은 산업 분야에 투입되어 자동화되는 것은 물론 농업, 서비스업 등 셀 수 없는 다양한 업종에 자리하게 되며 인간의 일자리는 그만큼 줄어들게 될 전망이다.

그러나 이를 달리 보면 로봇은 새로운 직무나 직업을 만들어내기도 할 것이다. 기계공학mechanical engineering과 로보틱스robotics, 로봇공학를 꾸준히 공부하고 연구하는 인재들, 인공지능 알고리즘과 머신러닝을 개발하고 실험하는 수많은 사람들에 대한 수요는 계속해서 늘어나고 있다. 인간과 로봇이 공존하는 시대가 도래하게 되면 궁극적으로 함께 협력할 수 있는 방안을 마련해야 한다. 로봇의 지성이 인간을 넘어설 수 있다고 하지만 그렇다고 인간의 영역을 100퍼센트 차지할 수 없는 것처럼, 로봇이기에 가능한 영역과 오롯이 인간이 다뤄야 할 분야가 반드시 존재하게 될 것이다.

미래 키워드 로봇은 점차 인간의 형태로 진화한다

휴머노이드Humanoid란 기본적으로 '인간이 갖춰야 할 신체구조와 유사한 형태를 지닌 로봇'을 뜻한다. 인간의 지능이나 행동, 감각 등을 모방해 인간을 대신할 수 있거나 인간과 상호 작용하여 인류를 위한 서비스를 제공하는 것을 목적으로 삼는 기계를 일컫는 것이다. 비슷한 개념으로 안드로이드android나 사이보그cyborg도 있는데, 안드로이드는 SF 소설이나 영화 속에서 등장하는 인조인간을 말한다. 사이보그는 인공두뇌학을 의미하는 '사이버네틱cybernetic'과 유기적 조직을 말하는 '오거니즘organism'을 합친 말로, 생물학적인 유기체와 기계 장치의 결합체로 특수한 인공 장기나 특별하게 개발된 의족이나 의수를 연결한 병리학적 상태라는 의미에서 개조인간을 지칭하기도 한다.

휴머노이드라고 하면 앞서 언급한 것처럼 인간과 유사한 모습으로 구현할 수도 있지만 농업이나 제조업 현장에서 활용되는 로봇의 형태는 철골 구조의 팔arm이나 수많은 부품으로 구성되어 경우에 따라 거대하며 기계적인 장치의 모습을 띠게 될 것이다. 하지만 인간의 형태를 지닌 휴머노이드는 꾸준히 개발될 것으로 보인다. 특히 고객을 직접 맞이해야 하는 면대면F2F 서비스업에서는 인간과 유사한 형태를 지닌 로봇이 더욱 친근하게 느껴진다는 장점을 발휘할 수도 있게 된다. 또한 인간의 신체와 크기 및 구조가 비슷한 로봇이라면 인간이 일하던 현장에 바로 투입될 수 있다는 것도 장점이다. 물론 인공지능이 사람을 대신할 수 있는 알고리즘으로 구축되고 탑재된다면 말이다. 세계적인 로봇 공학 기업인 보스턴 다이나믹스Boston Dynamics 등이 개발하고 있는 로봇을 살펴보면 로봇이 인간이나 동물의 미세한 움직임을 얼마나 따라잡았는지 확인할 수 있다.

인류, 로봇 시대를 맞이하다

우리가 미디어를 통해 접했던 로봇을 상상해보자. 인간의 지성을 뛰어넘는다고 하는 인공지능을 개발해 로봇의 머리라고 부를법한 부위에 배치하고 이를 인터넷과 연결한다. 주변 환경을 감지할 수 있는 센서와 카메라를 두 눈의 자리에 심어놓고 사람의 명령을 듣고 답할 수 있는 마이크와 스피커를 귀와 입 모양으로 만들어 장착한다. 손가락을 포함한 각 관절에 동력을 부여하고 인간처럼 직립보행이 가능하도록 구현한다. 당연히 이 모든 장치에 에너지를 제공할 수 있는 고용량 고성능의 배터리도 있어야겠다. 상상만 해도 꽤 무거울 듯한 장비들이 구현하게 될 로봇의 형태는 그리 멀지 않은 미래에 우리와 함께 생활하게 될지도 모른다.

스스로 움직이며 거실에 널려 있는 먼지를 흡입하고 청소하는 로봇 청소기나 제품을 조립하거나 생산하는 자동화의 근본이 되는 산업용 로봇, 방금 끝난 경기에 대한 기록이나 증시 정보를 작성하는 기자 로봇까지 로봇의 종류는 매우 폭이 넓은 편이다. 로봇의 어원이라고 알려져 있는 단어 'robota'는 루마니아어로 힘든 일, 노역을 의미하며 체코에서는 이 단어가 '힘들고 하기 싫은 일'을 뜻한다고 한다. 결국 인류가 꿈꾸는 로봇이란 사람들이 힘들어하는 일을 대신 해줄 기계라는 사실을 유추해볼 수 있다. '하기 싫고 귀찮은 일'을 대신해주기도 하겠지만 다소 위험할 수 있는 산업 현장의 업무 또는 사람보다 신속 정확하게 처리할 수 있는 일을 기계가 대신해줄 수 있다고 생각하면 좋을 것 같다.

단순 노동을 하는 기계에 이어 컴퓨터와 로봇 공학이 발전하게 되면서 보다 정교한 임무를 수행하는 로봇 기술로 발전하기에 이르렀다. 카이스트에서 개발한 휴머노이드인간형 로봇인 '알버트 휴보Albert Hubo'는 키 120센티미터 무게 55킬로그램의 로봇이자 세계적 물리학자인 알버트 아인슈타인Albert Einstein의 닮은 꼴이라고 한다. 알버트 휴보는 2004년 만들어졌는데 마치 브라운관 모니터가 달려있는 듯한 최초의 이족보행 로봇에 아인슈타인의 얼굴을 입혀 얼굴 근육도 움직일 수 있도록 모터를 탑재했다. 2005년 부산에서 열린 APECAsia Pacific Economic Cooperation, 아시아태평양경제협력체 정상회담에 휴보를 선보여 우리나라의 과학기술을 소개하기도 했다.

그렇다면 지금 이 시대의 로봇은 어떻게 변모했을까? 세계적으로 유명한 기업인 보스턴 다이나믹스가 개발한 휴머노이드 '아틀라스Atlas'는 어색하면서도 지극히 기계스러운 걸음마가 아니라 매우 자연스럽게 뛸 수 있는 기능을 갖췄다. 보스턴 다이나믹스는 아틀라스를 두고 '세계에서 가장 역동적인 휴머노이드'라고 표현했다. 아틀라스의 신장은 150센티미터, 무게는 75킬로그램이다. 로봇을 개발할 때 가장 중요한 부분 중 하나가 바로 무게와 부피다. 기계 장비가 워낙 무겁고 부피 또한 크기 때문이다. 보스턴 다이나믹스는 3D 프린팅 기술을 활용해 최적의 상태를 구현하도록 연구했다.

또한 아틀라스는 자율주행 자동차의 기반이 되고 있는 라이다LiDAR 센서를 탑재했다. 그 덕분에 일반적으로는 기계가 넘나들 수 없는 공간이나 지형도 접근할 수 있도록 설계되었다. 그래서 아틀라스는 사람처럼 달리는 것은 물론 높은 계단도 오를 수 있다고 한다. 과학정보를 제공하는 사이트 〈라이브 사이언스Live Science〉에서는 아틀라스의 점프 실력을 '파쿠르'로 표현하기도 했다. 파쿠르parkour란 건물과 건물 사이를 뛰어넘으며 이동하는 스포츠 활동으로 오랜 시간 훈련해야 가능한 '곡예'에 가깝다. 물론 아틀라스가 수행하는 활동 능력이 진짜 파쿠르에 비할 것은 아니지만, 기존의 로봇이 보여주던 움직임을 떠올리면 놀라운 발전이라 할 수 있다.

스포츠 중계, 경제 기사 작성… 로봇도 할 수 있다

위키피디아에 따르면 데이터의 정확성과 신뢰도를 유지하고 컴퓨터의 알고리즘을 이용해 자동으로 작성하는 기사를 지칭해 '로봇 저널리즘'이라고 한다. 축구 경기에서 일어나는 시간 흐름과 골, 유효슈팅, 경고 및 퇴장 등의 데이터를 수신하고 이를 토대로 기사를 쓰는 로봇뉴스가 실제로 존재했다. 영국 프리미어리그를 인공지능 알고리즘이 자동으로 경기의 데이터를 수집해 기사를 작성하고 실제 배포하는 '사커봇' 서비스를 국가기간통신사인 연합뉴스사에서 2017년 7월 베타서비스로 진행했다.

참고로 스웨덴 웁살라 대학Uppsala Universitet에서 응용 수학을 가르쳤던 데이비드 섬프터David Sumpter 박사가 위와 동일한 이름의 사커봇이라는 것을 개발한 적이 있다. 이는 경기 결과를 예측하는 프로그램으로 앞서 언급한 연합뉴스의 로봇 뉴스와 개념 자체가 다르다. 연합뉴스의 '사커봇'은 경기 전체를 분석해 기사화를 하기 때문에 슈팅, 골, 파울에 대한 데이터가 나오지만 웁살라 대학의 사커봇은 경기 결과, 즉 승리팀을 예측해주는 일종의 '예측 프로그램'이다.

스포츠 경기를 분석하고 기사화 하는 로봇과 더불어 증시를 분석해 시황이나 증권 정보를 제공하는 증시분석 전문기자 로봇도 존재한다. 우리나라의 언론사인 '전자신문'이나 '파이낸셜뉴스'에서도 이러한 기능을 통해 기사를 제공하고 있다. 우리가 외형적으로 생각하는 로봇과 분명 차이가 있지만 향후 로봇에게 탑재될 인공지능과 데이터를 감안하면 반드시 짚고 넘어가야 할 영역이다. 전자신문과 파이낸셜뉴스에서 증시 정보를 작성하는 로봇 기자들은 국내기업인 '씽크풀'의 로봇시스템을 활용한 것인데 주식 정보는 물론 기업의 IR 정보에 이르기까지 데이터를 축적해 활용하는 것을 데이터 사이언스라고 한다. 다만 자연어로 기사를 처리하는 방식은 정제된 데이터를 어떻게 활용하는 것이냐는 또 다른 이슈인데 지속적인 기계 학습이 이뤄져 전문성이 있는 기사를 쓸 수 있기 때문에 실제 사람을 대체하고 있는 상황이다.

다시 기계적이고 외형적인 측면의 로봇으로 돌아와 다른 사례를 살펴보자. 우리나라의 포털 기업인 네이버는 네이버랩스라는 연구조직을 통해 자율주행 자동차와 로봇을 연구해왔다. 네이버랩스는 2017년 1월 별도 법인으로 분사했고 로보틱스와 인공지능 기반의 서비스 로봇 플랫폼 개발을 주도해온 석상옥 리더를 대표로 선임한 바 있다. 이들은 생활환경 지능ambient intelligence을 기반으로 작동하는 제품군과 서비스를 개발하는 데 중점을 두고 있다.

네이버랩스의 첫 로봇은 실내를 자유롭게 주행하면서 생활공간이나 공공장소의 데이터를 수집하고 이를 디지털화하는 목적으로 만들어졌다. 지도를 만든다는 의미로 영어 단어 'Mapper'의 이니셜을 따와 'M1'이라고 이름 지었다. 카메라는 물론 3차원 레이저 스캐너가 장착되어 코엑스와 같이 대형 장소의 공간을 스캔하고 이를 도면으로 만든다는 것이다.

M1으로 시작된 네이버랩스의 로봇은 더욱 진화했다. 2017년 한 해 동안 특허출원만 무려 56건이었다. 주요한 연구 결과물 중 하나가 '에어카트Aircart'인데 근력증강 웨어러블pHRI, physical Human-Robot Interaction이라고 해서 손잡이에 달려 있는 힘 센서가 사용자의 조작하고자 하는 의도를 파악해 움직임을 제어한다. 즉 오르막이나 언덕에서는 밀고 있는 힘을 측정하고 내리막길에서는 잡아당기는 힘을 파악해 움직인다는 것이다.

네이버는 로보틱스의 연구 과제와 다양한 기술력을 미국 라스베이거스에서 개최된 CESInternational Consumer Electronics Show에서도 여러 차례 소개가 되었다. 2019년 1월 열린 'CES 2019'에서 네이버랩스는 또 다른 혁신을 선보였다. '트랜스포머'와 같이 자동차로 변신하는 로봇처럼 상황에 맞게 외형을 변화시키는 기술이다. 이른 바 '형상가변로봇'이라고 해서 어떠한 지형도 무리 없이 이동할 수 있는 능력을 지녔다.

이는 MIT의 바이오미메틱 로보틱스 연구소Biomimetic Robotics Lab에서 개발한 치타 로봇을 더욱 업그레이드한 느낌이다. 치타 로봇은 시속 8킬로미터로 달리다가 눈앞에 보이는 약 0.5미터의 장애물도 단숨에 뛰어넘을 수 있다. 참고로 MIT는 생체, 즉 동물들의 움직임을 모방해 이를 로봇공학과 접목시킨 다양한 로보틱스 플랫폼을 연구하고 있다. 네이버의 형상가변로봇이 현실화되면 마치 영화의 한 장면을 보는 듯한 느낌이 들 것이다. 자유롭게 계단을 오르내리다가도 평평한 지상에 닿으면 바퀴가 나와 주행 모드로 변신하는 로봇처럼 말이다. 상상만 했던 일이 현실로 다가오고 있는 것이다.

네이버랩스의 형상가변로봇과 더불어 업계가 가장 주목한 분야는 '브레인리스 로봇brainless robot'이다. 첨단 인공지능과 인터넷을 수신할 수 있는 기기를 탑재한 부분을 두고 로봇의 '머리'라고 부를 수 있을 것이다. 그런데 브레인리스 로봇은 5세대 이동통신이 구현되면 이러한 머리가 없이도 구동이 가능하다는 것이다. 5G 시대가 도래하게 되면 엄청난 용량의 동영상을 순식간에 다운로드 받을 수 있다는 점은 물론이고 사물인터넷과 VRvirtual reality, 가상현실 시장이 보다 활발하게 변모할 것이라는 예측은 있었지만 로보틱스와 접목이 될 것이라는 예상은 쉽지 않았다.

스위스의 로봇 협회가 운영하고 있는 사이트 '로보허브Robohub, robohub.org'에서는 5세대 이동통신의 상용 서비스가 2020년이면 일본과 한국에 출시될 것이라고 했다. 중국, 유럽 그리고 미국에 출시하는 것보다 몇 년은 더 빠르다고 전했다. 이미 알려진 것처럼 5세대 이동통신의 가장 큰 장점은 초고속은 기본이고 초연결과 초저지연성이다. 쉽게 말하면 명령을 내린 이후 명령에 대한 신호가 통신으로 전달되어 수행하는 과정을 모두 포함하는데 이러한 '초저지연성'이 5G의 가장 큰 특징이기도 하다.

네이버랩스가 구현한 '브레인리스 로봇'의 '브레인' 역할을 하는 영역은 모두 로봇 몸체와 떨어져 외부에 존재하게 된다. 클라우드 기반으로 로봇을 제어한다는 측면에서 여러 대의 로봇을 일괄적으로 움직일 수도 있고 무엇보다 로봇마다 반드시 들어가야 할 프로세서를 하나씩 넣지 않아도 된다는 점이 꽤 매력적이다. 물론 5G라는 통신 체계와 광활한 클라우드의 기술 역시 모두 포괄해야 하므로 2020년 이후에 안착될 5세대 이동통신이 우선적으로 자리 잡아야겠다.

농촌의 풍경을 바꾸게 될 팜봇

이미 기계화가 자리 잡은 공장에서 물품의 생산과 제조를 담당하는 로봇은 쉽게 볼 수 있는 풍경이 되었다. 일상생활에서 로봇을 보는 일은 '로봇청소기'를 제외하곤 아직까지 흔하지 않지만 이제 곧 농촌에서도 기계화가 일어날 수 있을 것 같다. 이른 바 '팜봇Farm Bot'이라 불리는 것인데, 농촌진흥청의 영농기술 자료에 따르면 나무를 접붙이는 기술인 '접목'을 구현할 수 있는 접목 로봇이 존재하고 있고 식물이 자란 키나 잎의 면적 등을 자동으로 측정하고 분석하는 자동 생육측정 시스템에도 카메라와 로봇 팔이 장착되어 점차 스마트 팜으로 진화하고 있다고 한다. 더불어 한우 농가에도 송아지에게 젖을 먹일 수 있는 젖먹이 로봇도 등장해 기계 도입 이전보다 훨씬 많은 소들을 사육하고 있다고 전했다.

기본적으로 살아 있는 생물들과 사람 그리고 로봇이 공존하면서도 생산성과 품질을 높여야 하는 것이 주된 목적일 것이다. 값 비싼 장비에 대한 부담감이나 실제로 로봇을 사용해야 하는 농민들의 학습도 필요하다. 또한 해외에서 개발된 농기계가 국내 환경에 맞게 최적화되어야 실질적인 활용이 가능하다고 볼 수 있다. 비료나 농약 등 농업을 위해 쓰이는 필수적인 것들을 최소화하면서도 최적의 상품을 재배해야 하고 날씨나 병해충과 같은 외부요인에 대한 분석과 관리를 로봇이 대신해줄 수 있을 것 같다.

이른 바 '정밀 농업precision Agriculture'이라 불리는 새로운 농업기술은 앞서 언급한 것을 모두 아우르는데 정밀한 측정과 최소한의 인력과 적은 시간을 투입해도 생산량을 최대화하는 방식을 말한다. 제조업이나 ICT 분야의 산업이 각광 받는 시대에 농촌과 농업을 하는 인구들 역시 줄어들고 있다. 이와 더불어 UN 산하의 식량농업기구FAO는 2050년 즈음 전 세계 인구는 100억이 될 것이므로 현재보다 식량이 약 70퍼센트 이상 필요하다고 언급했다. 식량 부족으로 인한 사태가 더욱 커지지 않으려면 스마트팜과 정밀 농업 기술 그리고 팜봇으로 인한 로봇 대중화가 보다 앞당겨져야 어느 정도 미래를 대비할 수 있지 않을까? '아직도 먼 이야기'라고 할 수도 있지만 다음 세대를 위한 것이라면 우리 세대가 지금부터 준비해야 한다.

이처럼 로봇은 다양한 산업 분야에서 이미 활용되고 있거나 일상생활 등 많은 부분에 영향을 끼치게 될 것이다. 인공지능이 발달하면서 로봇의 능력도 더욱 고도화될 것이고 이로 인해 사람의 편의를 도모하고 인류가 풀지 못한 난제들과 위협에서 벗어나게 해주리라.

영화 〈터미네이터The Terminator〉와 같이 인간을 위협하는 인공지능과 파괴적인 로봇의 등장은 사실 너무 앞서간 픽션이다. 인류의 손으로 개발한 인공지능, 이를테면 알파고와 같은 AI가 인간의 지성을 뛰어넘을 정도로 급격하게 발달한 것은 자명한 사실이지만 영화처럼 핵전쟁을 일으키거나 인류에 반기를 들고 인간을 지배하려고 하는 거대한 그림을 그린다는 것은 인공지능이 '생각'을 한다는 것인데 기본적으로 인간의 뇌와 기계 학습이 이뤄지는 로봇의 인공지능 영역은 너무 다른 차원이다. 지난 3월 11일, 대구광역시 소재의 엑스코EXCO에서 인간과 로봇 기술의 관계를 연구하는 학술대회가 열렸다. 이 컨퍼런스의 기본적인 토대는 로봇의 인간에 대한 위협이 아니라 인간과 로봇이 파트너이자 협력하는 차원의 '상호작용'을 이야기한다. 말 그대로 로봇이 인류를 위해 도움을 준다는 의미다. 같은 픽션이라 할지라도 〈범블비Bumblebee〉와 같이 우리를 보호해주고 지켜주면서도 인간이 흘리는 눈물에 공감하는 온전히 인류를 위한 로봇이 등장하기를 바란다.

빼앗고 빼앗기는 제로섬 게임이 아니다

집 앞에서 정원을 가꾸는 사람이라면 미래에는 로봇과 함께 작업을 하게 될지도 모르겠다. 이른바 가든봇Garden Bot이다. 사실 수많은 장비들과 첨단 부품들이 탑재된 로봇이라면 5~10년 후 세상이 되어도 아무나 가질 수 없는 존재가 될 것이다. 가격이 쉽게 떨어지지는 않을 것이니 말이다. 가정에서 우리를 보필하는 로봇이라면 앞으로 보급에 시간이 소요되겠지만 산업적인 측면에서 보면 기업이나 생산 공장, 앞서 언급한 농장 지대에는 어느 정도 빠르게 보급될 전망이다.

그러나 문제는 다른 곳에 있다. 2017년 11월 CNBC가 보도한 기사에는 2030년 약 8억 명에 달하는 사람들의 일자리를 로봇이 대신할 수도 있다는 내용이 담겼다. 로봇이 수행하는 임무라면 사람보다 정교하면서 신속하고 위험한 현장에서도 인간을 대신할 수 있기 때문에 산업 분야에서는 이를 거부할 이유가 없다.

'일지리를 빼앗는' 고용의 감소라고 이해할 수도 있지만 이를 다르게 본다면 인간이 해야 할 '업무의 변화'라고 봐도 좋을 것 같다. 사람이 수행했던 업무에 필요한 로봇을 도입하여 효율성이나 생산성을 높이고 반드시 사람이 해야 할 업무라든지 로봇과 함께 수행할 수 있는 영역에는 사람을 배치한다는 것. 마이크로소프트의 창업자 빌 게이츠Bill Gates도 과학, 테크놀로지, 경제 분야 등 로봇이 할 수 없는 영역에는 언제나 그렇듯 사람들이 필요하다고 언급했다.

반대로 테슬라의 엘론 머스크Elon Musk는 인간을 위협할 수 있는 로봇이 될 수도 있다며 우려했다. 사람을 공격하는 것이 아니라 지금의 일자리를 '빼앗는다'는 의미다. 앞으로 10년 뒤 로봇과 인공지능은 꾸준히 발전하게 될 것이고 사람들과 공존하며 살게 될 것이다. 머스크가 언급한 리스크는 충분히 가능할 법한 이야기이지만 이러한 우려에 미리 대비할 수 있다면 가능성은 열려 있다. 더불어 인류는 로봇과 함께 살아갈 수밖에 없는 운명일지도 모른다. 또한 로봇과 인공지능이 가져다 줄 혁신이 또 다른 혁명이 될 수도 있다. 로봇과 공존하게 될 운명이라면 대비해야 할 임무도 함께 주어진 셈이다.

18

2025년, 60만 자율주행차가 온다

일자리 전망 100만 운수업 종사자에게 찾아올 이야기

미래를 배경으로 하는 SF 영화들 중 가장 흔하게 나오는 것으로 로봇과 무인 자동차를 손에 꼽을 수 있겠다. 국내 드라마나 CF에서도 운전자가 손을 놓고도 자율 주행하는 장면들이 나오기도 했다. 자율주행 자동차를 구축하기 위해서라면 본체에 탑재된 수많은 시스템과 센서뿐만 아니라 서버나 클라우드 혹은 통신 네트워크까지 외부의 기능과 연동까지 되어야 한다.

다양한 산업 분야와 더불어 우리 일상생활을 위해 양산된다면 이를 위한 갖가지 분야의 직업군이 생겨날 수 있을 것 같다. 말 그대로 자동차 제조업은 기본이고 교통 인프라의 전체를 뒤흔들 수 있는 존재이기 때문이다. 어쨌든 자율주행 모드와 더불어 경우에 따라 수동으로 조작하는 시스템이 병행될 것이기에 '음주운전'이 허용될 수 있는 것은 아니다. 이를테면 현존하는 대리기사들은 꾸준히 존재할 수도 있다는 이야기가 된다.

그런데 구글이 꾀하고 있는 자율주행 택시 서비스가 세상의 빛을 보게 된다면 교통수단에도 매우 큰 폭풍이 불 것 같다. 사실 일반적인 택시 이외 카카오택시, 타다, 우버Uber 등이 도입되면서 사회적인 변화를 맞이하기도 했다.

자율주행 자동차는 전기자동차, 수소를 연료로 하는 자동차와 더불어 미래형 자동차 범주 안에 존재한다. 미래형 자동차를 표준화하는 것도 상당 시간이 걸리겠지만 사실 이것도 시간문제다. 그만큼 자율주행 자동차의 표준화와 양산, 우리 사회 속으로 투입되는 것 역시 곧 도래하게 될 이슈라 하겠다.

IT 정보를 다루고 있는 온라인 매체인 '시티 오브 퓨처citiesofthefuture.eu'는 이미 2016년도 기사에서 전 세계 수많은 운전기사의 일자리를 걱정하기도 했다. 개인 택시의 경우 택시 면허 취득 자체도 쉽지 않고 택시 사업을 운영하는 회사 입장에서 소요되는 비용이나 전체적인 운영 예산이 자율주행 자동차 양산으로 인해 대체되면 비용 절감의 효과를 가져올 수 있다고 전했다. 그렇다면 회사를 운영하는 입장에서 택시 기사가 아니라 자율주행 자동차를 도입하게 될 것이고 감히 말해 택시 기사의 일자리는 점차 줄어들 수밖에 없는 것이다.

반면 라이다와 같은 센서나 그래픽 카드 등을 연구하고 개발하는 인력은 보다 늘어날 것으로 보인다. 자율주행 자동차의 완벽함을 증명하는 등급이 '레벨5'로 존재하고 있지만 이를 뛰어넘을 수 있는 안전을 보장해야 하기에 더욱 고도화를 꾀할 수 있는 연구가 지속되어야 할 것이다. 그런 의미에서 보면 자율주행 자동차의 완벽함을 추구할 수 있는 분야, 유지 및 보수, 자동차와 교통 인프라의 통신망을 연결하고 구축하는 다양한 분야의 직업군은 더욱 늘어날 전망이다.

미래 키워드 자동차 회사가 아닌 '구글'도 뛰어든 '자율주행 자동차 산업'

자율주행 자동차란 운전자가 차량을 직접 운전하지 않아도 스스로 움직이는 자동차를 말한다. 자율주행을 위해 라이다와 같은 감지 센서와 고성능 카메라가 탑재되어 있고 교통신호나 도로 상황 등 교통 정보를 송수신할 수 있는 모듈이 존재한다. 크라이슬러, 도요타, 테슬라 등의 자동차 제조업체들은 물론 구글이나 아마존, 네이버, 엔비디아 같은 IT 기업도 자율주행 자동차 산업에 뛰어든 상태다.

자동차, 지도를 탑재하다

어린 시절, 여름방학을 맞이하면 경북 포항 바닷가 앞에 위치한 외갓집을 찾아가고는 했다. 허리가 굽은 외할머니는 몸이 불편하셨음에도 반갑다며 문 앞까지 나오셨다. 집으로 돌아갈 때쯤이면 방으로 조용히 불러 주머니에서 용돈을 꺼내 두 손에 쥐어주셨다.

아버지께서는 서울에서 포항까지 무려 5시간 이상 운전하셨다. 지금의 오토매틱automatic transmission 기술은 당시 매우 사치였다. 기어를 1단부터 5단까지 조작하셨고 필요에 따라 후진기어를 직접 넣으시고는 뒤를 보며 후진을 하시기도 하셨다. 세월이 흐르고 외할머니는 노환으로 별세하셨다. 과거와 달리 지금은 내가 아버지를 모시고 운전을 한다. 후진을 할 때도 굳이 뒤를 보지 않아도 후방의 환경을 두 눈으로 확인할 수 있는 카메라와 모니터가 차량 내부에 달려 있어 꽤 편리하게 운전할 수 있는 시대가 되었다.

차량 운행과 운전자의 편의를 위한 가장 중요한 변화는 바로 내비게이션이다. 과거에는 지도를 펼쳐 곳곳에 설치된 이정표를 확인해가며 운전을 했었는데 지금은 차량 안에 탑재된 내비게이션은 물론 모바일 앱으로 구현된 내비게이션을 이용해 최적의 길로 향한다. 내비게이션의 시작은 본래 선박 항해 분야에서였다. 망망대해 위에서 나침반이나 태양에만 의존할 순 없었을 테니 배가 위치한 그 곳이 어디인지 그리고 어느 방향으로 가야 목적지에 도달하는지를 알려주는 필수적인 장비가 되었던 것이다.

내비게이션이 정확한 위치 값을 잡을 수 있도록 역할을 하는 것은 지구 바깥에 존재하는 위성들이다. 기본적으로 내비게이션의 배경이 되는 지도들은 실제 거리를 측량한 실측값actual survey을 토대로 만들거나 인공위성 영상을 바탕으로 지도 데이터를 제작하기도 한다. GPS 신호가 자동차가 있는 위치를 파악하고 화면에 표시하는데 이러한 데이터를 활용하는 것이 바로 내비게이션이다. GPSGlobal Positioning System는 전 세계가 사용하는 위성 위치 확인 또는 추적 시스템을 말한다. 내비게이션이 선박에 먼저 활용되었다고 하면, GPS는 미국의 군사용으로 최초 개발되었으나 현재는 모두가 사용하는 범용이 되었다.

머나먼 길을 한없이 운전할 때 운전자의 피로는 사실 이만저만이 아니다. 발끝부터 저려오는 피곤함이 허리와 척추 곳곳에 스며들어 시신경과 뇌에 무리를 주고는 한다. 그나마 운전자의 편의를 주는 것이 정속 주행 장치인 크루즈 컨트롤Cruise Control 기능이긴 하다만 사실 미국처럼 땅 덩어리가 큰 나라도 아니고 한적한 고속도로 위에서나 사용할 법 하나 그 역시도 사용빈도가 극히 적은 게 사실이다. 크루즈 컨트롤 기능은 자동차의 속도를 일정하게 유지하는 기능으로 속도가 내려가는 오르막 구간에서는 가속 페달을 밟는 것처럼 느껴지고 그 반대인 내리막 구간에서는 속도를 늦춰 속력을 유지하는데 속도에 대한 신호를 구동축, 속도계와 연결된 케이블, 바퀴에 달린 속도 센서, 엔진의 RPM 등이 전달되는 전기신호로 전체를 제어한다. 실제로 이 기능을 고속도로 위에서 사용해봤지만 오랜 시간 유지하기는 어려웠다. 하지만 분명 운전자들을 위한 장치임을 틀림없다.

알아서 움직이는 자동차

GPS나 내비게이션, 크루즈 컨트롤 등을 모두 활용해 차량의 핸들을 기계에 맡기게 된다면 어떨까? 이 글을 읽고 있는 당신이라면 눈을 감고 기계에 의존할 수 있을까? 자율주행 자동차는 운전자가 차량을 조작하지 않아도 차선을 변경하고 빨간 신호등에서는 멈춰서는 등 스스로 움직이는 자동차를 말한다. 차량을 포함해 사람이든 장애물이든 주변 사물을 사전에 인지하고 피하거나 멈출 수 있어야 하므로 사물과 사물 사이의 거리를 측정할 수 있는 첨단 센서가 필요하다. 운전자가 볼 수 없는 사각지대의 영역 또한 이러한 센서들이 감지할 수 있어야 보다 높은 안전성을 확보할 수 있겠다. 또한 그래픽 처리 장치가 반드시 요구되는데 이는 자동차 주변의 모든 환경들을 분석한다. 즉 표지판이나 신호등, 앞에 있는 차량의 특징, 지형과 사물을 분석하는데 활용된다. 물론 이와 같은 정보를 수집하기 위한 여러 대의 카메라도 필수 장비다.

자율 주행 자동차를 가장 활발하게 연구하는 곳은 다름 아닌 구글이다. 구글에서 시작한 자율주행차 프로젝트Self-Driving Car Project는 2009년 시작되었다. 스탠포드 대학교의 세바스찬 쓰런Sebastian Thrun 교수와 함께 프로젝트를 시작했는데 구글 산하에 존재하는 구글 XGoogle X 연구소에서 여러 가지 프로젝트를 주도한 인물이다. 알려진 것처럼 구글은 알파벳Alphabet이라는 새로운 모회사를 설립했고 그 아래 자율주행 자동차를 연구하는 웨이모Waymo라는 자회사를 신설했다. 2014년, 약 6년간의 프로젝트를 통해 연구와 개발을 지속해온 결과 프로토타입Prototype이 등장하기도 했다. 차량 지붕에 달려 있는 카메라와 센서는 모두 소형화 되었고 실제 차량이 존재하는 도로 위를 달리기도 했다. 시제품이기 때문에 자율 주행을 위한 최소한의 그리고 주요한 부품만 넣었을 뿐 핸들도 페달도 없다. 시속 약 25마일약 시속 40킬로미터로 운행 속도를 제한해 시험 주행을 실시한 바 있다.

이후 구글은 미국의 자동차 제조업체인 포드, 크라이슬러 등과 파트너십을 맺고 자율 주행 자동차의 주행 테스트를 지속해갔다. 또한 각종 첨단 프로세서 탑재를 위해 세계 최대의 반도체 업체 인텔과도 협력하고 있다. 프로젝트를 시작한 뒤 자율주행차의 누적 주행 기록은 2015년 6월 100만 마일, 2016년 10월에 200만 마일 그리고 7개월 후인 2017년 5월에 300만 마일을 돌파하기도 했다.

기술 분야 매체인 〈테크 크런치Tech Crunch〉 보도에 따르면 웨이모의 자율주행 자동차는 2018년 말 1천만 마일을 돌파했다고 언급했다. 주행 기록을 누적하는 것은 결코 단순하지 않다. 자율 주행을 실제 도로에서 경험할수록 수많은 데이터를 쌓아 기계의 학습능력을 충분히 높일 수 있기 때문이다. 초보운전자가 실제로 도로를 주행하면서 능숙하게 변화할 수 있는 것도 '경험'에서 비롯되는 것이니 자율주행 자동차 역시 오랜 경험이 노련함을 만들게 되는 것이라고 이해하면 좋을 것 같다.

웨이모의 자율주행 자동차에는 앞서 언급했던 첨단 센서들이 탑재되어 있는데 익히 알려진 시스템으로 '라이다'를 꼽을 수 있다. 자동차 주변에 존재하는 물체의 위치나 그 사이의 거리를 정밀하게 측정하기 위한 시스템으로 자율주행 자동차의 가장 핵심적인 요소라 하겠다. 돌고래나 박쥐가 음파를 이용해 먹잇감을 찾고 포획하는데 라이다 센서는 이와 유사하다. 센서에서 발사되는 펄스 레이저pulsed laser가 물체에 닿은 후 거리에 대한 정보를 다시 센서로 전달해 입체적인 형태를 만들어낸다. 이러한 3차원 정보를 사전에 학습된 인공지능을 통해 대상을 분류하는데 활용한다. 사람의 눈과 이를 분석하는 두뇌 기능을 한꺼번에

하기 때문에 자율 주행 능력에 가장 필수적인 요소다.

구글은 오랜 시간동안 자율 주행 프로젝트에 심혈을 기울였다. 이 분야에서는 독보적이라 해도 과언이 아닐 정도다. 자동차를 잘 만들어내는 제조사와 구글의 이러한 기술력을 잘 조합할 수 있다면 우리가 충분히 의존할 수 있는 차량이 등장할 수도 있겠다. 구글이 계획하고 있는 자율주행 자동차의 대중화는 2020년 이후다.

웨이모는 자율주행 자동차의 보급과 함께 자율주행 택시 상용화 프로젝트도 추진하고 있는 상황이다. 투자은행 UBS는 웨이모의 자율주행 자동차 사업을 지속하게 되면 2030년이 도래했을 때 무려 1천 140억 달러의 매출을 기록할 수 있을 것이라고 전했다. 한화로 무려 129조원 수준에 달한다. UBS는 웨이모의 기업 가치를 최소 250억 달러 이상으로 봤고 최대 1천 350억 달러까지 가능할 것이라 예상하기도 했다. 모건스탠리Morgan Stanley의 경우는 1천 750억 달러 수준의 가치라고 전했다.

자율주행 기술 연구에 뛰어든 기업들

그래픽 처리 장치Graphics Processing Unit 기술력을 가진 전문업체 엔비디아 역시 이 분야에 상당히 적극적인 편이다. 차량 주변에 있는 모든 사물의 이미지를 분석하고 정보를 쌓는 카메라 프로세서를 보유하고 있는데 사물의 정보를 세분화해 인지하고 분석한다. 즉, 표지판을 읽거나 경찰차나 견인차, 버스 등 차량의 외형과 특징을 파악해 정보로 활용한다. 사전에 프로그래밍 되지 않은 새로운 정보들은 다시 데이터로 쌓아 학습을 진행한다. 인공지능의 전형적인 기계학습 방식인 머신러닝machine learning 기능을 그래픽 기술과 접목시킨 사례라고 할 수 있다. 엔비디아 역시 아우디, 벤츠 등 자동차 전문 제조사들과 다양한 제휴를 맺고 그래픽 처리 장치에 관한 자체 기술력을 제공하고 있다.

네이버랩스Naver Labs는 로보틱스 기술력을 가진 네이버의 연구 조직이었다. 이곳 역시 자율주행 자동차에 지속적인 투자를 하고 있는 상황이다. 국토교통부가 네이버랩스가 개발 중인 자율주행 자동차가 실제 도로 위에서 운행할 수 있도록 허가하기도 했다. 보통 현대자동차나 서울대학교 등 자동차 업체나 학계에서 자율주행 기술 개발을 진행해왔었는데 네이버의 임시운행 허가는 IT업계로는 처음이었다.

네이버는 라이다 센서 기술을 보유하고 있는 이스라엘 기업, 이노비즈 테크놀로지스Innoviz Technologies에 투자를 진행하고 핵심기술을 확보하기도 했다. 이노비즈는 이스라엘 국방부 소속의 엔지니어 출신들이 설립한 스타트업인데 자율주행 자동차의 핵심으로 자주 언급되는 첨단 라이다 기술을 개발하고 있다. 최근 안양시에서도 자율주행 자동차 상용화를 추진 중인데 이 사업을 위해 이노비즈와 MOU를 체결하기도 했다. 이노비즈의 자율주행 자동차를 위한 핵심 기술력은 전 세계적으로 인정 받아왔고 네이버는 물론 소프트뱅크 벤처스 등 여러 기업으로부터 대규모의 투자를 받기도 했다.

2016년 설립된 미국의 자율주행 스타트업 기업 오로라 이노베이션Aurora Innovation 역시 자율주행에 대한 기술력을 갖고 있는 곳이다. 세계 최대의 전자상거래 업체인 아마존은 원활한 유통과 예산 절감을 위해 자율주행 기술력에 남다른 관심을 갖고 있었고 이를 위해 오로라 측에 투자를 진행했다. 오로라는 자체 기술력을 확보한 상태이니 굳이 차량을 제조하지 않고 우리나라의 현대자동차나 중국의 테슬라라 불리는 바이튼Byton 등 자동차 전문기업들과 협업하고 있다. 아마존이 꿈꾸는 미래는 아마존에서 거래되는 모든 물품을 이러한 자율주행 자동차를 통해 원활한 유통망을 확보하겠다는 것이다. 2017년 지출된 아마존의 운송비용은 약 217억 달러 수준이었다.

애플사의 경우에도 자율주행 분야의 스타트업 '드라이브.AIdrive.ai'를 인수하면서 자율주행 자동차 분야에 대한 의지를 확고히 했다. 구글과 직접 경쟁이라는 소문도 있지만 구글은 이미 오래 전부터 연구한 기업이라 애플이 얼마나 경쟁력을 갖추게 될지 지켜봐야 할 것 같다.

5G와 만나는 자율주행 자동차

자율주행을 위해 교통 신호와 차량의 흐름에 대한 정보를 송수신하는 경우 데이터의 수신이 지연된다면 어떠한 일이 벌어질까? LTE보다 20배는 빠르다고 알려진 5세대 이동통신망을 이용하게 되면 초고속은 물론 데이터 송수신에 따른 지연성이 급격하게 낮아지는 '초지연성'이라는 5G의 특성 때문에 보다 빠르게 대응이 가능해진다. 그만큼 유연하게 움직일 수 있을 것이고 사고의 가능성도 낮아질 수밖에 없다.

앞서 라이다 센서의 핵심기술에 대해 언급했지만 5G와 같은 통신 속도도 자율주행 자동차에서 결코 빠질 수 없는 요소다. 차량이 없는 한적하고 평범한 도로 위를 주행한다고 가정한 경우와 교차로와 같이 복잡하고 차량이 많은 곳에 대한 케이스를 양쪽으로 생각해보면 근본적으로 환경이 다르고 정보량 역시 차이가 날 수밖에 없다. 지방에서 서울 중심부로 진입하는 차량이 송수신하는 트래픽을 견디려면 5G 이상의 통신 속도를 구현해야 가능하다는 것이다. 그만큼 5세대 이동통신은 자동차와 교통 인프라에 있어서도 매우 중요한 역할을 하게 될 것이다.

통신 업계에서는 네트워크를 통해 정보를 수집하고 데이터를 송수신하는 수백 개의 센서가 탑재된 자율주행 자동차의 개념을 'V2X vehicle to every'라고도 한다. 수많은 교통 정보를 수신하는데 이와 더불어 날씨나 사고 현황, 도로 위 어디서든 발생할 수 있는 물체까지 인지하고 식별하는 모듈이 있어야겠다. 더불어 2020년 이후가 되면 각 차량에 이러한 센서들이 달려 앞 차와 뒤 차 등 각 차량 간 센서들이 서로 상호 작용할 수도 있다. 그래야 갑자기 일어날 수 있는 사고도 예방할 수 있어 '방어 운전'의 효과도 톡톡히 볼 수 있겠다.

스웨덴 태생의 볼보Volvo는 자사 브랜드에 반자율주행 기능을 넣었다. 반대편 차선에서 이동 중인 차의 방향을 모니터링하여 충돌이나 피해를 예방하는 차원이다. 또한 차선 유지 보조 장치로 의도하지 않게 차선을 침범하게 될 경우 스티어링, 즉 조향장치를 제어하여 원래의 차선으로 돌아올 수 있도록 구현한 것이다. 이는 자율주행의 완벽함을 추구하기 위한 기초 단계라고 봐도 좋을 것 같다.

업계에서는 자율주행 자동차의 수준을 '레벨 0'에서 '레벨 5'까지로 구분하기도 한다. 레벨 0은 자동화가 전무한 수준이고, 레벨 1은 운전자가 보조 기능을 할 수 있어야 하며, 레벨 2에서는 자동차라 알아서 가속하고 핸들을 잡긴 하나 긴급한 경우 운전자가 대응해야 한다. 레벨 3으로 올라오면 어느 정도 수준의 자율주행 자동차라고 말할 수 있지만 정해진 시속임에도 불구하고 운전자가 존재해야 한다. 레벨 4와 레벨 5가 되면 비로소 '완벽'에 가까운 자율 주행이 가능하다. 4 레벨는 지역에 대한 정보나 도로 사정을 사전에 파악한 수준에서 가능하며 레벨 5로 넘어가게 되면 어디서든 자율 주행이 가능한 '완벽한 자율주행 자동차'로 거듭나게 된다.

글로벌 IT 리서치 기업인 가트너Gartner는 2025년 60만 대 이상의 자율 주행 자동차가 지구상 어디선가 돌아다니게 될 것이라고 전망했다. 구글은 이미 대중화를 선언한 상태이고 엔비디아나 네이버랩스 등 수많은 기업들이 자율 주행 자동차 산업에 뛰어든 상태다. 이미 모든 준비는 끝났다. 다만 사람들의 안전과 원활한 교통 흐름을 위한 실험은 계속해서 필요한 상황이다. 적정한 속력에서 위험을 감지하고 제동을 한다거나 표지판이나 신호등을 보며 제어를 하는 수준으로는 충분히 올라온 상태다. 자율 주행 자동차로 인한 사고를 대비하기 위한 보험도 생겨나게 될지도 모르겠다. 사람조차도 쉽지 않은 것이 방어운전인데 상황에 따른 수만 가지의 대응 요소까지 갖춰야 기술적인 완벽함이 아닌 우리가 꿈꾸는 자율주행 자동차의 '완전무결'이 이룩될 것이다. 그런 날이 머지않았다.

차량 10대 중 3~4대가 무인자동차?

차량에 탑재된 시스템의 알 수 없는 급발진 사례들이 발생했음에도 이를 명확히게 규명할 수 있는 근거가 없었다고 했다. 최근에 모 커뮤니티에서 우연히 급발진 동영상을 본 적이 있는데 만약 그게 나였다면 어땠을까 하는 생각이 들었다. 당황스럽고 무섭지만 침착하게 대응할 수 있었을까? 브레이크가 작동하지 않는 상황에서 기어를 중립으로 하고 정면충돌을 막기 위해 벽과 가까이 붙여 속도를 줄이라는 대응 요령이 있긴 했지만 그게 무엇이든 피해를 최소한으로 줄이는 것뿐 더 이상의 방법은 없었다.

무인으로 움직이는 차량이라면 이러한 것에 대응이 가능할까? 다양한 분야의 기업들이 최첨단 센서를 개발하고 완벽하다고 할 수 있는 시스템을 연구하고 있는 중이지만 자율주행 자동차라는 범주 안에서 벌어질 수 있는 리스크는 상용화 이후에도 나타나게 될지 모른다. 라이다 센서처럼 차량의 주변을 감지하는 시스템이 존재하기 때문에 이것이 오류를 일으키지 않는다면 오히려 사람이 대응하는 것보다 더욱 안전할 수도 있겠다. 필자 역시 그렇게 믿고 싶다. 당연하지만 충분한 테스트를 거쳐야 할 것이고 자율주행 자동차 산업에 맞는 올바른 규제와 법규도 필요할 것이다.

구글은 2030년 자신들의 자율주행 택시 서비스가 127조 원에 달하는 매출을 이루게 될 것이라고 전망했다. 앞으로 10년 뒤의 일이다. 2020년 이후 도입되는 자율주행 자동차 시장은 시간이 지남에 따라 그

규모가 성장하게 될 것이고 10년 뒤면 10대 중 3~4대가 무인 자동차가 될 것이라는 이야기도 있었다. 궁극적으로 인류의 편의를 도모하고 사람을 위한 안전을 추구하는 테크놀로지라는 개념으로 비로소 '완성'되는 자율주행 자동차는 몇 년 뒤 진짜 도로 위에서 달리고 있게 될 것이다. 사람을 대신함으로 이루어지는 편리함보다 온전히 사람을 위한 안전한 자율주행이 이룩되었으면 한다.

19

의사는 더 이상 유망직종이 아니다?

일자리 전망 의료 산업의 상승세 속에서 '의사'라는 직업의 미래

"이 우주선에는 다른 행성으로 이주하기 위해 동면 중인 승객들뿐, 사람은 없어요. 로봇 바텐더, 로봇 의사가 전부입니다." 영화 〈패신저스Passengers〉를 보면 로봇 의사를 언급하는 대사가 잠시 등장한다. 또한 영화 속에 등장하는 의료기기는 대다수 비슷한 외형으로, 환자가 이 기기 위에 누워 직접 프로그램을 실행하면 스캐닝과 더불어 상처나 질병이 파악되고 바로 치료로 이어졌다. 분명 의료 현장이라고 할 수 있는 장면들이었으나 의사도 간호사도 등장하지 않았다. 픽션이기는 했지만 이러한 형태라면 의사라는 직업이 사라지지는 않을까 하는 의문이 들 수밖에 없다. 기계가 모든 질병을 치유해주는 기적의 장비이니까 말이다.

건강이나 질병에 대한 관심은 누구에게나 있으며 현존하는 의사들에게는 하나의 '도전과제'일 수도 있다. 유비쿼터스 헬스케어라는 개념이 존재한다고 해도 결국 의사는 필요하다. 의학 분야에서 근무하는 수많은 사람들 중 의사뿐 아니라 여기에 종사하는 모든 인력들이 필요한 곳에 배치되어 중요한 임무를 수행하지만 로봇이나 인공지능이 본격적으로 도입된다고 가정하면 감히 말해 누군가는 다른 일자리를 찾아야 할 수도 있다.

그런데 의학 분야의 미래를 두고 새로운 직업군에 대한 언급도 있다. 과학 및 산업 관련 커뮤니티인 〈인터레스팅 엔지니어링Interesting Engineering〉과 더불어 다양한 미디어에서 바디 파트 크리에이터body part creator 또는 인체 조직 크리에이터organ creator라는 직업을 언급하고 있다. 인간이 살아가면서 신체의 모든 부위가 동시다발적으로 파괴되는 현상은 거의 없다. 반면 간이나 심장 질환으로 인해 통증을 느끼고 종양이 생기는 경우들은 매우 흔하다. 가령 암을 포함해 특정 부위에 발생한 질환이 그러한 경우다.

이럴 때 기증자가 마치 구세주처럼 나타나 신체 기관의 일부를 이식해주는 케이스도 더러 있다. 미래에는 인간의 실제 신체조직을 실제와 동일하게 제작해 이식하는 직업군이 떠오를 수도 있다. 이 커뮤니티에서는 매 12분마다 신체 조직 이식이 필요한 대기자가 계속해서 생겨난다고 한다. 현재로서는 장기를 기증할 수 있는 사람들을 찾지만 앞으로는 이를 구현창조한다는 것이다. 환자의 줄기 세포와 다른 특정 물질로부터 새로운 신체 조직 또는 신체 부위를 창조해낸다는 것으로 보면 누군가에게 새로운 생명을 부여할 수 있다는 개념이니 의학 분야에서도 꽤 중점적으로 성장할 수 있는 분야가 아닐까? 3D 프린팅 기술을 활용해 신체 조직을 제작하는 경우들도 존재하니 의학 분야는 물론이고 유전학이라든지 생물공학 등에 대한 지식과 경험을 겸비할 수 있다면 앞으로 10년 뒤 우리는 새로운 직업군을 만나볼 수 있을지도 모르겠다.

더불어 로봇공학과 원격제어 시스템을 결합해 원격 진료를 하는 로봇 의사가 생겨날 수도 있다는 전망도 있다. 로봇에 대한 지속적인 연구가 5G 통신 네트워크와 접점을 이루어 첨단 의료를 꾀하는 것이다. 영화 속에 등장했던 기적의 장비는 픽션일지 모르겠지만 앞서 언급한 것처럼 의학 분야에 혁신적인 사건들이 일어날 수 있다고 생각하면 인류는 오랜 질병과의 사투 속에서 희망을 찾을 수 있을 것만 같다.

미래 키워드 누군가 나의 만성질환을 24시간 관리해준다면?

유비쿼터스ubiquitous는 '언제 어디에서나 존재한다'라는 의미다. 이것이 헬스케어healthcare, 즉 건강 관리라는 개념과 맞닿게 되면 우리는 이를 'U-헬스케어'라고 부른다. 말 그대로 시간이나 공간의 제약 없이 의료 서비스를 제공받을 수 있다는 것. 앞서 언급한 것처럼 당뇨병이나 고혈압, 심장질환과 같이 만성질환이 있는 사람들의 경우 스마트폰이나 웨어러블 기기 등을 통해 현재의 상태 또는 위험인자에 대한 정보를 전문 의료진과 주고받을 수도 있고, 실시간으로 진료를 받거나 건강 진단을 끝내버릴 수도 있다. 앞으로 몇 년이 지나면 클라우드, 빅데이터, 5G와 같은 ICT 기술이 발달하게 되면서 U-헬스케어 시장이 더욱 성장하게 될 전망이다.

진시황 시대부터 내려온 불로장생의 꿈

중국 역사에서 진시황의 이름이 차지하는 그림자는 너무도 거대하다. 그는 중국이라는 세계를 하나의 제국으로 만들어 천하를 평정했다. 천하통일이라는 엄청난 위업을 이루게 된 진시황은 중국 역사상, 아니 세계 역사에서 잊히지 않을 인물이 된 것이다.

이 진시황이라는 이름에는 꼭 '불로초不老草'라는 키워드가 따라붙는다. 불로초는 복용하면 세월의 흐름을 이겨내고 영원한 삶을 추구할 수 있다는 전설 속 영약인데, 진시황 역시 불로초를 통한 불로장생을 꿈꿨다. 어쩌면 죽음에 대한 두려움이 그의 머릿속에 가득 찼던 것 같다. 천하를 통일하고도 다른 나라의 침입을 우려하여 대규모의 국력을 만리장성에 쏟아부은 그가 불로불사에 집착한 나머지 또 다시 수많은 인력을 동원하여 불로초를 찾아오라는 명령을 내린 것을 보면 인간의 욕망은 두려움과 집착을 낳기에 충분한 것 같다. 그러나 진시황 역시 '누구나 한 번은 죽는다'는 진리를 어길 수는 없었다. 그는 기원전 259년 태어나 기원전 210년에 50세의 나이로 생을 마감했다.

《성경》에 의하면 노아Noah의 할아버지였던 므두셀라Methuselah라는 인물의 나이는 969세로 기록되어 있다. 그런데 신이 '노아의 방주' 사건 이후 인간이 유지할 수 있는 삶을 150년으로 제한했다는 이야기도 있다. 이마저도 꽤나 긴 수명이라고 생각할지 모르지만, 실제로 100년의 삶을 온전하게 사는 사람들도 존재한다. 생활환경이 바뀌면서 인간의 수명은 다소 짧아졌다가 웰빙 시대를 맞이하고 의료 기술이 좋아진 덕분에 다시금 '100세 시대'를 맞이하게 되었다. 인간은 누구나 '무병장수'를 꿈꾸는데 100살을 살더라도 건강하게 살아야 그 삶에서 행복을 느낄 수 있는 것이 아닐까?

UN의 〈세계 인구 고령화 리포트World Population Ageing report〉에서 끊임없이 이야기하는 것이 있다. 지구상에 존재하는 고령층이 더욱 증가하게 된다는 점이다. 고령화와 함께 저출산 이슈가 맞물리면서 100세 이상 인구의 숫자가 더욱 눈에 띌 수밖에 없을 것 같다. UN이 발표한 전세계 인구 중 100세 이상의 규모는 2013년에 불과 34만 명이었지만 2050년 320만 명에 이른다고 한다. 기본적으로 올바른 식습관과 더불어 규칙적인 생활과 꾸준한 운동이 무병장수를 뒷받침할 수 있겠다. 물론 금주와 금연도 포함될 것이다.

이처럼 100세 시대를 맞이하게 되면서 호모 헌드레드Homo Hundred라는 말도 생겨났다. '호모 헌드레드'는 기본적으로 100살까지 살 수 있다는 의미를 품고 있지만 건강하게 잘 산다는 개념도 포함되는 복합적 단어다. 이렇게 되니 보험사에서도 80세까지 보장해주던 보험상품을 100세에 다시 맞추는 경우가 우후죽순 생겨났다. 하지만 100살까지 살기 위해서는 수많은 질병과 싸워야 하고 사고에도 반드시 대비해야 가능한 이야기가 된다.

그렇다면 우리의 건강은 어떻게 지켜야 하나? 진시황처럼 불로초를 찾는다고 해도 이것이 우리의 꿈인 무병장수를 풀어줄 수 있을지 알 수 없다. 전문가들은 암과 같은 치명적인 질병에서 벗어날 수 있도록 개인적으로는 식습관과 운동을 권장하고 있지만 환경적인 요인이나 유전적인 문제도 고려해봐야 한다.

보통 직장인들은 건강검진센터에서 검진을 받아 자신의 건강을 체크하고는 한다. 이때 사용되는 수많은 고가의 장비들이 우리 몸속에 존재하는 염증이나 궤양 등 질병을 찾아내 기본적으로 건강상태를 확인하고 질병을 예방 또는 조기 발견할 수 있도록 해준다. 법률 제15870호 건강검진기본법 3조 1항에 의하면 '건강검진기관을 통해 진찰 및 상담, 이학적 검사, 진단검사, 병리검사 및 영상의학 검사 등 의학적 검진을 시행하는 것'을 의미하는데 이를 통해 인간다운 생활을 보장받고 건강한 삶을 영위하는 것 자체를 기본 이념으로 했다. 우리는 이를 통해 심리적인 안정감을 느낄 수도 있겠다.

인류가 꿈꾸는 첨단 의학기술, 유비쿼터스 헬스케어

닐 블롬캠프Neill Blomkamp 감독의 〈엘리시움Elysium〉이나 리들리 스콧Ridley Scott 감독의 〈프로메테우스Prometheus〉 등 SF 영화에서 흔히 등장하는 것이 첨단 의료장비인데, 의사나 간호사가 없어도 환자 스스로 기계를 작동시켜 바로 수술까지 가능한 기능을 갖춘 상상 속의 기기가 나오기도 한다. 인공지능과 더불어 현존하는 의학 기술이 접목된 이 장비는 영화 〈엘리시움〉에서 유토피아와 디스토피아를 구분하는 장치로 활용되었고, 〈프로메테우스〉에서는 위기에 빠진 주인공을 응급처치로 살려내는 '기적의 장비'로 등장하기도 했다. 〈엘리시움〉과 〈프로메테우스〉에 등장한 이 장비의 외형은 꽤 유사했다.

영화는 영화일 뿐, 지금 우리가 살고 있는 이 시대에는 거리에 수많은 병원들이 존재한다. 작은 병원에서 진단을 받고 대학병원과 같은 대형병원 또는 종합병원에 가야 더욱 큰 질병을 치료할 수 있다. 이른바 상급종합병원이라고 하는 곳이다. 보통 '명의'라고 해서 널리 이름을 알린 의사를 만나려면 '특진비'를 내거나 아주 긴 대기 시간을 기다려야 했다.

그런데 이러한 명의가 로봇이나 기계로 변모하여 우리의 몸을 직접 치료한다면 어떨까? 영화 속에서 등장하는 기기들은 사실 너무 앞서간

이야기라 하겠지만 정보통신기술, 즉 ICT가 헬스케어와 접목되고 있고 인공지능이 발전하고 기술력이 진화하면서 IBM의 왓슨 포 온콜로지Watson for Oncology와 같은 새로운 시스템이 도입되고 있으니 어쩌면 현실이 될 수도 있는 이야기가 아닐까?

사람의 질병을 치료하는 데 있어 가장 중요한 것 중 하나는 데이터다. 보통 실제 환자들에게 새로운 치료법을 적용하기 전에 임상실험을 실시하는 이유도 데이터를 구하기 위함이고, 이런 과정을 통해 보다 나은 의학 기술, 즉 새로운 치료법이 등장하기도 한다. 미국의 해컨색 대학병원Hackensack University Medical Center의 의료진이 세계경제포럼 사이트를 통해 언급한 내용에서도 2030년이 되면 새로운 치료법이 등장해 환자를 위해 최상의 결과를 내놓을 수 있을 것이라고 했다.

그러나 결코 간과할 수 없는 문제들이 있다. 새롭게 등장한 신약들은 일부 환자들에게 충분히 적용 가능하겠지만 이 말은 곧 나머지 일부에는 효과가 없다는 의미로도 해석된다. 더구나 진단을 제대로 받지 못하는 경우라면 아무리 좋은 약이 존재하고 명의가 있다 해도 시기를 놓쳐 물거품이 되어버릴 수 있다. 건강검진과 같이 환자가 시간을 내고 하루 반나절 검진센터에 들어가 건강상태를 확인하는 경우도 있겠지만 유비쿼터스 헬스케어를 통해 시간과 공간의 제약 없이도 의료 서비스를 받을 수 있는 날이 멀지 않은 상태다.

사실 이러한 첨단 헬스케어는 4차 산업혁명이라는 키워드가 생겨나면서 함께 등장했다. 환자의 질병을 관리하는 의료 산업 분야와 그와 관련된 헬스 케어 서비스에 밑바탕이 되고 있고 일반인들의 건강을 유지 또는 향상할 수 있도록 돕는 디지털 서비스라는 측면에서 본다면 꽤 광범위한 키워드다.

환자들이 많으면 많을수록 의료기관의 부담은 보다 커질 수밖에 없다. 의료진이 적은 곳이라면 돌봐야 할 환자가 늘어나니 기본적으로 수요와 공급 체계가 원활하지 못해 무너지게 된다. 특히 심장 질환이나 당뇨병과 같이 만성적으로 질환을 앓고 있는 사람들이 있다면 반드시 지속적인 모니터링이 필요한데 병원이 아닌 가정이나 회사 등 다른 곳에 위치해 있는 환자들의 상태를 원격으로 추적할 수 있다면 의료비용을 줄일 수 있게 된다. 이뿐만 아니라 혈압이나 혈당과 같은 생체 신호를 통해 직접 케어할 수도 있다. 헬스케어 시스템은 환자의 웨어러블 기기나 모바일 디바이스를 통해 직접 제어할 수 있도록 운영해야 보다 빠르게 대응할 수 있다.

웨어러블 의료 기기 분야는 시장 규모도 어마어마한 수준에 이른다. 연평균 30퍼센트 가까이 성장하고 있는 추세이고 이러한 성장률로 인해 2021년이 되면 약 195억 달러 수준에 이른다고 했다. 웨어러블 디바이스에서 의료기기 분야가 차지하는 비중이 2015년 48억 달러 수준이었으니 6년 후면 네 배나 성장하는 셈이다. 리서치 회사인 '리서치앤마켓Research And Markets'에서도 웨어러블 의료기기 시장이 2025년에 약 230억 달러 수준으로 성장하게 될 것이라고 전했다.

이러한 웨어러블 기기는 보다 진화하고 있어 단순히 건강 상태를 측정하고 착용하는 사람이 운동을 제때 할 수 있도록 채찍질을 해주는 피트니스 트레커fitness tracker 이상의 기능을 하게 되는 것이다. 이스라엘의 노보큐어Novocure 사를 보면 웨어러블 의료기기가 어디까지 발전했는지 쉽게 알 수 있다. 뇌종양 치료기인 옵튠Optune은 FDA 승인 장치로 성인 환자들이 앓고 있는 다형성신경교아종glioblastoma multiforme, 즉 악성 종양이 퍼지는 것을 막아주면서 치료의 효율성을 높인다. 물론 궁극적으로는 암을 퇴치하는 것으로 진행이 되어야 하겠지만 이 기기는 암세포의 증식을 늦출 수 있도록 해준다. 옵튠과 같은 의료기기는 그야말로 첨단 기술의 집합체라 할 수 있다.

달라지는 병원 그리고 원격의료

과거 대형병원에서는 정해진 진료과목을 찾아 접수를 했고 수납처에 진료비용을 지불한 뒤 오랜 시간 기다려야 의사의 얼굴을 볼 수 있었다. 환절기가 되면 회사 주변의 작은 병원 역시 사람들로 인산인해다. 진료를 받기 위해 대기 중에도 많은 사람들이 기침을 하며 끙끙 앓고 있다. 사람이 많은 오후 시간대는 한 시간도 넘게 대기해야 겨우 처방전 하나를 들고 갈 수 있다.

그러나 병원이 구축한 시스템 역시 크게 달라지고 있다. 최근 대학병원을 가니 많은 것들이 바뀌어 있었다. 개인 정보가 담긴 RFID 카드가 환자를 위해 발급되는데 이를 통해 사람이 없어도 자동으로 정보를 제공하거나 바로 접수가 가능해진 시대가 된 것이다. 무인안내 시스템이 이 카드를 읽으면 내가 누구인지 어떤 것이 필요한지 우선 안내하고 접수증이나 처방전, 진료 납부 모두 가능해졌다.

사물인터넷이 인공지능과 빅데이터와 만나 유비쿼터스 헬스케어로 변모한 세상이니 이러한 진료 정보가 인터넷망을 통해 정해진 의료 서버에 쌓이게 되고 외국에 나가서도 활용될 수 있도록 고도화가 진행되고 있다. 환자의 진료 정보를 기록하는 진료 정보 시스템 CISclinical information system에는 환자가 처음 진료한 이후의 기록들을 업데이트하고 의사 처방을 위한 처방 전달 시스템 OCSordering communication system과 의료 영상물을 저장 또는 검색해주는 영상 시스템 등이 포함되는데 모두 인터넷, 서버와 연동되는 네트워크를 활용한다. 의사나 간호사가 방긋 웃으며 사람을 돕는 모습들이 인간적으로 느껴질 수는 있기 때문에 달리 보면 이러한 시스템 도입이 삭막하게 여겨질지도 모른다. 더구나 어린 아이나 고령층에게는 시스템에 적응하는 것이 어려울 수도 있겠다.

병원에 쉽게 갈 수 없는 환자들은 어떻게 해야 할까? 구급차를 불러도 오랜 시간이 걸리는 경우라면 상대가 위험해질 수 있다. 그래서 생겨난 것이 바로 원격 의료 서비스. 통신망을 이용해 낙도외딴섬 지역과 같이 멀리 떨어져 있는 곳의 환자들을 진료하는 것인데 병원에 상주하는 의료진과 환자를 바로 연결하는 구조다. 집에 설치된 진단기기가 환자의 상태를 파악하고 이 정보는 원격진료센터로 전달된다. 환자의 피부나 혈당, 심장박동, 환부의 치유 상태, 암 발생 여부를 다각적으로 수집한 후 의료 시스템에 전송하면 의사나 간호사들이 이를 파악하고 진료 여부를 확인한다. 여기에 상황에 따라 방문 검진도 하고 실시간으로 병세를 지켜보는 형태로 진화하는 것도 가능하다.

본래 원격진료는 1950년대 미국의 병원 시스템과 대학 의료센터 간 환자의 정보나 방사선 이미지를 공유하는 방법을 찾는 것으로부터 시작되었다. 시골에 위치한 곳에서 도심에 있는 병원을 잇는 방법이었으니 굉장히 획기적인 발상이긴 했지만 인터넷이 없던 시절에는 너무도 제한적일 수밖에 없었다. 이제는 인터넷이 충분히 발달했고 대용량 파일도 초고속으로 전송하는 시대이니 원격진료는 날이 갈수록 발전하고 있는 상태다.

미국에서는 모든 병원 중 50퍼센트 이상이 원격 진료를 활용하고 있으며 개인정보 보호와 보안에 있어도 엄격하게 다룰 수 있도록 데이터 암호화 솔루션을 선택하고 있다. 물론 해킹에도 우려가 없도록 충분한 보안절차가 지켜져야 하겠다. 프랑스에서도 2020년이 되면 노인복지시설과 병원을 연결하는 원격 진단 장비를 설치할 계획이라고 했다. 미국의 의료 전문 미디어인 헬스케어 이노베이션healthcare innovation이 공개한 보고서에 따르면 전 세계 원격진료 시장은 2025년까지 195억 달러 수준까지 도달할 것이라고 예측했다. 환경에 따라 그리고 유전적인 요인에 따라 환자는 늘어나고 의사는 이를 감당하기가 어려우니 의료비용 절감은 물론 의료 인프라 개선도 반드시 필요한 상황이다. 인도나 중국, 호주와 같은 나라들도 2025년까지 원격진료를 추진할 것으로 예상했다.

어쩌면 이루어질지 모르는 진시황의 꿈

앞서 영화 〈엘리시움〉과 영화 〈프로메테우스〉의 의료 기기를 언급한 바 있는데, 이러한 기계만 있다면 수많은 기적이 일어날 수 있을 것이라는 상상을 해봤다. 알 수 없는 통증이 온 몸을 괴롭히고 있다거나 사고로 인해 상처를 입었거나 종양이 생겼다면 이 기기가 단숨에 치료해 줄 수 있지 않을까 하는 그런 상상을.

왓슨을 보유한 IBM과 미국의 MIT가 산학협력을 맺고 의학 분야의 인공지능을 지금보다 월등한 수준으로 고도화시킬 수 있다면 이러한 기기가 정말 등장할지도 모른다. 물론 IBM의 왓슨 포 온콜로지는 질병을 파악하고 원인이 될법한 신체 어느 부위를 찾아 직접 치료행위를 하거나 시술하는 로봇의사가 아니다. 클라우드에 쌓인 의학 데이터를 분석하고 정보를 제공하는 역할을 하기 때문에 의사를 돕는 인공지능이라고 보면 좋을 것 같다. 이미 수많은 의료 데이터가 이 세상에 널렸음에도 불구하고 인류의 질병을 완벽하게 치유하기 위한 연구와 치료제 개발은 지속되고 있다. 그러니 의학계에서 발행하는 논문은 지금 이순간도 계속되고 있는 것이 아닌가? 바로 이런 정보를 왓슨과 같은 인공지능이 꾸준히 학습하고 있다.

혹자는 왓슨의 인공지능이 발달하게 되면 의사가 아닌 간호사들이 직접 치료하는 경우도 생길 수 있다고 했다. 반면 미국 내에서 왓슨의 기술이 한계가 있다는 평도 있었다. 오랜 시간동안 수련해온 의사가 자신의 경험대로 사람을 치료해 목숨을 살렸음에도 왓슨이 학습한 데이터와 다른 경우라면 사실상 근본적인 협력이 제대로 이뤄지지 않는다는 것이다.

인공지능과 로봇은 꾸준히 발전할 수 있다. 그럼에도 목숨이 위태로운 사람을 제대로 치유할 수 있는 능력을 지닐 수 있을까? 이는 10년이 지나고 20년이 지나도 의사라는 전문직이 필요할 수밖에 없다는 이야기와 같다. 30년이 지나고 40년이 지나 영화 속에서 볼법한 기기가 탄생하게 된다면 그 언젠가 의사라는 직업 자체가 불필요할 수도 있다는 이야기들이 있지만 어디까지나 순진한 상상일 수 있다.

어쩌면 대부분의 사람들이 진시황처럼 무병장수를 꿈꾸고 있을지도 모르겠다. 필자 역시 매년 건강검진을 받지만 건강에 대한 염려는 지나쳐도 모자란 느낌이다. '건강은 건강할 때 지키라'는 말이 있듯 10~20년 후에도 인류에게 꾸준한 운동과 올바른 식습관은 반드시 필요할 것이다. 더불어 미래의 헬스케어 기술은 우리가 미처 인지하지 못하는 신체의 모든 부분들을 바람직한 의미에서 모니터링해주고 위기에서 구해주거나 골든타임을 확보해줄 수 있을지도 모른다. 인류가 지향하는 헬스케어의 미래란 바로 그런 것이다.

20

인간 병사로 이루어진 군대는 언제까지 유지될까?

일자리 전망 첨단 소재와 로보틱스로 인한 군력軍力의 변화

탄소나노튜브나 그래핀과 같은 첨단 소재는 이제 더 이상 미래의 이야기가 아니라 현실이다. 첨단 소재가 이룩하게 될 산업 환경의 변화는 매우 놀라운 수준일 것이고 새로운 가능성이 열릴 것이다. 전쟁이나 내전 등 물리적인 충돌에 군대가 투입되는 경우가 있는데 첨단 소재로 제작된 장비가 사용되고 기계공학이나 로보틱스가 접목될 경우 어쩌면 군대는 전면적인 기계화의 길을 걸을 것이라 예측해볼 수 있겠다.

블룸버그Bloomberg의 기사에 따르면 전투 지역의 정찰 또는 폭발물 감지와 제거에 로봇이 투입되어 미군인간을 보호하고 부대를 강화하는 데 활용되고 있다고 전했다. 이와 더불어 감시나 정찰 임부를 위해 설계된 무인 비행기UAV, unmanned aerial vehicle나 드론, 무기와 통신장비를 탑재한 무인 차량 등도 지속적으로 활용될 예정이다. 미국의 군사력은 2030년 세계적으로 막강한 전력을 갖게 될 것이다. 더불어 '슈퍼솔져'라는 개념은 단언하기 어렵지만 인간의 능력을 극대화할 수 있는 요소들, 즉 증강인간의 형태는 분명히 존재하게 될 것 같다.

군대가 쉽게 사라질 수는 없다. 평화로운 시대가 지속된다는 전제 하에 우리나라에도 징병제라는 개념이 모병제로 바뀔 수 있을지도 모른다는 생각을 감히 해봤다. 코스타리카의 경우는 여러 가지 이유에 의해 '군대'라는 개념을 없애 화제가 된 바 있다. 군대가 없어도 민주주의 유지가 가능하다는 것을 보여준 꽤 독특한 사례다. 물론 공공부대public force라고 해서 경찰의 치안력을 강화해 최소한의 국방력을 유지할 수 있는 부대가 존재하고 있다. 한편 세계적으로 잘 알려진 중립국가 스위스에도 군대는 존재한다. 바티칸의 교황청을 보호하는 근위대 역시 존재하고 있다.

그렇다면 정치적 협상이나 국민적 선택이 아닌 기술 발전에 의해서 전쟁의 형태와 군대의 개념이 바뀌는 날도 올까? 그렇다. 첨단 소재나 로보틱스에 의해 군사력에도 큰 변화가 찾아오는 날이 도래할 것이다. 단지 그 변화가 '살상'이 아니라 오롯이 인류와 평화 수호를 위한 변화이기를 바랄 뿐이다.

미래 키워드 **머리카락의 10만 분의 1을 구현하는 '나노테크놀로지'**

그리스어로 'nanos'는 '난쟁이'를 뜻한다. 우리가 현재 사용하고 있는 나노nano라는 단어 역시 여기에서 유래되었다. 길이로만 따지면 1나노미터는 10억 분의 1미터다. 이는 머리카락 굵기의 약 10만 분의 1 수준이다. 나노 기술을 산업 분야에 접목시켜 응용할 수 있다면 그게 무엇이든 크기, 필요한 에너지 등을 최소화할 수 있으면서도 내구성이나 성능이라는 측면에서 보다 우수하고 강력하게 구현할 수 있어 이 분야에 대한 개발이 집중되고 있다. 특히나 탄소나노튜브나 그래핀처럼 아주 작은 세상 속에서 새로운 소재를 융합하기 때문에 우리가 꿈꾸고 있는 나노 슈트 같은 것을 상상해볼 수 있다는 것이다. 나노기술을 응용해 우리의 육안으로는 확인이 불가능한 수준의 컴퓨터나 기기가 있다고 가정해보자. 인간의 신체 안에 존재하는 세포 크기의 기기들이 몸속으로 투입되어 질병을 치유한다든지, 내시경에 의존했던 몸속의 정보들을 이러한 기계를 통해 얻을 수도 있다는 점에서 무궁무진한 분야라 하겠다.

미래 키워드 인간 증강, 인류의 버전을 업그레이드하다

인간의 능력을 극대화 시킬 수 있는 방법 중 하나는 로보틱스나 기계공학 등 여러 기술이 접목된 인간 증강human augmentation일 것이다. 사람의 인지 능력과 신체 능력을 증대시킬 수 있고 평균적으로 부족한 부분을 채워주거나 장애가 있는 경우 이를 극복할 수 있는 테크놀로지로 알려져 있다. 기기를 착용하는 경우도 있고 신체의 일부와 기기를 의료적인 방법으로 병합할 수도 있겠다. 기술 자문 회사인 가트너Gartner에서는 이 기술을 'Human 2.0'이라고 표현하기도 했다.

기술을 통해 괴력을 얻은 '초인부대'

영화 〈아이언맨Iron Man〉에 등장하는 히어로이자 로버트 다우니 주니어Robert Downey Jr.가 연기한 토니 스타크Tony Stark는 잘 알다시피 스타크 인더스트리Stark Industries의 수장이다. 그곳은 영화 속에서 소개되었던 것처럼 제리코라 불리는 어마어마한 파괴력의 미사일을 포함해 각종 무기를 연구 및 개발하고 공급하는 군사업체이자 방산업체다. 강력한 무기를 만들어 군사력을 키우는 것이 목적이었지만, 토니 스타크 자신이 스스로 '아이언맨'이라는 최첨단 무기가 되어 인질로 잡힌 사람들을 구출하기도 한다. 토니 스타크는 자신이 만든 무기가 죄 없는 사람들을 억압하고 협박하는 도구로 사용되자 "더 이상 무기를 만들지 않겠다"고 선언하면서도 자신의 슈트를 더욱 강력하게 만드는 데 몰두한다. 달리 말하면 아이언맨의 슈트를 더욱 고도화시켜 토니 스타크의 신체와 연동해 어벤저스를 위협하는 또 다른 무리들과 상대하는 데 목적을 두고 있다고 하겠다.

이와 달리 〈인크레더블 헐크The Incredible Hulk〉의 썬더볼트 로스Thunderbolt Ross장군은 무기보다 군인의 능력을 강력하게 만드는 것에 집중한다. 지금의 군인들이 보다 월등한 능력을 갖춰야 어떠한 무기를 쥐어줘도 이겨낼 수 있다는 것인데, 브루스 배너Bruce Banner가 바로 그 실험의 대상이었다. 과도한 감마선에 노출되어 혈압이 상승하고 분노 게이지가 한계를 넘어서면 온 몸이 초록색으로 변하며 통제할 수 없는 힘을 갖게 되는데, 썬더볼트 장군은 이를 활용해 군사력을 키우고자 했다. 동일한 약물을 쏘아 또 다른 인물을 헐크처럼 만들고자 했지만 괴력의 힘을 가진 에밀 블론스키Emil Blonsky는 이른 바 '어보미네이션abomination', 즉 괴물이 되어버린다.

영화 속 헐크나 어보미네이션의 등장만 봐도 군인들의 전투 능력 증강은 아직까지 실험 단계일 뿐이라는 것을 짐작해볼 수 있다. 말하자면 기형적이고 비정상적이라는 것이다. 아이언맨의 슈트나 헐크의 괴력 수준이라면 군사력이 증대하고 누구도 넘볼 수 없는 강대국이 될 수 있다는 썬더볼트 장군의 희망은 사실 너무 과도하다. 픽션이기에 가능한 이야기지만 이것이 현실화가 된다는 것을 상상하면 다소 끔찍하고 처참하다.

모병제로 전환한 대만… 한국은?

우리나라의 평범한 남성들은 대한민국 헌법과 병역법이 정한 국방의 의무에 따라 신체검사를 받고 정해진 기간만큼 나라의 부름을 받아 군복무를 한다. 물론 필자 역시 국방의 의무를 다했다. 입영통지서를 받기 전에는 '갑자기 복무기간이 짧아지진 않을까?' '군대가 사라지면 어떨까?' 하는 헛된 망상을 하기도 했다. 그러나 통일이 되어 휴전선이 무너져도 군인이 단숨에 사라지진 않는다. 다만 복무기간이 지금보다 훨씬 줄어들게 될 것이고 의무제도 보다는 모병제도로 변모할 수도 있겠다. 대만의 경우에도 1951년부터 실시된 징병제도가 67년 만에 소멸되고 2018년 12월 26일부터 모병제로 전환된 바 있다. 군인 그리고 그들이 모여 군대를 이루는데 그들이 언젠가 사라질 수도 있다는 이야기는 어쩌면 허황된 가설일지도 모른다. 전쟁을 하지 않아도 국방은 국가의 경쟁력이고 안정을 보장하는 일이다. 궁극적으로 전쟁을 방지하고 위협에서 자국을 방어하는 일과 평화를 수호하는 임무가 병행될 수 있기 때문에 '군대가 사라진다는 가설' 보다 군사력 증강이라는 개념에 초점을 맞추어보자.

단단하면서도 가벼운 신소재를 찾아라

군인들이 입고 있는 군복이나 머리에 쓰는 헬멧, 방탄조끼나 군화 같은 것이 현재보다 탄탄해진다면 어떨까? 아이언맨의 슈트가 강철에서

나노 기술을 활용해 세련된 모습으로 변화한 것을 보면 마치 온 몸에 찰싹 달라붙어 유연성까지 겸비한 고탄력 레깅스나 요가복이 생각날 정도다. 〈어벤저스: 인피니티 워Avengers: Infinity War〉에서도 '나노기술이 접목된 슈트'라는 표현이 언급된 바 있다. 시리즈가 계속될수록 진화했던 토니 스타크의 첨단 기술은 현재 나노 슈트에 와 있다. 물론 영화니까 가능한 '오버 테크놀로지'이다.

영화 속에 등장한 나노 슈트를 만들어낼 수 있는 수만 가지 소재들 중 탄소 나노튜브라는 것이 존재하고 있는데, 이것이 나노 슈트를 만들 수 있는 신소재일 수 있다며 여러 미디어에서 이를 언급하기도 했다. 탄소 나노튜브는 하나의 탄소 원자가 세 개의 다른 탄소 원자와 결합되어 있고 육각형의 벌집무늬 구조로 구성되어 있다. 이를 원통형으로 둥글게 말면 우리가 생각하는 튜브tube 형태가 된다. 그래서 이를 '나노튜브'라고 말한다. 이는 머리카락의 약 10만분의 1 수준이라 굉장히 가늘고 긴 편이다. 물론 우리 눈으로 확인할 순 없다.

한국정보통신기술협회와 한국과학기술연구원KIST에 따르면, 1960년대 물리학자인 로저 베이컨Roger Bacon이 최초로 이를 관찰했고 1992년 일본 NEC의 이지마 스미오飯島澄男 박사가 합성했다고 알려져 있다. 또한 2014년 탄소나노튜브의 구조가 원통구조가 아니라 그래핀Graphene 리본이 나선형으로 휘감아진 구조라고도 했다. 그래핀이란 흑연의 한층을 일컫는데 우리가 사용하는 연필심의 흑연은 탄소들이 벌집 모양의 육각형 그물처럼 배열되어 있는 평면 하나하나가 층으로 쌓여 있는 구조다. 그래핀 역시 구리보다 100배 이상 전기가 잘 통하고 강철보다 200배 이상 강하면서도 신축성도 겸비한 꿈의 나노 물질이다. 반도체나 컴퓨터, 태양전지는 물론 플렉시블 디스플레이에도 응용이 가능하다고 한다.

탄소 나노튜브 역시 그래핀처럼 우수한 물질이다. 학계에서는 탄소 원자들의 결합 자체가 실리콘보다 강하고 화학적으로 안정적이라 하였으며 열전도율에 있어 다이아몬드와 같고 강도 측면에서도 강철보다 우수하다고 언급했다. 육안으로는 확인이 어려울 정도의 작고 미세한 입자들이 모여 아이언맨의 슈트의 완벽함을 이룰 수 있는 미래의 신소재로 많이 언급되는 편이다.

〈스파이더맨Spider-Man〉의 거미줄 역시 '나노' 영역에서 언급해볼 수 있다. 3차원 나노 구조로 형성된 거미줄은 수많은 원자들이 일정한 규칙에 따른 배열 구조로 형성되어 있는데 크리스탈라인crystalline이라는 결정질과 같은 형태의 섬유들이 불규칙적으로 뭉쳐 있어 강철선보다 최대 열 배는 강하다고 한다.

탄소 나노튜브와 그래핀과 같은 나노 물질들은 이처럼 매우 강력한 신소재라 군대에서 활용되는 군복이나 헬멧 등 전투용에 응용해볼 수 있다고 해서 연구와 개발이 지속되고 있다. 전 세계적으로 저명한 미국의 MIT에는 나노 기술 연구소ISN, Institute for Soldier Nanotechnologies가 존재하는데 군사력을 향상시키기 위해 미 육군과 산업 기관, 학계가 손을 맞잡고 2002년 설립한 곳이다. 이곳에서 다루는 나노 기술과 군사력에 대한 기초 연구와 상용화가 가능한 연구 결과를 군사들이 보유한 플랫폼과 시스템에 안착시켜 생존 가능성을 높이고 악조건 속에서도 군인들이 적합한 환경에서 근무할 수 있도록 만들어주는데 의의를 두고 있다.

내전이나 테러로 인해 군사적으로 위협을 받게 되면 폭탄이나 미사일로 인한 폭발의 영향, 화학무기나 방사선을 포함해 유해물질로 인한 피해가 막심한 편이다. 궁극적인 목표는 상황이나 장소에 관계없이 그들이 사용하는 장비나 시스템 등이 부피나 무게, 전력 소비량, 해킹에 대한 위험 요소까지 감안하여 최적의 기능을 갖춰야 할 것이다. 이를 위해서라면 미세한 나노 물질 속에 함축된 기술력으로 폭발적인 힘을 낼 수 있다. 이를테면 두껍지도 무겁지도 않은 얇고 가벼운 군복이 방한 기능을 하거나 나노기술을 응용해 만들어내는 외형적으로 같은 총알이 보다 높은 강도를 발휘하는 경우다.

ISN에서 개발 중인 나노 배트 슈트nano bat-suit는 섬유의 반도체라 불리는 스판덱스spandex처럼 얇으면서도 신체 상태를 모니터하고 통신이 가능한 모듈이 탑재된 점프 슈트 스타일의 복장을 개발하고 있다고 했다. 더불어 생물학전이나 화학전에도 반응하는 기술력이 포함되어 있다고 전했다.

미래 전쟁은 해킹으로 시작해 해킹으로 끝난다

전 세계 어디서든 그리고 지구 밖 우주 어딘가에서 전쟁이 일어난다면 가장 먼저 수립되어야 할 것이 '정보'와 그에 따른 전략이다. 자신의 상황을 파악하고 전술을 짤 수 있어야 아군의 피해는 최소화하고 적군을 물리칠 수 있다는 것이다. 정보전쟁information warfare이라 하면 앞서 언급된 첨단 무기나 우수한 병력을 동원하지 않아도 효율적으로 상대방을 무너뜨릴 수 있다는 측면에서 보면 꽤 이상적일 수 있다.

인터넷이 발달하고 컴퓨터의 성능이 좋아지면서 이와 연결된 군사 정보들은 우리가 상상할 수 없을 만큼 방대하다. 가령 군사 정보를 담은 하드웨어, 서버 그리고 클라우드와 같은 보안 시설을 해커전hacker戰으로 잃게 되면 막대한 피해가 뒤따를 수밖에 없다. 미국이나 중국 등은 정보전을 위한 특수부대를 신설해 해킹과 프로그래밍에 능한 병력을 키워내는 중이라고 했다.

2019년 3월 5일자 〈월스트리트저널The Wall Street Journal〉에 따르면 중국의 해커들이 미국의 MIT와 하와이대학교University of Hawaii를 비롯해 전 세계 20여 개 대학에서 정보를 빼내려 해킹 공격을 했다고 전했다. 이 중에는 우리나라의 삼육대학교도 포함되었다. 중국의 해킹 기술은 날이 갈수록 발전하고 있는 상황이다. 14억 명의 인구로 세계에서 가장 많은 사람들이 살고 있는 이 땅에서 기술력이 발전하는 것은 사실상 시간문제다. 중국의 군사력 역시 지금으로부터 10년 이후가 되면 미국과 중국이 대등한 상황이 될 수도 있다. 병력은 물론 정보전에서도 빠르게 성장하고 있어 충분히 위협적이다.

우리나라의 컴퓨터 프로그래밍 기술 역시 전 세계적으로 상당한 수준이다. 반도체나 자동차, 전자 산업 분야가 앞서 있는 것은 물론 인터넷이 세계적으로 가장 빠른 나라가 아니었던가. 〈포브스〉에서 언급한 것처럼 우리나라의 인공지능 기술은 세계 상위권에 놓여 있다. 글로벌한 기업들과 우리나라의 삼성, 네이버, SK텔레콤 등이 경합을 벌이고 있는 상황이다.

우리나라는 2020년에 접어들면서 AI 분야의 엔지니어를 양성하고 집중 투자하겠다고 밝힌 바 있다. 미국의 국방 연구 계획기구처럼 우리나라 역시 2029년까지 인공지능 연구 개발과 함께 인재양성, 창업 지원을 진행하기 위한 인공지능 창업단지 조성도 계획하고 있는 상황이다. 여기에서 양성되는 인재나 개발하게 될 인공지능이 군사력 증강이나 방어체계나 시스템을 구축하게 될 인력과 인프라로 투입될 가능성도 아주 없지 않을까?

우리나라를 포함해 세계적으로 군사력을 키우려면 고도화된 장비가 필요하고 정교하고 예리한 미사일 발사 시스템과 더불어 그러한 시스템을 방어할 수 있는 방어 체계 역시 마련되어야 할 것이다. 말 그대로 '무엇이든 뚫을 수 있는 창과 무엇이든 막을 수 있는 방패'가 모두 필요하다는 것이다.

감히 예측하건대 군인이나 군대라는 존재가 아주 사라져버릴 순 없겠지만 미래 어느 시점에 나타나게 될 다양한 체계들이 일부 병력을 대신할 수도 있겠다. 분단국가인 대한민국이 통일이 된다고 가정했을 때 우리나라의 '징병제'가 '모병제'로 바뀌거나 징병제가 존재한다고 해도 지금의 복무기간이 대폭 줄어들 가능성이 농후하다. 평화로운 시대를 맞이하여 전쟁이라는 키워드가 아주 사라져버릴 유토피아를 꿈꿀 수 있다면 얼마나 좋을까?

레이 커즈와일, "2030년 슈퍼맨이 탄생한다"

우리나라와 같이 군대라는 조직은 국방의 임무를 수행한다. 칼을 휘둘렀던 시대도 있었겠지만 화약이라는 것이 탄생하면서 총과 화포가 생기기도 했다. 무기는 지속적으로 발달했지만 화력을 사용하지 않고도 승리할 수 있는 전략적인 방법도 존재하기 마련이다. 이를테면 정보전이나 해커전이 그러한 경우겠다.

그럼에도 불구하고 테크놀로지가 발전하게 되면서 군인들이 지니는 장비도 매우 고도화된 상태다. 먼 거리를 이동하거나 무거운 장비를 들어야 하는 경우 그 부담을 줄이기 위한 웨어러블 로봇이 탄생하기도 했다. 영화 〈아이언맨〉처럼 사람이 입을 수 있는 슈트가 개발되어 방탄의 효과는 물론 통신도 가능한 장비가 탄생하게 될지도 모르겠다. 신체에 부담이 없도록 가벼운 소재로 제작될 것이고 이를 위해 3D 프린팅의 기술이 포함될 것이다. 이미 미 항공우주국NASA에서도 3D 프린팅을 이용해 우주선을 제작하고 있다니 충분히 가능한 이야기다. 더불어 10년 뒤라면 5G 이상의 통신속도가 구현되어 어디에서든 쉽게 소통이 가능하게 될 것이다.

〈퍼스트 어벤져Captain America〉의 '캡틴 아메리카Captain America'와 같은 슈퍼 솔져를 양성하는 경우는 픽션일 수 있거나 윤리적인 이슈가 발목을 잡을 수도 있겠지만 사람의 신체 능력을 극대화할 수 있는 장비들은 머지않아 탄생하게 될 것이다. 말하자면 로보틱스나 기계공학, 생체공학 등이 접목된 인간 증강의 기술로서 또 다른 의미의 '슈퍼 인간'이 나올 수도 있다는 것이다. 군사적 의미에서 보면 보다 강한 테크놀로지이고 장애를 가진 사람들에게는 새로운 삶을 살 수 있게 해주는 기술이 될 수도 있겠다. 구글의 엔지니어링 이사인 레이 커즈와일Ray Kurzweil도 2030년이면 슈퍼 인간, 즉 '슈퍼맨'이 탄생하게 될 것이라고 전망하기도 했는데 이는 우리에게 매우 흥미로운 상상을 할 수 있게 해준다.

에필로그

우리는 역사상 가장 빠른 혁명을 향해 나아간다

인류, 철강과 증기의 시대로

지금 이 시간을 살고 있는 인류는 과거 원시적인 시대와는 비교도 할 수 없을 정도로 다양한 환경에서 수많은 도구들을 사용하고 있다. 기계나 로봇을 통한 생산은 너무나 당연해졌고 컴퓨터를 통해 매우 정교한 작업을 하기에 이르렀으며 자동차나 선박, 비행기를 이용해 생산된 물건들을 국내외로 실어 나르는 유통 구조 역시 매우 일반화 되었다. 더구나 테슬라TESLA와 같은 민간기업도 우주선 개발을 집중적으로 연구하거나 공격적인 투자를 진행하고 있어 언젠가 일반인들도 우주 밖으로 여행을 갈 수 있는 날도 멀지 않았다. 부자들만 갈 수 있는 선택적인 여행이 우리 모두가 우리가 살고 있는 지구를 바라보게 될 그런 미래였으면 한다.

잠시 과거를 돌아보자. 과거 우리나라는 물론 서양에서도 농민층이 존재했고 먹고 살 수 있는 농작물을 재배해왔다. 사람의 노동력과 고작 몇 되지 않는 도구를 활용해 씨앗을 뿌리고 물을 주고 그것들이 자라나면 수확하는 형태의 농작이 이루어졌을 것이다. 이후 직물을 생산하는 공업이나 철을 제련하는 철강 산업 등 근대적인 산업들이 발달하기 시작했다. 사람들이 하루 종일 고생하며 만들어내는 농작물과 모직물은 양quantity적으로 봤을 때 그리 많지 않았을 것이나 영국의 공학기술자인 제임스 와트James Watt에 의해 발명된 증기기관Steam Engine으로 인해 큰 변화를 맞이하게 된다.

물레방아와 같이 물의 힘을 이용해 동력을 얻는 경우는 반드시 물이 흐르는 곳에서 공업이 이뤄져야 하지만 증기기관은 석탄을 태워 발생하는 열에너지를 활용하기 때문에 어디에서나 가능했고 이를 응용한 기계 덕분에 대량으로 생산할 수 있었다. 말 그대로 '혁명'을 이룬 셈이다. 세상에 '기계machine'라는 것이 등장해 우리의 삶을 크게 변화시킨 것이니 지금 우리가 역사책 속에서 언급하는 '1차 산업혁명'이라는 말에 결코 무리가 없을 것 같다. 이러한 기계를 도입하게 되면서 그간 사람이 했던 작업들 즉 인간의 노동이 크게 감소하기도 했다. 반면 물량

1~4차 산업혁명의 흐름

1차 산업혁명
증기기관, 기계화, 수공업의 쇠퇴

1870년

1784년

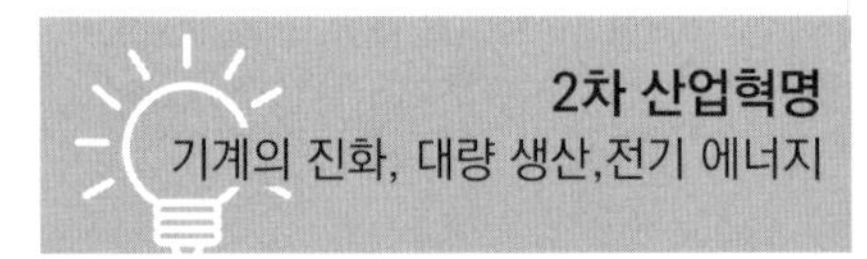

2차 산업혁명
기계의 진화, 대량 생산,전기 에너지

의 효율적인 생산성을 높이는 계기가 되긴 했지만 다르게 보면 기계가 사람을 밀어내는 전형적인 케이스가 되었을지도 모르겠다.

기계가 사람을 밀어낸 첫 번째 사건

과거 노동력의 50퍼센트 이상은 농업과 제조업에 몸을 담았다고 한다. 기계화는 말 그대로 기술의 발전이자 산업 분야의 혁신적인 사건이다. 산업적인 측면 전체로 보면 반드시 겪었어야 할 과정이지만 당시 경제적인 상황을 고려하면 인간이 할 수 있는 일은 그만큼 줄어들 수밖에 없는 구조라 하겠다. 그렇다면 기계화로 인해 많은 사람들이 대량으

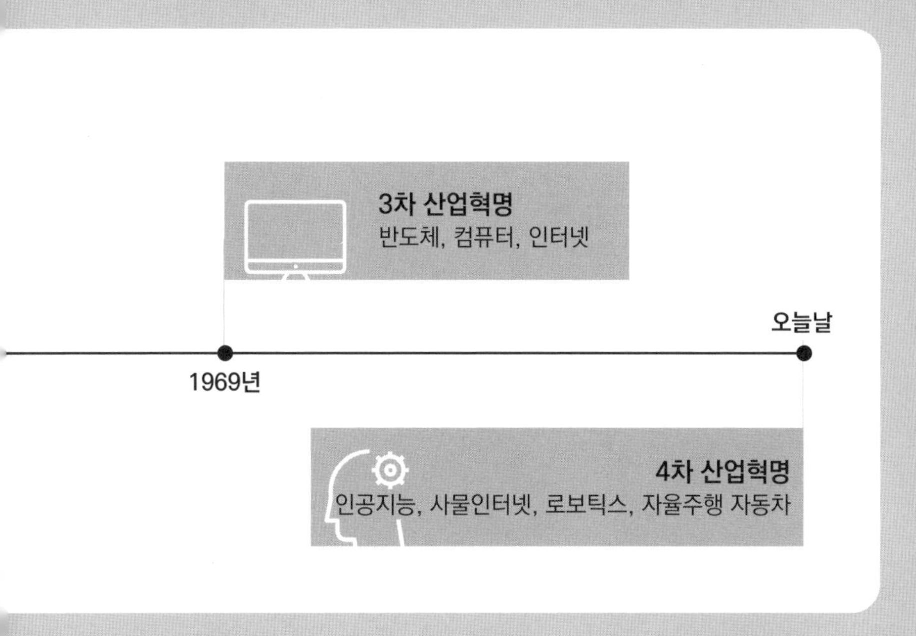

로 실직했을까? 1800년대 초반, 기계화가 이룬 산업 환경에서 수공업은 무너질 수밖에 없었다. 자본이 막강한 사람들이 기계를 도입하면 그 주변에 사람들이 몰려 일거리를 찾기도 하지만 실제 일부는 실업자가 되기도 했다. 기술발전은 산업분야의 혁신을 가져오고 수공업자의 실직은 빈곤을 가져오기 마련이다. 이로 인해 기계 파괴 운동이라 부르는 러다이트 운동Luddite movement이 일어나기도 했다.

대량생산을 꾀하는 산업 구조의 변화는 인간이 수행할 수 있는 임무를 새롭게 부여할 수도 있다. 쉽게 말하면 기존의 일자리는 사라지되 새로운 고용 창출의 기회를 맞이할 수도 있다는 것이다. 단순하게 생각해보자. 대량으로 물건이 생산되면 이를 체계적으로 분류하거나 꼼꼼하게 관리할 수 있어야 하고 이를 유통할 수 있는 인력도 필요한 셈이다. 이처럼 세상은 기계로 인한 산업화를 이룩했고 급기야 대규모의 공장들이 늘어나는 계기가 되었다. 이와 더불어 증기기관차나 증기선 등 운송 수단도 발달했다. 농장에서 일하던 사람들이 공장에서 직업을 얻게 되면서 노동 환경이 조금씩 달라지기도 했다. 18세기부터 19세기까지 이어진 기계화와 인류의 산업 활동은 전기가 탄생하기 이전까지 지속적으로 이어졌다.

공장형 제조업이 떠오르다

석탄이나 나무를 태워 증기의 힘을 활용하던 시대는 점차 사라져가고 지구에 매장된 석유, 전기 등으로 또 다시 기술 혁신이 일어나게 된다. 촛불로 주변을 밝혔던 이웃 동네에도 전기가 들어오면서 전등을 켜게 되었다. 전기에너지와 기계화에 근거한 공장의 대량생산이 가속화되는 계기를 맞이하기도 했다. 20세기 초까지 이러한 전기 에너지가 증기기관을 잇는 두 번째 산업혁명이 된다.

미국의 발명가인 토머스 에디슨Thomas Edison은 미국의 발명가로 세계 역사 속에 기록되어 끊임없이 회자되고 있다. 1천여 건이 넘는 특허를 보유하고 있을 만큼 10대 시절부터 수많은 발명을 이뤄냈다. 발명왕이라고 불리는 것도 다 이러한 이유 때문에 생긴 별칭이다. 토머스 에디슨이 발명한 것 중 인류의 삶을 확연하게 바꾼 것은 다름 아닌 백열전구. 백열전구는 진공 유리구 안에 가는 금속선을 넣어서 만든 전구를 말하는데, 1879년 30대 초반의 에디슨이 발명한 물건이다. 참고로 영국의 화학자이자 전기학자인 조지프 스완Joseph Swan도 백열전구 개발에 성공한 바 있다. 에디슨과 조지프 스완 모두 탄소 필라멘트를 전구 안에 넣어 오랜 시간 동안 빛을 내는 전구를 만들었다. 필라멘트는 전구 안에 가느다란 금속선인데 전류를 흘려주면 빛과 열을 함께 발생시킨다.

백열전구는 시작에 불과했다. 1차 산업혁명 당시 유럽 전역에서 일어난 영국과 프랑스 같은 강대국의 산업혁명은 국가를 발전시키는 원동력이 되어 큰 힘을 발휘했다. 미국은 영국과 독립전쟁을 치른 후 통일 정부 수립을 위한 과정들을 겪었다. 독립전쟁의 영웅으로 불리는 조지 워싱턴George Washington이 초대 대통령으로 취임하게 되었고 인디언을 몰아내면서 서부 탐험과 개척을 끊임없이 이뤄나갔다. 기계 도입은 물론 전기의 발명으로 미국의 기술력은 보다 발전했다.

에디슨의 전기 기술은 니콜라 테슬라Nikola Tesla의 교류AC, alternating current 시스템으로 발전하게 되었고 전기의 힘은 세상을 바꾸게 된다. 교류 전기는 전류가 흐르는 방향과 크기가 시간이 지나게 되면 주기적으로 변하는 전기인데, 전류 흐름의 방향이 일정한 에디슨의 직류DC, direct current와 상대적인 개념이다. 빌진기나 전동기 등 전기를 활용하는 기기에 널리 쓰이고 있다. 기계와 전기의 만남으로 이루어진 전동기는 컨베이어 벨트나 자동차를 탄생시키는 계기를 마련하게 된다. 자동차 왕이라고 불리는 헨리 포드Henry Ford의 '포드FORD' 자동차의 역사도 이 때부터 시작되었다.

4차 산업혁명의 배경이 된 3차 산업혁명

4차 산업혁명이 세계경제포럼의 클라우스 슈밥 의장이 주장한 개념이라면 3차 산업혁명은 미국의 경제학자 제레미 리프킨Jeremy Rifkin에 의해 처음으로 언급된 세계의 변화를 의미한다. 그는 인류가 맞이한 세 번째 산업혁명을 통해 새로운 비즈니스 모델과 일자리가 엄청나게 창출될 수 있으리라고 전망했고 인터넷 기술과 더불어 재생 에너지로 인한 산업혁명이 세계 경제의 패러다임을 변화시키게 되리라고 언급했다. 제레미 리프킨은 3차 산업혁명의 개념과 더불어 현대 문명의 에너지 낭비가 인류의 재앙을 가져오게 될 것이라는 '엔트로피entropy'에 대한 개념도 언급한 바 있다. 과학과 기술은 날로 발전하지만 이러한 급변이 우리의 경제와 사회 심지어 환경에 미치는 영향을 긍정적이면서도 우려스러운 측면을 간과하지 않고 이야기했다.

제레미 리프킨이 언급했던 3차 산업혁명의 기본은 컴퓨터와 인터넷 네트워크다. 그가 언급한대로 컴퓨터는 세상을 바꾸어 놓았고 지금도 역시 미세한 변화가 지속적으로 이어지고 있다. 증기기관의 도입 즉 기계를 만나게 된 인류가 전기를 동력으로 얻고 여기에 컴퓨터 프로그램을 입힌 셈이다. 과거 공장에서 물건을 생산했던 사람의 노동력을 생각하면 어마어마한 발전이 아닐 수 없다. 피땀 흘리며 일했던 사람들이 기계를 만나게 되면서 생산에 필요한 시간과 노동력을 크게 줄이게 되었고 전기가 발명되어 공장에 안착되자마자 빠른 시간 안에 대량 생산이 가능해진 것이다. 여기에 컴퓨터라는 새로운 문물이 도입되면서 매우 정교하고 질 좋은 물건을 생산할 수 있게 되었으니 충분히 기록될만한 역사적 사건이겠다.

2차 세계대전 당시 독일군은 에니그마Enigma라는 암호 생성 장치를 통해 전투 지령과 작전 계획을 수립했다. 영국군이나 프랑스군 모두 독일군의 암호와 교신 내용을 입수해도 해독하기가 어려워 독일군의 무차별 공격을 당해야만 했다. 독일군의 우세함이 계속되는 가운데 영국은 수학자, 암호학자 등 수많은 전문가들을 불러 모아 암호 해독팀을 만들고 암호를 푸는 데 열을 올리기 시작했다. 암호 해독팀의 앨런 튜링Alan Turing은 에니그마에서 표현되는 문장의 의미를 해독할 수 있는 기계를 만들었고 이 기계가 연산하는 과정과 결과를 통해 암호를 풀기 시작한다. 이 때 앨런 튜링이 사용한 연산식 기계의 이름은 콜로서스

Colossus. 바로 이 기계가 컴퓨터의 시초라고도 불린다. 만일 앨런 튜링이 이러한 기계를 만들지 못했다면, 그리고 암호를 풀지 못했다면 지금의 역사는 또 어떻게 바뀌게 되었을까?

3차 산업혁명에서 컴퓨터가 자주 언급되는 편이지만 인터넷을 통한 통신 기술의 발달도 빼놓을 수는 없다. 어떤 이들은 3차 산업혁명에 대한 키워드를 디지털 혁명 또는 정보 혁명이라 부르기도 한다. 우리나라에서는 하이텔이나 나우누리, 천리안 등이 PC 통신 네트워크의 첫 모습과도 같다. 이후 인터넷 기술은 급속도로 발전했다. 웹사이트가 생겨났고 각 기업들도 자사 홈페이지를 개설하였으며 네이버, 다음과 같은 포털 사이트도 우후죽순 늘어났다. 손으로 쓴 편지가 아니라 이메일을 보내기 시작했고 일기장이 아니라 블로그를 통해 일상을 적기도 했다. 동호회나 동창회 역시 온라인 커뮤니티를 이용한 사례들도 존재한다.

IT, 전 세계 기업의 지형을 바꾸다

사실 1800년대 이후 기계화와 전기의 발명 등이 이룩한 산업혁명을 비춰보면 제조업은 오랜 기간 동안 경제 활동과 국가 발전을 위해 이바지해왔다. 디지털 시대를 맞이한 지금도 제조업은 꾸준히 이뤄지고 있다. 반면 인터넷은 지금 우리가 살고 있는 시대와 세상에 매우 중요한 역할을 했고 앞으로도 떼려야 뗄 수 없는 필수적인 테크놀로지다. 지금은 셀 수도 없는 수많은 웹사이트가 모바일 웹으로 변모하기에 이르렀지만 인터넷 시대 초기에는 벤처 붐을 일으킬 정도였다.

1997년 외환위기를 극복하기 위해 김대중 정부가 코스닥 시장과 중소기업 위주의 벤처기업 육성 정책이 흘러나오기 시작했다. 인터넷을 포함해 IT 산업이 국가 경제의 바탕이자 가능성이 될 수 있다는 것은 미국의 IT 버블닷컴버블, dot-com bubble에서 이어져온 것이다. 인터넷 관련 분야가 성장하면서 주식 시장이 활활 타오르며 급격한 상승폭을 그렸던 거품 경제 현상이기는 했지만 실제로 이를 통해 몸집을 부풀린 기업도 존재하고 제대로 준비하지 못한 기업들은 대다수 도태되기도 했다. 인터넷과 컴퓨터, 모바일로 이어지는 테크놀로지는 전 세계 경제 발전과 산업 분야에 매우 큰 변화를 가져다주었고 이는 4차 산업혁명으로 이어지는데 크게 기여한 만큼 이러한 산업혁명과 변화의 흐름을 읽는 것은 매우 중요한 일이겠다.

빠른 속도의 인터넷과 널리 보급된 PC의 발전은 우리나라를 정보화 사회로 거듭나게 했다. 그리고 이때가 전 세계 산업구조에도 변화가 일어나기 시작한 시점이다. 인터넷만 연결되어 있으면 언제 어디서든 업무를 할 수도 있고 쇼핑, 예매, 문화생활, 학업에 이르기까지 거의 모든 영역을 소화할 수 있게 되었다.

필자 역시 인터넷을 통해 꽤 많은 일들을 처리해왔다. 문서를 작성하고 쇼핑을 했으며 이메일을 보내거나 글을 쓴다. PC, 태블릿은 물론 작은 모바일 디바이스를 손에 쥐고 시간을 보내기도 한다. 그 중에 하나가 온라인 스트리밍 서비스인 넷플릭스다. 2019년 3월, 넷플릭스 전용으로 방송된 〈러브, 데스 + 로봇Love, Death + Robots〉은 데이빗 핀처David Fincher와 팀 밀러Tim Miller가 제작한 성인 애니메이션 앤솔로지Anthology 시리즈다. 모두 열여덟 개의 단편 애니메이션으로 구성되어 미스터리, 호러, SF, 코미디, 사이버펑키cyberpunky한 내용도 포함되어 있다.

이 중 '아이스 에이지ICE AGE'라는 에피소드를 보면 매우 기상천외한 이야기가 등장한다. 신혼부부로 보이는 두 인물의 집에 아주 오래된 냉장고가 있는데 냉동고에서 얼음을 꺼내자 돋보기가 있어야 겨우 보일 정도로 작은 매머드mammoth, 맘모스라고도 불리며 빙하기 때 멸종한 것으로 추정가 등장한다. 이를 의아하게 느낀 두 사람은 냉동고를 열고 안을 살핀다. 냉동고를 열자 펼쳐지는 중세의 시대. 현실 세계 속의 시간은 1분 1초 어제와 똑같이 흐르지만 냉동고의 세계는 1분이 1년처럼 빠르게 지나가고 있다. 불과 1시간 정도가 흐르는 사이에 빙하기에서 중세시대, 다시 중세시대에서 기계화의 시대가 되는 듯했다. 중세시대의 건축물이 산업혁명을 맞이하여 증기기관의 열이 올라오고 기계화가 펼쳐진다. 이후 전기가 들어오더니 급기야 수많은 건물들이 지어지기 시작한다. 작았던 건물들이 우뚝 솟아나며 문명화를 이루고 현대적으로 변모하기에 이르렀다. 평화로운 시대처럼 보였지만 전쟁이 일어나고 핵폭발로 인해 모두가 소멸된 줄 알았던 그 세계는 미래의 첨단 도시처럼 또 다시 변화를 지속하고 있다.

이 짧은 영상 속에는 우리가 지금까지 살펴본 내용이 전부 축약되어 있다. 끊임없이 이어지는 발전은 세상을 바꾼다. 역사는 수많은 변화의 물결을 타고 지금에 이르렀다. 우리 세대는 이전의 세대가 일궈낸 혁명을 초석으로 삼아 정성스럽게 다듬고 또 발전시켜 4차 산업혁명 시대에 안착하게 된다. 이제는 다음 세대를 위한 또 다른 혁명과 혁신을 위해 현존하는 첨단 테크놀로지를 IT 분야는 물론 서비스업, 의료 분야, 로보틱스, 자율주행 자동차 등 다양한 분야에서 응용하고 접목시킬 수 있도록 올바르게 세워야 할 것이다.

참고 문헌

프롤로그 | 변화는 위기이자 기회다

- 〈김용수 차관, ICT 분야 양질의 일자리 창출을 위한 중소기업 현장방문〉(2018.1.24), 과학정보통신기술부 보도자료(msit.go.kr)
- 〈Employment Trends〉, World Economic Forum(The Future of Jobs 2016)
- 〈Artificial Intelligence To Create 58 Million New Jobs By 2022, Says Report〉(2018.9.18), forbes.com
- 〈The Future of Jobs across Industries〉, World Economic Forum(The Future of Jobs 2018)
- 〈AI And The Future Of Work: Will Our Jobs Disappear?〉(2018.3.20), forbes.com

1장 | 당신의 다음 직장은 '이곳'이 될지도 모릅니다

01 구글과 애플은 영원한 승자일까?

- 〈2018 세계에서 가장 가치가 높은 브랜드 순위 탑10〉(2018.10.5) : hypebeast.kr
- 〈Global 500 2019〉 : brandirectory.com
- Alphabet(abc.xyz)
- 〈Dr. Eric Schmidt Resigns from Apple's board of Directors〉(2009.8.3) : apple.com/newsroom
- 〈Riding in Waymo One, The Google Spinoff's first self-driving

taxi service〉(2018.12.5) : theverge.com
· 구글 딥마인드(deepmind.com/blog)
· 〈Foldable and 5G smartphones to take centre stage at MWC19〉(2019.2.23) : www.mwcbarcelona.com/about/blog
· 〈Foldable Smartphone to Be Launched in 2019 with Penetration Rate of 0.1%, Says TrendForce〉(2018.12.13) : www.witsview.com

02 출근길 신도림역 풍경은 과거가 된다

· K-live X : www.klive.co.kr
· 〈실감미디어 복합체험공간 '상암 K-live X' 그랜드 오픈〉 : KT 보도자료(2017.12.22)
· 《실감 미디어》(커뮤니케이션북스, 2014.04.15), 정회경, 오창희
· 퀄컴 : https://www.qualcomm.com/news
· 〈4 Reasons 5G is Critical For Mass Adoption of AR and VR〉(2018.5.27.) /Forbes(https://www.forbes.com)
· 〈출근도장은 내 얼굴, 스마트폰만 꽂으면 업무 준비 끝! 5G 스마트오피스 기술〉 : SK텔레콤 인사이트(www.sktinsight.com)
· 〈Holograms Aren't The Stuff of Science Fiction Anymore〉(2017.2.14) : singularityhub.com
· 〈The world's first multi-user hologram table is here, on sale in 2018〉(2017.8.15) : newatlas.com
· 〈What is the smart office or the face of tomorrow's connected office?〉(2018.7.9) - cowork.io
· Global Smart Office Market CAGR Grows Till 14.0% By

2028〉(2019.2.28) - https://tcbresistencias.com

03 집집마다 인공지능을 보급하라

· 네이버 인공지능 클로바(clova.ai)
· 아마존닷컴(amazon.com)
· SK텔레콤 AI 스피커 누구(nugu.com)
· KT 기가지니(gigagenie.kt.com)
· 국립중앙과학관(science.go.kr)
· 〈I live with Alexa, Google Assistant and Siri. Here's which you sould pick〉(18.11.21), Washington post
· 〈How AI is transforming Home Automation〉(2018.10.8), becominghuman.ai
· 〈초연결사회 그림자…30초면 이웃집 IP카메라도 뚫린다〉(2019.1.30), 한국일보
· 〈Ten HR Trends In The Age Of Artificial Intelligence〉(2019.1.10), forbes.com

04 20년 뒤, 인류는 7G 시대를 맞이할 것인가

· International Telecommunication Union, www.itu.int
· 〈What is 5G? Understanding The Next-Gen Wireless System Set to Enable Our Connected Future〉(2018.6.5), cbinsights.com
· 〈4 Reasons 5G is Critical For Mass Adoption of AR and VR〉(2018.5.27), forbes.com
· SK텔레콤 인사이트, sktinsight.com

· 〈5G is so near-Future : A look ahead to 6G and 7G〉, iconsofinfrastructure.com
· 〈The Future is Now : China Announces start of 6G network technology development〉(2018.10.3) : sputniknews.com/science
· Finland and China are already thinking about 6G〉(2019.3.13), vuetel.com
· 〈중국 VR시장 고속성장 전망 등〉(2019.1.31), 산업연구원(중국산업경제브리프)
· 〈China says it will 'soon grant' 5G licenses for commercial use〉(2019.6.4), techcrunch.com

05 블록체인의 진가는 아직 드러나지 않았다

· 〈Big Blockchain: The 50 Largest Public Companies Exploring Blockchain〉(2018.7.3), forbes.com
· 〈Blockchain's Billion Dollar Babies〉(2019.4.16), forbes.com
· 〈Blockchain Research Institute〉, dontapsoctt.com
· 〈Craig Wright's New Evidence That He Is Satoshi Nakamoto Is Worthless〉(2016.3.3), motherboard.vice.com
· Smart contract, en.wikipedia.org/wiki/Smart_contract
· 〈How Blockchain Will Make Electronic Voting More Secure〉(2018.3.24), hackernoon.com
· 〈Which Countries Use Electronic Voting?〉(2018.10.25), lifewire.com
· 〈Blockchain Technology for Patient Healthcare Data〉(2018.12.13), datascience.com/blog

· 〈2019년 블록체인 사업 통합설명회 개최〉(2018.12.21), 과학기술정보통신부 네트워크진흥팀 보도자료(msit.go.kr)
· 〈How blockchain revenue will reach $10.6 billion in 2023〉(2018.10.15), cloudtech(cloudcomputing-news.net)
· 〈$3.25 Billion Blockchain Technology in Healthcare Market - Global Forecast to 2026〉(2019.4.2), globenewswire.com
· 〈Global Forecast to 2023: Microsoft, IBM Leading Players in Blockchain in Energy Market〉(2018.8.18), blokt.com/news
· 〈Ready To Rumble: IBM Launches Food Trust Blockchain For Commercial Use〉(2018.8.8), forbes.com
· IBM Food Trust, ibm.com
· Blockchain-as-a-Service(BaaS)(2018.5.17), investopedia.com
· KT GiGA Chain BaaS, ucloudbiz.kt.com
· 〈Blockchain-as-a-Service Market Worth 15,455 Million USD by 2023〉(2018.6.8), prnewswire.com/news-releases(news provided by marketsandmarkets)
· 〈THE FUTURE OF BLOCKCHAIN TECHNOLOGY: TOP FIVE PREDICTIONS FOR 2030〉(2018.8.11), blockchain-expo.com
· Blockchain's Strengths and Weaknesses, himss.org(Healthcare Information and Management Systems Society)
· 〈The 6 best blockchain jobs of the future〉(2018.5.11), techrepublic.com

2장 | 기술은 새로운 일자리를 부른다

06 유튜브와 넷플릭스가 터트린 '미디어빅뱅'

· 〈The rise of Netflix and the fall of Blockbuster〉(2017.3.23), medium.com

· The Netflix Tech Blog : medium.com/netflix-techblog

· 〈Video Streaming will Grow to $70.05 billion in 2021〉(2018.1.10) : square2marketing.com

· 〈Netflix's annual revenue from 2002 to 2018(in million US dollars)〉, statista.com

· 〈Netflix Could be Cash-Flow Positive by 2022〉(2018.4.17) : www.fool.com (The Motley Fool)

· 무디스의 넷플릭스 신용 평가(moodys.com) : Netflix, Inc.

· 유튜브 프리미엄, Youtube Premium : youtube.com

· 〈Mobile data traffic growth outlook〉 : Ericsson.com

· 〈Youtube the Future of Television?〉(2018.2.12), medium.com

07 '무인운송 시스템'에도 사람이 필요하다

· Group-wide environmental protection program GoGreen defines global target: zero emissions by 2050, dpdhl.com

· FedEx and the Environment, fedex.com

· Drone, en.wikipedia.org/wiki/Drone

· DJI, dji.com

· 〈The best drones of 2019〉(2019.3.10), digitaltrends.com

·〈How DJI Became the Drone Industry's Most Valued Company〉(2019.1.3), medium.com
·〈ANAFI THERMAL, THE THERMAL IMAGING DRONE ADAPTED TO THE NEEDS OF ALL PROFESSIONALS〉, parrot.com
·〈Workhorse Group's drones are now delivering packages in Ohio〉(2018.5.23), digitaltrends.com
·〈UPS Tests Residential Delivery Via Drone Launched From atop Package Car〉(2017.2.21), pressroom.ups.com
·〈Uber Wants To Deliver Food With Drones By 2021〉, dronethusiast.com
·〈부산경찰, '치안드론 컨퍼런스' 개최〉(2018.10.31), 드론뉴스(dronenews.or.kr)
·〈제6회 드론시큐리티연구원 학술세미나〉(2018.8.27), 경찰대학(police.ac.kr)
·〈Commercial Drones in 2022 – Our Predictions〉, interactanalysis.com
·〈1 billion drones in world by 2030, US futurist Thomas Frey says〉(2017.8.31), abc.net.au
·〈Dubai tests drone taxi service〉(2017.10.26), bbc.com
·〈드론 학과부터 조종사 국가자격증 정보까지! 드론에 대한 모든 것! 드론으로 취업준비하자!〉(2019.5.17), 국토교통부 공식 포스트(m.post.naver.com)

08 프로그래머가 지은 집, 스마트홈

· ARPANET, en.wikipedia.org/wiki/ARPANET
· 〈디지털 신호로 위험상황 알려주는 똑똑한 가로등 만든다〉(2019.4.1), 국토교통부(molit.go.kr)
· 〈똑똑한 우리집 현대건설 X 현대오토에버 스마트홈, 소혜의 쏘 핫 리포트〉(2018.4.3), youtube.com(현대자동차그룹)
· 〈Interview with Kevin Ashton – inventor of IoT: Is driven by the users〉(2018.2.11), smart-industry.net
· 〈The home of 2030 will take care of everything so you can maximize relaxation〉 by DBS(2018.10.18), qz.com(quartz)
· 〈Residential IoT market worth $167.2 billion by 2027〉(2018.8.17), smart-energy.com
· 〈What the smart home will look like in 2020, 2040 and beyond〉(2018.2.6), the-ambient.com
· 〈Here Comes the Sun: Solar Power and the Internet of Things〉(2017.8.29), medium.com
· 〈Internet of Things and Big Data – Better Together〉(2018.8.1), whizlabs.com/blog
· 〈과기정통부, 사이버보안 빅데이터 센터 개소〉(2018.12.12), 과학기술정보통신부 보도자료)
· 미래직업 가이드북 : 사물 인터넷 전문가, 진로정보망 커리어넷(career.go.kr)
· Microsoft Professional Program in IoT, edx.org(Microsoft)

09 빅데이터는 무가치한 정보더미가 될 것인가

· 〈What is big data?〉 : https://www.oracle.com/big-data
· 〈혁신성장 전략투자 : 데이터. AI 경제 활성화 계획(19년~23년)〉(19.1.16) : 관계부처 합동
· 〈한국 IDC, 국내 빅데이터 및 분석 시장 2022년 2조2천억 전망〉(19.2.14) : www.idc.com
· 〈Big data and the future of Privacy〉 : epic.org(Electronic Privacy Information Center)
· 〈3 Massive big data problems everyone should know about〉(2017.6.15) : Forbes.com
· 〈빅데이터 시대, 개인은 어떻게 대응할 것인가?〉(2017.8.26) : 중소벤처기업부 블로그(blog.naver.com/bizinfo1357)
· 〈Typical job duties for data scientists〉, sas.com
· 〈Data Science Institute〉, datascience.columbia.edu/certification
· 〈Mining Massive Data Sets Graduate Certificate〉, scpd.stanford.edu
· 〈Why There Will Be No Data Science Job Titles By 2029〉(2019.2.4), forbes.com

10 화석 연료가 인류 생존을 위협한다

· Member Countries, opec.org
· 전기차 보급목적, ev.or.kr(환경부 전기차 충전소)
· Fuel cell vehicle, en.wikipedia.org
· 〈Fuel Cell Electric Vehicles Market Worth $11.6bn by 2025:

Global Market Insights, Inc.〉(2019.3.25), prnewswire.com(Global Market Insights, Inc)
· 〈세계 최고수준의 수소 경제 선도국가로 도약〉(2019.1.17), 산업통상자원부 보도자료(motie.go.kr)
· The solar market today, seia.org
· NATIONAL ENERGY AND CLIMATE PLANS, solarpowereurope.org
· National Energy and Climate Plans (NECPs), ec.europa.eu/energy
· 〈The end of oil is closer than you think〉(2005.4.21), .theguardian.com
· 〈친환경 미래에너지를 통한 온실가스 감축 및 기후산업 창출에 박차〉(2018.4.10), 과학기술정보통신부 보도자료(msit.go.kr)
· 〈Renewable energy will overtake natural gas by 2027〉(2016.6.14), computerworld.com
· 신.재생에너지 폐기물에너지, 에너지관리공단 신.재생에너지센터(knrec.or.kr)
· Recycling Technologies, crowdcube.com
· 〈Renewable energy will be world's main power source by 2040, says BP〉(2019.2.14), theguardian.com
· 〈Top 15 Largest Crude Oil Production Country (1994 - 2019)〉(2019.5.10), youtube.com/watch?v=DrdIVm8-cVc
· 〈4차 산업혁명 시대 내 직업찾기〉(2019.4), 한국고용정보원

3장 | 상상력이 일하게 하라

11 달 표면에 앉아 지구를 바라본다는 것은

· The Decision to go to the moon : history.nasa.gov(NASA history office)

· aerodynamic heating : https://encyclopedia2.thefreedictionary.com

· 〈what is Orion?〉(2015.3.25) : nasa.gov

· 〈화성까지 얼마나 걸릴까〉(한국항공우주연구원 백승환 연구원), www.kari.re.kr

· 〈2020 Mission Plans〉(2017.4) : mars.nasa.gov

· 〈NASA's on target to send humans to Mars within the next 2 decades - but here's why the moon should com first〉(2018.10.29) : www.cnbc.com

· 테슬라, www.tesla.com

· 스페이스X, spacex.com/elon-musk

· 〈Will SpaceX really be flying people to Mars in 10 years?〉(2018.12.14) : forbes.com

· SpaceX Martian colony Mars base alpha could be operational by 2030〉(2018.9.25) : autoevolution.com

· 《재미있는 탐험 이야기》(2014.6.18), 김영, 송영심 글 / 윤유리 그림(가나출판사)

· 〈Top 10 Jobs in 2030: Skills You Need Now to Land the Jobs of the Future〉(2017), crimsoneducation.org

· 〈The Commercialisation of Space and the Development of Space

Infrastructure〉, oecd.org

12 2차원에서 3차원으로 올라선 프린팅 기술

· 〈World Premiere : Brake Caliper from 3-D Printer〉(2018.1.22), bugatti.com
· 〈50 Cool Things to 3D Print in March 2019〉(2019.03), all3dp.com
· 〈3D 프린터 원리 SLA 3D 프린팅 기술〉(2015.2.4), ktech21.com
· 〈BASF invests in Chinese 3D printing specialist Prismlab〉(2018.11.6), basf.com
· 〈L'Oreal Inks Research Deal with Organovo〉(2015.5.26), DE247(digitalengineering247.com)
· 〈25% of Dubai Buildings will be 3D printed by 2030〉, arch20(www.arch2o.com)
· 〈NASA's Orion spacecraft contains more than 100 3D-printed parts〉(2018.4.18), techcrunch
· 〈Top Three Teams Share $100,000 Prize in Complete Virtual Construction Level of 3D-Printed Habitat Challenge〉(2019.3.27), nasa.gov
· 〈2019년 3D프린팅산업 진흥 시행계획〉(2019.2.21), 관계부처 합동 자료(과학기술정보통신부 정보통신산업과 PDF 자료)
· forbes.com(2013.5.3), This is The World's First Entirely 3D-Printed Gun
· 〈Additive Manufacturing for Innovative Design and Production〉, additivemanufacturing.mit.edu

· 〈5 AMAZING 3D PRINTING CAREERS TO INSPIRE STUDENTS〉, makersempire.com

13 세상이 바뀐다 해도 배달 음식은 살아남는다

· 〈SoftBank doubles down on Korean online retailer Coupang with $2 billion investment〉(2018.11.20), reuters.com
· 〈What is Foodtech?〉(2016.11.27), digital-me-up.com
· 〈WHAT THE HELL IS FOODTECH AND WHAT'S SO GREAT ABOUT IT?〉(2018.9.29), sustainweb.org/jelliedeel
· 〈World population projected to reach 9.7 billion by 2050〉(2015.7.29), un.org
· 〈The Meat Industry Has Some Serious Beef With Those 'Bleeding' Plant-Based Burgers〉(2018.3.21), times.com
· 〈Burger King launches plant-based Whopper: 'Nobody can tell the difference'〉(2019.4.2), theguardian.com
· 〈Startup activity and investments in the French FoodTech〉, digitalfoodlab.com
· 〈FoodTech: An opportunity for France – 2017 update〉(2019.1), digitalfoodlab.com
· 〈Food Tech Market is Enhanced Research & Likely To Reach More Than $252 Billion By 2025 with CAGR of +12 % Along With Top Players – Postmates, Domino's Pizza Inc., DoorDash Inc., Eat24〉(2019.3.1), marketwatch.com/press-release
· 〈Google Makes $15 Million Ag Tech Investment〉, agweb.com

· 〈Water pollution is now New Zealanders' Number One Concern〉(2018.12), fishandgame.org.nz/news
· 〈The Food Tech 25: Twenty Five Companies Creating the Future of Food in 2019〉(2019.3.20), thespoon.tech

14 안경만큼이나 일상품이 될 웨어러블 디바이스

· 돌핀 시계, dolphinwatch.co.kr
· 롤렉스, rolex.com
· smart watch, en.wikipedia.org/wiki/smartwatch
· 〈Timex Datalink – Price, specs &features review〉, finder.com.au
· 〈Introducing GALAXY Gear, a Wearable Device〉(2013.9.5), news.samsung.com/global
· 〈Apple's Healthcare Take Could Be $313 Billion by 2027, Analysts Say〉(2019.4.8), fortune.com
· 〈Wearable Tech is New Top Fitness Trend for 2019, according to ACSM Survey〉(2018.12.5), acsm.org
· 〈Global Wearable Fitness Tracker Market Worth USD 62,124 Mn by 2023〉(2018.12.4), marketwatch.com/press-release
· 〈50 wearable tech predictions for 2018〉(2017.12.15), wareable.com
· Ava AG, startup.ch/avawomen
· 〈MiJia Smart Shoes — a Pair of Smart Sneakers, Created in Cooperation with Intel〉(2017.7.17), xiaomi-mi.com
· 〈Smart shoes: Innovations revolutionizing the future of footwear〉(2018.10), prescouter.com

· 〈Wearable Device Market Forecasts〉(2017), tractica.com
· 〈Global Wearable Technologies Market Forecast to 2025〉(2017.2.22), marketforecast.com
· Human Universal Load Carrier (HULC), army-technology.com
· 〈Hyundai Motor Deploys Industrial Exoskeletons in its North American Plants〉(2018.10.23), wearable-technologies.com
· 주식회사 FRT, frtechnology.com
· 《청소년이 꼭 알아야 할 IT 미래직업》(2016.9.25), 콘텐츠하다(권은옥 외 ETRI연구원 50인)
· 〈What is the Future of Wearable Technology?〉(2018.4.24), businessofapps.com

15 1기·2기·3기 신도시, 그 다음은?

· Smart City, en.wikipedia.org/wiki/Smart_city
· 〈스마트시티 국가 시범도시(세종, 부산) 시행계획 수립〉(2018.12.27), 과학기술정보통신부 정보화기획과 스마트도시지원팀 보도자료
· 〈무정차통행료 시스템, One Tolling〉, cneway.co.kr(천안논산고속도로 주식회사)
· 〈How to shape the future of cities?〉, solarimpulse.com(Solarimpulse Foundation)
· Intelligent transportation system, en.wikipedia.org
· 〈Traffic management systems market will grow by 18.2% from 2018 to 2028〉(2018.3.29), autonomousvehicletech.com
· 〈What is the Smart Grid?〉, smartgrid.gov

· 〈스마트그리드 알아보기〉, (재)한국스마트그리드사업단(smartgrid.or.kr)
· 〈인터넷진흥원, 스마트도시 등 융합보안 대응 조직 신설 조직개편〉(2019.2.7), kisa.or.kr(한국인터넷진흥원 보도자료)
· 〈How smart will our cities be in 2025?〉(2016.10.23), itproportal.com
· 〈Top 50 smart city Governments〉, smartcitygovt.com
· 〈The Mayor has launched Smarter London Together – his roadmap to make London 'the smartest city in the world'〉, smartcitieslibrary.com
· Amsterdam smart city, amsterdamsmartcity.com
· 〈The Transformation That Barcelona Had Undergone To Become A Smart City〉(2018.7.5), barcinno.com
· 〈Global market for smart city ICT seen to reach $994.6 billion by 2023〉(2019.4.1), smart-energy.com
· 〈Smart Cities -- A $1.5 Trillion Market Opportunity〉(2014.6.19), forbes.com
· 〈Is India's Plan to Build 100 Smart Cities Inherently Flawed?〉(2017.6.29), archdaily.com
· 〈Smart cities? It's all about the smart citizens〉(2018.7.5), siliconrepublic.com
· 〈Top smart city predictions for 2019〉(2018.12.19), techrepublic.com/article

4장 | 인간 대신 로봇이 출근한다면

16 '대량 실업'은 이미 예고되어 왔다

· 〈Urban Air Mobility: FACC and EHang develop new solutions for autonomous flying〉(2018.11.21), press.facc.com

17 인간 없는 공장

· 《재미있는 발명 이야기》(2013.12.10), 허정림 글, 김지훈, 장유정 그림(가나출판사)
· Boston Dynamics(https://www.bostondynamics.com/atlas)
· 〈humanoid Robot Atlas Can Now Do Parkour and That's Not at All Terrifying〉(2018.10.12) : livescience.com
· 연합뉴스 프리미어리그 로봇뉴스, soccerbotyonhapnews.co.kr/robot
· 씽크풀 홈페이지, thinkpool.com
· 네이버랩스, www.naverlabs.com
· 〈Dynamic Locomotion for the MIT Cheetah 2〉, biomimetics.mit.edu
· 〈5G fast and ultra-low latency robot control demonstrated〉(2017.10.13), robohub.org
· 〈한국형 스마트 온실 기술이 한자리에〉(2018.8.14), 농촌진흥청 보도자료
· 〈한우 스마트팜 적용 농장, 생산성 '쑥쑥'〉(2018.9.20), 농촌진흥청 보도자료
· Food and Agriculture Organization of UN(식량농업기구), fao.org
· 〈Robots could replace humans in a quarter of US jobs by

2030〉(2019.1.24), cnet.com

18 2025년, 60만 자율주행차가 온다

·〈훤히 보이는 지능형 로봇〉(2008.12.31), 이재연, 정인철 등(전자신문사)
·〈How Google's self-driving car project rose from a crazy idea to a top contender in the race toward a driverless future〉(2016.10.23) : www.businessinsider.com
·〈Waymo's self-driving cars hit 10 million miles〉(2018.11) : techcrunch.com
·〈Alphabet's self-driving car business, which just launched a commercial taxi service, could book $114 billiion in revenue in 2030, says UBS〉(2018.12.6) : www.cnbc.com
·〈A Self-Driving Dream Team Gets $530 Million From Sequoia, Amazon〉(2019.2.8) : www.bloomberg.com
·〈Free Shipping Isn't Hurting Amazon〉(2018.4.27) : www.theatlantic.com
·〈Will 5G be necessary for self-driving cars?〉(2018.9.27) : www.bbc.com
·〈Taxi Drivers, Your Job has an Expiry Date〉(2016.10.16), citiesofthefuture.eu

19 의사는 더 이상 유망직종이 아니다?

·〈S.Korea enters homo-hundred era with super-elderly

soaring〉(2016.7.25) : globaltimes.cn
· 국가법령정보센터 건강검진기본법, www.law.go.kr
· 〈What will healthcare look like in 2030?〉(2017.4.10) : weforum.org
· 〈Ubiquitous Health Monitoring Using Mobile Web Services〉, sciencedirect.com
· 〈'심전계 웨어러블' 의료기기 시장 규모 '4조' 육박〉(2019.2.23) : 쿠키뉴스
· 〈$23 Billion Wearable Medical Devices Market to 2025 - Global Analysis and Forecasts Device Type, Application and Geography - Press Release by ResearchAndMarkets.com〉(2018.11.22) : www.apnews.com
· 〈How optune works〉 : www.optune.com
· 〈What is Telemedicine?〉 : chironhealth.com
· 〈Report : Telehealth market estimated to reach $19.5B by 2025〉(2018.4.2) : hcinnovationgroup.com
· 〈Here are 7 Potentially Interesting Jobs of the Future〉(2019.4.10), interestingengineering.com

20 인간 병사로 이루어진 군대는 언제까지 유지될까?

· 《살아있는 과학교과서 1 · 2》(2011.6.20), 휴머니스트(홍준의, 최후남 등)
· Caleb Kumar Research Data, Stanford University : http://large.stanford.edu/courses/2015/ph240/kumar1
· Insitute for Soldier nanotechnologies(isn.mit.edu)

· Nanotechnology in Defense(understandingnano.com)
· 〈Chinese Hackers Target Universities in Pursuit of Maritime Military Secrets〉(2019.3.5) : www.wsj.com
· 〈Is South Korea Poised to be a leader in AI?〉(2018.9.7) : www.forbes.com
· 〈The U.S. Army Is Turning to Robot Soldiers〉(2018.5.18), bloomberg.com

에필로그 | 우리는 역사상 가장 빠른 혁명을 향해 나아간다

· 《Who? 인물 사이언스 토머스 에디슨》(2017.12.4), 다산어린이(이수정 글, 스튜디오 청비 그림)
· 《3차 산업혁명》(2012.5.4), 민음사(제레미 리프킨)
· 〈러브, 데스 + 로봇〉(2019), 넷플릭스(netflix.com/kr/title/80174608)

5년 후 당신의 일자리가 사라진다

초판 1쇄 발행 · 2019년 8월 5일

지은이 · 강규일
펴낸이 · 김동하
책임편집 · 양현경

펴낸곳 · 책들의정원
출판신고 · 2015년 1월 14일 제2016-000120호
주소 · (03955) 서울시 마포구 방울내로9안길 32, 2층(망원동)
문의 · (070) 7853-8600
팩스 · (02) 6020-8601
이메일 · books-garden1@naver.com
블로그 · books-garden1.blog.me

ISBN · 979-11-6416-029-7 (03320)

·이 도서의 국립중앙도서관 출판예정도서목록(CIP)은 서지정보유통지원시스템 홈페이지(http://seoji.nl.go.kr)와 국가자료공동목록시스템(http://www.nl.go.kr/kolisnet)에서 이용하실 수 있습니다. (CIP제어번호: CIP2019028112)